S0-BIJ-978

Poesía y patadas

Poesía y patadas

Un siglo de fútbol y literatura

Miguel Ángel Ortiz Olivera

Primera edición: febrero de 2019

Av. Marquès de l'Argentera 17, pral.
08003 Barcelona
actualidad@rocaeditorial.com
www.rocalibros.com

Impreso por LIBERDÚPLEX, S. L. U.
Sant Llorenç d'Hortons (Barcelona)

ISBN: 978-84-947851-7-7
Depósito legal: B. 274-2019
Código IBIC: WSJA

RC85177

Índice

A mi hermana,
que siempre me devolvió
la pared al pie

El muchacho que hizo arte
con pocos requisitos:
un balón,
dos metros de hierba
y él.

JORGE GARCÍA USTA

INTRODUCCIÓN

Un siglo de fútbol y literatura

En la primera librería donde trabajé, adornábamos las estanterías con citas sobre la lectura. Cada librero elegía una. Las imprimíamos en folios de colores y las colocábamos estratégicamente entre los libros, sujetas en unas pinzas de Ikea, con la esperanza de que funcionasen como anzuelos para pescar lectores en estos tiempos tan líquidos y revueltos. De haber sido cliente, yo hubiera picado con una de Cervantes que decía: «El que lee mucho y anda mucho ve mucho y sabe mucho». No recuerdo qué compañero la eligió, pero sí que sobrevivió varios meses en la sección de libros religiosos hasta que un día decidieron retirarlas todas, ya arrugadas y deslucidas. Esa me la quedé. La guardé entre las páginas del libro que leía entonces y me la llevé a casa. Con el tiempo, no sé qué fue del papelito. Lo importante, sin embargo, es que las palabras de Cervantes pasaron a formar parte de mí. Un lector es eso: no solo lo que lee, sino lo que hace con lo leído.

Como cita, yo había elegido dos frases de *Los sinsabores del verdadero policía*, de Roberto Bolaño. El párrafo de donde las extraje hablaba de las lecciones que habían aprendido los alumnos de Amalfitano. Destacaban dos. La primera: que un libro es un laberinto y un desierto. La segunda: que viajar y leer —«tal vez la misma cosa»— sin detenerse nunca era lo más importante. La cita de Bolaño no hacía más que actualizar la metáfora de Cervantes respecto a la lectura como viaje. Y, seguramente, ninguna de las dos consiguió pescar demasiados clientes; pero a mí me reafirmaron en mi idea de caminar leyendo, de perderme en laberintos de renglones, de adentrarme en desiertos de párrafos. Sin detenerme nunca.

Muchos han comparado la lectura con una odisea en la que, como Ulises de regreso a Ítaca, el lector vive vidas ajenas, habita mundos desconocidos, siente en otra piel, en otro cuerpo, en otra alma. Durante los últimos seis años, yo me he aventurado en una larga odisea para recorrer, mediante libros, el siglo de relación entre literatura y fútbol que se cumplió el pasado 2018. Como hiciera Ulises, me he transformado en cientos de escritores para ver el fútbol a través de sus ojos, he vivido en épocas lejanas y he conocido sociedades cambiantes. Leyendo he recorrido un mundo que envejecía como el cuero de un balón, una época que agonizaba como los últimos minutos de un partido. Y he recorrido este camino sin camiseta ni escudo ni colores: simplemente leyendo, simplemente viajando. Mendigando un párrafo de buen fútbol, como hubiera hecho Eduardo Galeano.

Como *souvenir* de estos viajes, mis estanterías se han poblado de libros de fútbol. No de biografías de jugadores o legados tácticos de entrenadores, sino de literatura: novelas, cuentos, poemas, obras de teatro y ensayos. Por suerte, cada vez son menos las voces que denostan este tipo de literatura, considerado incluso un subgénero en sí mismo por cierta parte de la crítica. Sin embargo, aún queda un reducto intelectual que no concede al fútbol valor literario. De todos modos, escribió W. H. Auden en *El arte de leer* que, hasta los cuarenta años, el gusto literario consiste, precisamente, en no tenerlo. A mí todavía me queda un poco de tiempo hasta llegar a esa frontera, así que puedo disfrutar del camino. Y antes de adentrarme, aclaro un punto: este libro no pretende ser un canon ni una recopilación histórica ni nada por el estilo. Este libro solo aúna mis cuatro pasiones: la lectura, la escritura, el fútbol y mi trabajo de librero. En este orden.

Los viajes, por norma, suelen comenzar antes de que el viajero dé el primer paso. Este empezó hace diez años, con un cuento. Yo aprendía a escribir —todavía sigo en ello— en un taller de escritura creativa por Internet. Cada quince días, los alumnos presentábamos un relato para que el profesor lo leyera y, al final de mes, nos lo desguazara con sus correcciones. Yo enviaba unos horribles, ambientados en la Guerra Civil.

Mi profesor se sorprendía, y no por los cuentos, sino porque, al ser el más joven del grupo, el tema me quedaba lejísimos.

En el foro, los alumnos comentábamos nuestro día a día. Yo les contaba mis continuos cambios de trabajo. Recepcionista de noche que, por la crisis, también hacía de camarero. Extra ocasional en películas, series y anuncios. El paro. Peón en una lavandería industrial. El paro. Profesor de inglés particular a domicilio. Una sustitución como peón de camión de basura. El paro. Un mes en una cooperativa agraria. El paro. Más recepciones de hotel con contratos de un año. Más paro. Afortunadamente, en el foro también comentábamos nuestras lecturas. Y yo, además, hablaba de fútbol. Mis rodillas todavía me permitían jugarlo federado.

A las siete de la mañana, me quitaba el traje de recepcionista, volvía a casa leyendo en el autobús, desayunaba y preparaba la mochila. A las once me presentaba ojeroso en el campo. Tras el partido, comía y dormía unas horas antes de volver al hotel. Mi profesor, al leer mis estrafalarias crónicas, me propuso escribir algo sobre eso. «¿Sobre fútbol?», pregunté yo. No creía, entonces, que la literatura pudiera ocuparse de eso. Nunca había leído una novela de fútbol. Mi profesor, para paliar mi ignorancia, me recomendó *Dios es redondo*, de Juan Villoro. No era una novela, me dijo, pero sí un ejemplo perfecto de fútbol y literatura.

Tardé un tiempo en hacerme con el libro, pero, mientras, empecé a pensar en qué historias de fútbol podría contar. Una noche escribí un relato sobre dos chavales que estrenan un «Etrusco Único» en el barrio. Uno defiende una raquítica portería pintada con tiza en la pared de ladrillos; el otro chuta preocupado porque el cuero del balón se pica en la gravilla. Una preocupación que queda en nada cuando lo cuelga en la parte trasera de un taller, entre motores oxidados, ruedas pinchadas y piezas inservibles. El cuento acababa con los dos amigos resquilando al muro para despedirse del balón. Al menos, de momento.

A mi profesor le gustó el relato, no tanto por el argumento, sino porque mostraba un mundo propio y unos personajes que querían recuperar aquel balón colgado. Me di cuenta de que escribiendo sobre fútbol, en realidad, lo estaba haciendo acerca de las personas que lo jugaban, y su manera de enfrentarse al partido reflejaba cómo entendían la vida. Sin darme cuenta, la escritura me había colado el primer gol: no existen temas mejores o peores, y un escritor debe encontrar los que verdaderamente le apasionan para transmitir esa pasión a los lectores.

Mi profesor me aconsejó que no me olvidase del Etrusco. Que agarrase ese fino hilo y tirase de él con cuidado hasta llegar a los nudos que, con toda seguridad, escondería la madeja más adelante. Durante años escribí más historias de fútbol, barrio y balones desinflados de donde surgieron mis dos novelas: *Fuera de juego* (Caballo de Troya, 2013) y *La inmensa minoría* (Literatura Random House, 2014). Fue entonces cuando comencé a leer libros de fútbol tratando de entender a qué corriente literaria pertenecían mis novelas. El primero, *Dios es redondo*: tenía una deuda que pagar. Lo devoré en dos noches, sin apenas enterarme cuando un cliente entraba por la puerta del hotel hasta que lo tenía acodado en el mostrador. Leer sobre fútbol me absorbía tanto como ver un partido. Y me hacía contemplar el juego desde una óptica nueva: desde las palabras en vez de las patadas.

Mi profesor me recomendó *El hijo del futbolista*, novela de Coradino Vega publicada en Caballo de Troya unos años antes. Y mi editor, Constantino Bértolo, me puso tras la pista de *Los atracadores*, de Tomás Salvador, y *Los once y uno*, de Gonzalo Suárez. Había empezado la verdadera odisea, y tuve la suerte de que la primera parada fuese en un paraíso: una librería centenaria. Al fin pude dejar los turnos de noche y entré a trabajar en La Hormiga de Oro. Había leído muchos libros de Roberto Bolaño, pero fue en aquella librería donde aprendí que leer te podía adentrar en el laberinto más oscuro lo mismo que abandonarte en medio de un desierto luminoso.

Durante dos años, los compañeros me pasaban todos los títulos de fútbol que se topaban. Si aparecía una novela en los boletines de novedades, me la enseñaban. Si por casualidad tenían uno por casa, me lo prestaban. Un compañero, fan de Manuel Vázquez Montalbán, me regaló *El delantero centro fue asesinado al atardecer* y me prestó *Futbolistas de izquierdas*, de Quique Peinado. Como nunca he subrayado un libro, tomaba apuntes en hojas sueltas, libretas de publicidad, papeles sucios. Y creé el blog *A ras de hierba* para darles salida. Un libro llevó a otro, un autor a otro, y así pasaron dos años hasta que la librería, como tantas otras, tuvo que cerrar. Yo bajé la persiana por última vez. Y, junto con otros compañeros, la vacié. El último día, mientras apilábamos montañas de libros en palés, los cánticos de cientos de hinchas del Athletic Bilbao resonaban por los vacíos rincones de la librería. Esa tarde disputaban la final de Copa del Rey contra el F. C. Barcelona en el Camp Nou, y no olvido cómo su alegría contrastaba con el silencio de un paraíso sin libros.

Tras seis infernales meses como dependiente en la tienda de *souvenirs* religiosos de la catedral de Barcelona, me cogieron en la librería La Gralla. En esa época conocí a los redactores de la revista *Panenka*. Les hablé de los libros y del blog, y quedamos en vernos en su redacción. Un día libre, me acerqué con *Las Olímpicas*, del francés Henry de Montherlant, en la mochila. Acababa de comprar en Internet la edición de 1924. Las páginas, más que amarillentas, se caían a cachos. Los años habían roído la portada. Debieron de tomarme por un chalado cuando les enseñé aquel libro diciendo que el tal Montherlant había sido el primer escritor —al menos que yo hubiese leído— que había jugado de portero.

Tras el rollo que les solté, acordamos tratar de levantar una biblioteca de libros sobre fútbol. Por un lado, reseñar las novedades y, por otro, rescatar del olvido ejemplares como aquel: novelas, cuentos, obras de teatro, poemas y viejos ensayos que mostrasen cómo había evolucionado el juego y la manera de contarlo. Resumiendo, intentaríamos meter un balón en las estanterías de una biblioteca.

Un lector crece al mismo ritmo que su librería. La mía es modesta y, además, está divida en dos: seis baldas detrás de la puerta de entrada y un armario de Ikea en la habitación del ordenador. Puedo pasarme horas mirando los libros. Los espío… o quizás ellos me espían a mí. Miro un lomo y recuerdo dónde lo leí, cómo era yo entonces, cuánto me ha cambiado esa lectura. Las arrugas en la tapa, un goterón de café o una esquina doblada dan pistas sobre esos cambios. La lectura comparte eso con un gol: no solo sucede una vez —como afirma Villoro—, sino que se repite una y otra vez en el recuerdo del lector.

Recuperar libros de fútbol ha poblado mi biblioteca con ejemplares descatalogados, amarillentos, roñosos; libros olvidados por el ritmo frenético del mundo editorial moderno. Y en el fondo, me gustaba ese aspecto frankensteiniano de mi biblioteca: por fin era yo el que decidía qué leía y qué no, en vez del mercado o las sobrecargadas fajas editoriales. Además, esta aventura me ha enfrentado a un plano de la escritura, el periodístico, que apenas había trabajado. Mi experiencia se limitaba a un año en la revista de triatlón *Trisense*, un par de colaboraciones en una revista digital sobre fútbol argentino que murió al poco de nacer y mi blog, antes de que me dieran la alternativa en la revista *Panenka*.

En mi camino encontré más gente que me ayudó. Constantino Bértolo me prestó su ejemplar de *Los once y uno*, porque, cuando me propuse leerlo, no había manera de comprarlo ni tan siquiera de segunda mano. Un cliente habitual apareció un día en la librería con *El Betis: la Marcha verde*, de Antonio Hernández. «No te lo regalo —me dijo—, porque está dedicado.» Cuando se lo devolví, pedí la primera edición por Iberlibro. La mayoría los he comprado así, aunque hubo algunos que se resistieron, como *Entre los vándalos*, de Bill Buford: su precio era tan desorbitado que terminé sacándolo de una biblioteca que estaba a más de treinta kilómetros de mi casa. O *Judas futbolista*, que compré en fotocopias a otra biblioteca porque solo había un ejemplar de 1928, que no prestaban. Recuerdo que, un domingo, un amigo se topó con otro en el Mercado de Sant Antoni. Pedían cincuenta euros. Cuando volvió a pasar una semana después, había desaparecido.

Como un peregrino, he llamado a editoriales para solicitar libros agotados, pidiendo incluso que comprobasen si en el almacén no podría quedar, por casualidad, un ejemplar defectuoso y polvoriento. He enviado correos electrónicos a fundaciones solicitando información. He escrito a periódicos y revistas. He contactado con allegados a escritores, como Elisa Delibes, que me envió fotos del último partido de su padre como delantero antes de ocultarse bajo la alargada sombra del larguero. He contactado con escritores. Andrés Neuman, por ejemplo, además de una foto con Maradona, me envió enlaces a artículos y el cuento *La pelota enamorada*, que yo había leído tiempo atrás y no era capaz de localizar.

Mientras, mi biblioteca aumentaba con rarezas, pequeñas colaboraciones y más escritores que habían jugado al fútbol con las palabras: Fontanarrosa, Sacheri, Camus y tantos otros que se citan cuando se avecina un Mundial. Con los ensayos de Miquelarena o Hernández Coronado, entendí la evolución del fútbol hacia el negocio actual. Me encontré con las aguafuertes porteñas de Roberto Arlt o el artículo de García Márquez en su bautismo como cronista deportivo, rarezas en el conjunto de su obra. Descubrí poemarios donde Alberti, Celaya y Miguel Hernández capitaneaban una legión de poetas que, año tras año, habían cantado al balón. Me topé con cientos de cuentos donde el fútbol contaba, y hasta tropecé con algunas obras de teatro. Pero sobre todo me interesaban las novelas vertebradas en el fútbol: desde las primeras novelitas de quiosco de los años veinte hasta la sobreproducción de nuestros días.

Leídos en conjunto, esos libros no solo contaban la evolución del juego, sino que escondían una historia más profunda. Eduardo Galeano siempre criticó el vacío en el que los historiadores habían arrojado al balón. Defendía que el fútbol funcionaba como un espejo que devolvía un nítido reflejo de la sociedad donde se jugaba. Lo mismo opinaba el periodista argentino Dante Panzeri: a lo largo de la historia, los intelectuales habían considerado el fútbol como un simple juego, a pesar de ser la pasión que movía a más personas en el mundo.

Leyendo descubrí que otros escritores ya habían emprendido una tarea de recopilación similar antes. En los sesenta, Antonio Gallego recopiló decenas de poemas deportivos —no solo de fútbol— para su libro *Literatura de tema deportivo*. Al otro lado del mundo, antes de que lo secuestrasen, el poeta argentino Roberto Jorge Santoro recorrió su país compilando artículos, obras de teatro, poemas o fragmentos de novelas donde el fútbol funcionaba como motor de escritura. También recorrió los estadios. En su opinión, las canciones de las hinchadas contenían mucha poesía. Santoro agrupó sus descubrimientos bajo el título *Literatura de la pelota*. Dos décadas después, en los noventa, comenzaron a aflorar tesis, trabajos de investigación y artículos académicos, así como libros que exploraban la relación entre literatura y fútbol. Uno de ellos, *Épica y lírica del fútbol*, de Julián García Candau, aportaba muchas otras referencias literarias que se remontaban hasta los inicios de los antiguos juegos de pelota de donde, siglos después, nacería el *football*.

Los tres deseaban que sus libros funcionasen como punto de partida para futuros lectores interesados en el tema. Existía una larga tradición que, en muchas etapas históricas, había sido desprestigiada por el mundo intelectual. Una extensa lista de libros y autores que no solo habían contado la historia de un juego, sino que, al mismo tiempo, habían relatado la evolución de las sociedades donde se jugaba y del lenguaje que lo narraba.

Con estos libros como pilares, he tratado de ahondar en la tradición novelística, no tan citada como la poética por considerarse un género menos adecuado para narrar el fútbol. Aunque me he centrado en la producción española, también he seleccionado escritores extranjeros para ilustrar que estamos ante un fenómeno global. Y porque ayuda al buen funcionamiento del libro: como en un equipo, la historia del fútbol no podría contarla un solo escritor, sino que necesita de las voces del resto de los compañeros para mover la pelota por todos los rincones del campo.

La pelota llega a un escritor, que la controla y la pasa a otro mejor desmarcado. Los buenos jugadores mejoran el juego de sus compañeros porque entienden que el fútbol, ante todo, es un deporte colectivo. Y lo mismo sucede con la literatura: un escritor es lo que escribe pero, sobre todo, es lo que lee.

La lectura de un partido se parece a la de un libro. Por eso he dividido este en las partes de un encuentro, ordenando los capítulos cronológicamente por año de publicación. El objetivo es que entre todos cuenten una historia, pero que, al mismo tiempo, el lector pueda saltar de manera aleatoria por los episodios que más le interesen. Así lo imaginaba antes de concebirlo, como un libro de consulta al que los enfermos de la literatura y el fútbol puedan acudir cuando les apetezca refrescar títulos, releer anécdotas o disfrutar de algunas curiosidades.

El primer bloque lo conforma un *Calentamiento* con cinco toques históricos que repasan la misteriosa prehistoria del fútbol. Le sigue un *Peloteo* más intenso, donde cuento cómo arrancó la relación entre poesía y patadas, y su evolución hasta el estallido de la Guerra Civil española. En este bloque me sirvió de grandísima ayuda la tesis del profesor Luis Fernando Cuesta, *El estadio y la palabra: deporte y literatura en la Edad de Plata*, que me puso tras la pista de muchos libros y autores.

Así llegamos a las dos partes del partido, cada una compuesta por cuarenta y cinco textos, más sus correspondientes minutos de descuento. El primer tiempo comienza tras la Guerra Civil, con el *boom* de libros sobre fútbol que se produjo durante el franquismo. En este bloque he incluido autores que lo criticaron: un hincha solo se completa gracias al rival. El *Segundo tiempo* arranca cinco años antes del cambio de siglo, porque a finales de los noventa, en mi opinión, cambió la narración del fútbol: ya no lo contábamos, sino que el fútbol comenzó a contarnos. El *Silbatazo final* se lo he dedicado a Galeano y a su libro *Cerrado por fútbol*: el pasado Mundial de 2018 fue el primero que sus lectores no podremos revivir a través de sus crónicas.

No me he olvidado del fútbol femenino ni de las escritoras que le han dedicado textos al balompié. Ellas también juegan este partido. El fútbol —dijo Pasolini— ha sido un mundo solo de machos o de machos solos. Y el rectángulo de hierba, el terreno masculino por antonomasia. Su conquista por parte de las mujeres no ha sido fácil. En este sentido, aunque devolviendo un triste reflejo, el fútbol también ha funcionado como espejo de nuestra sociedad machista y patriarcal. Pero, a la vez, ha devuelto el reflejo de muchas mujeres luchadoras que han peleado por todos los balones, a pesar de que el árbitro estaba vergonzosamente comprado, y el partido, amañado.

Conozco parte de esa historia porque mi hermana, desde pequeña, jugaba con nosotros como una más. Aunque le daba mil vueltas a la mayoría de los chicos, siempre aparecía el listo que decía que una eliminatoria con chicas era una pachanga, o el bocachancla que mandaba a las mujeres a la cocina. Mi hermana contestaba en el campo. En cuanto se hacía con el balón, buscaba al listillo, lo ridiculizaba con un caño y se clasificaba para la siguiente ronda sin despeinarse la coleta.

Mediados los noventa, no abundaban los equipos femeninos. Y menos en pueblos como el mío. Pero con el equipo de fútbol sala del colegio, mi hermana y sus compañeras quedaron terceras de Castilla y León. Ningún equipo masculino llegó tan lejos. Manteniendo el mismo bloque, unos años después formaron la primera plantilla femenina del Alcázar C. D., el club local. Jugaban mis primas gemelas, y hasta mi madre hizo de masajista saltando al campo con un milagroso botellín de agua que lo curaba todo. Al principio, para muchos aquello era un espectáculo exótico. «No corren como los chicos», decían. «No chutan fuerte», decían. «Eso no es fútbol», decían. Pero el fútbol, como la belleza, se esconde en los ojos del que mira, y para ver las cosas importantes de la vida primero hay que aprender a mirar.

Mi hermana marcó todo tipo de goles: de falta, desde el medio campo, de penalti, de jugada colectiva, de cabeza. La llamó la selección de Castilla y León. Le pagaron seis mil pesetas por ir a una concentración en Burgos. La mala suerte quiso que el único amistoso que disputaron en mi pueblo no pudiera jugarlo por una lesión. Cuando se recuperó, la convocaron para una concentración larga en Canarias. Y nos sorprendió a todos diciendo que no iba. No hubo manera de convencerla. Mi hermana entendía el fútbol como un juego de amistad, y en la isla no estarían sus amigas. Sus compañeras, su familia. Para entonces, sin embargo, ya había cerrado muchas bocas.

La escasa producción literaria sobre fútbol firmada por escritoras también da pistas sobre esta desigual situación. Es difícil apasionarse por algo si constantemente te alejan del objeto de tu pasión, y quizá por esa razón han sido pocas las mujeres que han escrito sobre fútbol. Pocas aparecen en recopilaciones de cuentos o poemarios. Apenas existen novelas. Pero, a través de ellas (y de las futbolistas a las que no pudieron echar del campo), he tratado de contar su historia: una en la que los hombres han intentado dejarlas en fuera juego con tretas antideportivas, y que reclama la llegada del VAR para revisar a cámara lenta los detalles de muchas jugadas polémicas. Una historia que, ojalá, cuenten ellas desde su propio sentido y sensibilidad.

Como dije al comenzar, mi selección se basa en los libros que se han ido cruzando en mi camino. Podría haber sido muy diferente, pero esta es la mía: la de un lector que comparte sus lecturas, la de un librero que desempolva sus estanterías, la de un escribiente que organiza y contextualiza, y la de un futbolista que solo puede perseguir el balón con las palabras. Se han quedado en el banquillo libros que, sin duda, merecerían ser titulares. Y libros que aún ni siquiera he descubierto. Cada lector tendrá su propia alineación: a ojos del hincha, no existe el seleccionador perfecto.

Yo solo he intentado que los que saltan al campo aporten su granito de arena a la relación entre fútbol y literatura, que cumplió cien años en 2018, si tomamos como primer texto literario el cuento que Horacio Quiroga dedicó a la trágica muerte del futbolista Abdón Porte. Desde entonces, ha transcurrido un siglo lleno de escritores que, al ver que lo suyo no eran las patadas, jugaron con las palabras. De jugadores que, tras quitarse las botas, escribieron. De apasionados del fútbol y las letras que han explicado el mundo que les rodea a través de un balón. Y también un siglo lleno de mujeres futbolistas que anclaron los tacos en el campo, y de escritoras que con su aparente silencio contaban una historia.

Un siglo, en definitiva, de poesía a patadas.

CALENTAMIENTO

Cinco toques históricos

Un peloteo de **tsu-chu**

Mi enfermedad por recopilar libros de fútbol empezó tras leer *Épica y lírica del fútbol,* de Julián García Candau. En aquel título aparecían juntos dos conceptos, la épica del fútbol y su poesía, que no imaginaba que pudiesen ir de la mano. Ni mucho menos, que su relación viniese de tan lejos. Tras las huellas de García Candau me adentré en esta historia, que no comenzaba con palabras, sino con un acto reflejo: una simple patada a una piedra en el camino. «Nació la pelota con una piedra o una vejiga hinchada de una presa abatida», escribió el poeta mexicano Antonio Deltoro. «No la inventó un anciano, ni una mujer, ni un niño; / la inventó la tribu en la celebración, en el descanso, en el claro del bosque.» Una patada que no hay forma de datar con exactitud, pero cada vez más lugares reclamaban su paternidad.

Varios estudios afirman que los primeros juegos de pelota se practicaron hace más de treinta siglos a orillas del Nilo en Egipto, y en Babilonia entre el Tigris y el Éufrates. Las pinturas murales de Tepatitlán reflejan que los aztecas jugaron a golpear una pelota con la cadera en el año 1500. Testimonios como el de Juan de Torquemada aseguran que dos equipos competían para honrar al dios del Sol y que, tras el partido, se sacrificaba al capitán del equipo derrotado en su hono. Hace un siglo, el antropólogo Johan Jakob Bachofen descubrió en una cueva de Papúa Nueva Guinea una pintura que representaba a un hombre corriendo detrás de una esfera. Y más recientemente, en Yugoslavia, apareció la escultura de un niño pateando una bola en un monumento funerario.

Pintura, escultura, ritos sagrados o funerarios. Faltaba la palabra. La escritura comenzó a narrar la prehistoria de la pelota en la provincia china de Shandong, donde, en el año 2500 a. C., se practicaba el *tsu-chu* (literalmente: patear una pelota). Siglos después, aquel juego del pueblo se asentó en los palacios para sorprender a los gobernantes extranjeros durante las recepciones reales. A lo largo de la dinastía Ts'in (255-206 a. C.), el partido de *tsu-chu* se convirtió en el acto principal de las celebraciones del cumpleaños de Huang-Ti, el Emperador Amarillo. Dicen que el emperador fabricaba balones con las vísceras de sus enemigos y se divertía jugando con ellas.

Han Wu Di, emperador de la dinastía Han (206 a. C. - 220 d. C.), también lo practicaba. Tanto le apasionaba que, tras conquistar Asia Central, ordenó a los jugadores más habilidosos mudarse a la capital para disfrutar viéndolos jugar. Por aquel entonces, el *tsu-chu* pasó a formar parte del entrenamiento de los soldados reales. Se reunían en las campas del palacio, montaban las porterías con dos palos de bambú de aproximadamente ocho metros de altura y anudaban una tela de seda agujereada en el centro. Los tantos se conseguían metiendo la pelota por ese agujero. No registraron el número de jugadores por equipo ni si había tiempos o árbitros, pero sí que la pelota se fabricaba con un pellejo relleno de crines, virutas, estopa o vegetales. Cuentan que si algún jugador la perdía, podía pagarlo incluso con la vida.

El juego experimentó un gran crecimiento cuando, en la dinastía Tang (618-906), se introdujo una pelota rellena de aire y se redujo el número de goles para dilucidar el vencedor: de seis se pasó a dos. Wang Yuncheng, cronista de la dinastía Song (960-1279), contó que los equipos —de seis jugadores— tenían entrenadores, capitanes coronados por un sombrero distintivo y voluminosas hinchadas. Varios árbitros regulaban las contiendas ayudados por asistentes. Los goles se celebraban con redobles de tambor y tragos de vino, mientras que las derrotas se castigaban con azotes para los perdedores. Qi Yun She y Yuan She fueron los clubes más laureados. Sus partidos movían grandes sumas de dinero en apuestas.

«La pelota pasa sobre nosotros como la luna / cuando los dos equipos se enfrentan», escribió el poeta Li-You. «Y si todo esto es necesario para el *tsu-chu*, / cuánto más lo será en la lucha por la vida». En el libro *Shiji*, se recoge la trágica historia del apasionado Xiang Chu: su médico le prohibió jugar a causa de una dolorosa hernia, pero él no obedeció, saltó al campo y se dejó la vida persiguiendo la pelota.

La decadencia del *tsu-chu*, sin embargo, comenzó con la dinastía Ming (1368-1644). Pero la pelota ya no encontró frontera infranqueable. Desde el 600 a. C., en Japón se había afincado un juego importado de China llamado *kemari*. Consistía en un rondo de entre seis y doce jugadores, conocidos como *mariashi*. Los equipos se diferenciaban por sus coloridos kimonos de seda, los *kariginu*. El campo, de unos quince metros de largo, se denominaba *kikutsubo*. En cada esquina se plantaba un árbol: un cerezo, un arce, un sauce y un pino, que representaban las cuatro estaciones del año. La pelota, *mari*, de apenas veinticinco centímetros de diámetro, se rellenaba de serrín y se recubría con piel de ciervo. No debía tocar el suelo.

«¡Ariyaaa!», gritaban los jugadores en cada pase.

Ganaba el equipo que más toques conseguía, aunque el objetivo del *kemari* no buscaba la competición, sino la contemplación. No obstante, circula la leyenda de que, en el año 50 a. C., los mejores jugadores japoneses de *kemari* y los más habilidosos del Imperio chino en el *tsu-chu* se enfrentaron en un partido que, en opinión de muchos, es el primer choque internacional de la historia con una pelota de por medio.

El epyskuros *de Atis*

Los Juegos Olímpicos se convirtieron en el único evento capaz de detener la guerra, hasta entonces deporte favorito de los soberanos. El tiempo comenzó a contarse de cuatro en cuatro años desde que, en el 776 a. C., Olimpia acogió la primera edición. Corebo de Elide fue el primer atleta en coronarse de laureles. Entre la muchedumbre que le ovacionaba, podían contarse filósofos, poetas, arquitectos, escultores o pintores. El deporte griego nació ligado al mundo intelectual. Y la literatura deportiva, al fin, contó con sus propios bardos.

Antonio Gallego señaló *Las Etiópicas*, de Heliodoro, como la primera gran obra deportiva, aunque fueron los versos de Píndaro —el poeta deportivo más famoso, pero no el primero— los que cincelaron con adjetivos a los vencedores de Olimpia. Píndaro escribió muchas de sus odas por encargo. Los aclamados atletas no se conformaban con una simple corona de laurel y, a golpe de dracma, inmortalizaban sus hazañas en poemas o en las estatuas de Fidias y Mirón. No eran sus únicos privilegios. Tras la competición, disfrutaban de los relajantes masajes de los *aliptae unctore* con ceroma. Si habían logrado la victoria, recibían esclavos, animales, vajillas de oro, ánforas llenas de aceite de oliva, armas. El gobernador y poeta Solón adjudicó un sueldo de quinientos dracmas a los mejores atletas, que, además, quedaban exentos de cargos civiles.

La belleza del cuerpo en el lanzamiento de disco. La elasticidad del músculo en la lucha. Los latigazos en la carrera de carros. Un estadio que ruge al ver volar la jabalina. La gloria de la maratón. Había nacido el *agon*. Se representaba a los atletas en los frisos de los templos, en piezas de cerámica, en frescos. Algunos, como el pugilato Eutimio de Locrion, disfrutaron de un trato digno de dioses por orden del oráculo. Otros fueron adorados tras su muerte. Contaba Herodoto que los egestianos levantaron, en honor de Filippo Crotonato, un soberbio monumento al que ofrecían sacrificios y oraciones. Ante tanto desmadre, Jenófanes de Colofón trató de imponer un poco de cordura: «La sabiduría debe estar por encima de la fuerza bruta, los hombres y los caballos», dijo. Pero viendo cómo a los atletas, con el paso de los siglos, se les subieron los laureles a la cabeza, se puede decir que poco caso le hicieron.

Píndaro no dedicó ni uno solo verso a los jugadores de pelota porque ninguna de sus muchas variantes tuvo la categoría de deporte olímpico. Fue el escritor hispano tarraconense Marco Valerio Marcial quien recogió mucho más tarde la existencia de varios tipos de pelota, como *harpasta* o *pherinda*. Y afirmó: «El balón es un juego para niños y para ancianos». Su desdeñosa opinión no impidió que sus botes resonasen en las más remotas islas griegas, y en la mejor literatura. En el canto VI de la *Odisea*, Homero contó que, tras atracar en Feacia, Ulises se desnudó para echarse una siesta. Mientras el héroe descansaba, en relación con la hermosa Nausícaa y sus doncellas decía: «una vez la comida acabaron, las siervas y ella se quitaron / los velos y un poco a pelota jugaron». Homero contaba que Nausícaa la lanzó al agua y, para recuperarla, llamó a Ulises. El héroe había despertado. Había arrancado la épica narración de la pelota.

Tres siglos después, Herodoto reveló en *Los nueve libros de la historia* que el juego de pelota, concretamente el *epyskuros*, lo había inventado el rey Atis, junto con las tabas y los dados, para entretener a sus súbditos durante una tremenda hambruna. No había tanta épica. Los lidios, en realidad, jugaban para aplacar el hambre. Un día pan y otro *epyskuros*, un severo régimen que Atis mantuvo durante dieciocho interminables años. El juego —subrayaba Herodoto— quedaba definido como *ludis*, pero al mismo tiempo asociado a lo político: era el opio que nutría al pueblo cuando escaseaban los alimentos.

Aun así, la pelota apasionó incluso a Platón, como relató en una carta que envió a Dionisio de Siracusa. Roma heredó esa pasión griega. Entre las variadas modalidades, el *harpastum* destacó como el más popular. Virgilio y Horacio continuaron cultivando la tradición pindárica. Ovidio alabó las virtudes formativas del juego para el individuo. Pótux o Ateneo contaron los revuelos que levantaba aquel juego en los alrededores de las termas. Sófocles se confesó un gran aficionado. Y Séneca, aunque alababa sus virtudes higiénicas, se quejaba porque no podía pasear con tranquilidad por las calles de Roma, infestadas de enloquecidos jugadores. Ya lo había dicho Plauto: el hombre no era más «*quafi pila in manu Dei*»: una pelota en las manos de los dioses.

Contaba García Candau que la primera alusión literaria a un juego de pelota practicado exclusivamente con los pies apareció en el poema *Jugar con los pies*, recogido en el libro V de *El Astronomicón* del poeta Marco Manilio: «Diestro aquel en volver con diestra planta / la pelota que huye, compensando / con los pies el oficio de las manos».

Siglos después, aquel novedoso oficio de los pies superaría en popularidad a todos los deportes olímpicos y sería venerado como una religión por sus defensores al mismo tiempo que despreciado como el mayor de los pecados por sus detractores.

Un salvaje partido de mob football

En la Edad Media, todo quedó subyugado a la moral cristiana. También la palabra. El deporte tampoco vivió sus mejores momentos. La épica a la que habían cantado griegos y romanos quedó sepultada, en el año 393, bajo la prohibición de los Juegos Olímpicos del emperador Teodoro por su paganismo. La pelota quiso ser enterrada por sus detractores; aunque no sería tarea fácil: era una tentación difícil de negar, como relató san Agustín en sus *Confesiones*: «Algún buen árbitro tuviese por bueno el que yo fuera azotado porque jugaba a la pelota —escribió—, juego que me impedía aprender más rápidamente las letras con las que de mayor había de jugar menos limpiamente.»

García Candau contó que la primera pelota que se chutó en Inglaterra fue la cabeza de un soldado romano tras la batalla contra Julio César. El fútbol, posiblemente, había desembarcado en la isla con las invasiones de piratas daneses o normandos, que ya practicaban el *soule*. Cuando un jefe invasor caía en manos de los locales, se le degollaba y el cráneo se entregaba a las furias de los soldados que, en los embarrados campamentos, se lo disputaban a patadas.

El primer partido del que se tiene constancia data del martes de Carnaval del año 217, en Derby. Durante las fiestas del Shrovetide, se jugaba al *mob football* por calles o descampados donde la multitud pudiese correr enloquecida tras la pelota. Dos turbas luchaban con todos los medios disponibles por su dominio. Las porterías aguardaban a kilómetros de violentos encontronazos, brutales patadas, puñetazos y codazos. Y dependiendo del lugar, ni siquiera se utilizaban: el único objetivo consistía en llegar vivo con el balón hasta la plaza en el centro del pueblo.

William Fitzstephen, clérigo administrador del arzobispo de Canterbury, relató en varios escritos cómo los jóvenes de todos los pueblos invadían los campos aledaños para jugar con sus pelotas. También contó cómo los hombres más poderosos de la región llegaban a caballo a las celebraciones del Shrovetide para verlos jugar al *mob football*. El clérigo se percató de un sutil detalle: aquellos hombres, poderosos pero entrados en años y kilos, recuperaban parte de su juventud tan solo viendo jugar a los más jóvenes.

En sus *Etimologías*, san Isidoro registró la definición de pelota: «Se le da el nombre de *pila* en un sentido propio porque está llena de pelos (*pili*)». Y no desaprovechó la ocasión para comentar su recelo hacia un juego que llevaba la maldad en su origen. En parte, no le faltaba razón. El *mob football* carecía de reglas y eran habituales los huesos rotos, las brechas, contusiones y peleas que acababan con jugadores muertos.

Por esa época, apareció por primera vez en un poema de Guillermo de Poitiers el vocablo *deport*, que asociaba el juego con lo deportivo. Siglos después, Ortega y Gasset explicaría su origen: «estar en portu» se refería al tiempo de ocio de los marineros en puerto, observando con añoranza el horizonte del mar y, sobre todo, relatando las aventuras que habían vivido embarcados. El deporte solo alcanzaba todo su significado cuando se convertía en relato.

Sin embargo, la literatura de la pelota en la Edad Media poco tuvo de literaria. Donde más se mencionó el *mob football* fue en decretos reales para prohibirlo porque muchos jóvenes quedaban inútiles para la guerra. Desde 1314, con el edicto de Eduardo II para abolir «el juego de corridas con pelotas grandes», hasta 1488, con Jacobo II, todos los reyes y alcaldes ingleses o escoceses castigaron su práctica con pena de cárcel. «El fútbol es un pasatiempo impropio de un caballero —afirmó Thomas Elyot en 1531—, ya que es causa de furia bestial y violencia.» Mientras que Cromwell lo definió como «ocupación excesivamente frívola para puritanos».

No obstante, ni siquiera los castigos de la reina Isabel I evitaron que su popularidad se propagase como la peor de las pestes. Y que comenzasen a aparecer férreos seguidores. El pedagogo Richard Mulcaster (1531-1611) acuñó la palabra *footeball* y organizó el primer equipo del que existe constancia. También escribió numerosos tratados donde reflexionó sobre equipos y entrenadores, propuso ordenar a los jugadores en posiciones concretas y abogó por la introducción de árbitros que acabasen con la fama de violencia que salpicaba el juego. Por su defensa del *footeball*, muchos le llamaban el «abogado del fútbol».

Otros seguidores más ilustres tuvieron que guardar las apariencias. En una reciente investigación, en el armario de Enrique VIII se encontraron unas botas de fútbol. En 1525, el rey Tudor le ordenó al artesano Cornelius Johnson confeccionarlas con el mejor cuero para que le cubriesen sus aristocráticos tobillos de las mundanas patadas. Cornelius Johnson cobró cuatro chelines. Y dejó una curiosidad histórica: Enrique VIII —además del vino y de las mujeres— fue un apasionado del *mob football,* por muchos decretos reales que lo prohibiesen.

Una avvincente partita di calcio

Aseguraba Eduardo Galeano que el artista Miguel Ángel Buonarroti y su inseparable Francesco solían disfrutar de un partido de *calcio,* sentados en la escalinata de la iglesia de Santa Croce. Tras horas esculpiendo, los dos artistas contemplaban los duelos a patadas que se libraban en el corazón de la *Piazza Santa Croce.* Mientras charlaban de arte, juego o vida, abajo se disputaba un partido con un balón relleno de vísceras y ropa usada. El *calcio* había comenzado a jugarse como parte de la festividad de los carnavales. Toda la ciudad se reunía en la plaza para animar a los jugadores de su barrio: Santa Maria Novella, que defendía el pendón rojo; Santa Croce, que lucía el azul; blanco era el del barrio de Santo Spirito; mientras que los de San Giovanni luchaban por el verde.

En el punto más alto de la plaza, los jueces hacían señas al *baloncero,* el árbitro en la arena del campo, cuando se producían jugadas deshonestas. Aunque se permitía el uso de la mano, los goles solo podían marcarse con el pie o rematando con el puño cerrado. Si se conseguía con la mano abierta o se remataba fuera del campo, el *baloncero* concedía media *caccia* al equipo contrario. Tras cada tanto, el Pallaio reanudaba el juego. Los partidos duraban menos que una misa. El vencedor, además del honor de la victoria, recibía como premios una bandera y una cabra.

Sobre la arena se enfrentaban dos equipos de veintisiete jugadores, ataviados con libreas de terciopelo y damasco. Cada equipo se dividía en cuatro cuadrigas. Cuatro porteros, conocidos como *datori indietro,* defendían cada portería: una enorme red importada de Livorno donde se debía alojar la pelota. Tres defensores, los *terzinos,* formaban una férrea línea por delante para destruir el juego del rival, interceptar sus pases y cortar su avance. Unos metros por delante, los cinco *aconciatori* se encargaban de crear el juego con largos pases con el pie para que la pelota llegase a uno de los diecisiete *innazi*, los atacantes.

«*¡Calcio!*», gritaban cuando marcaban, mientras por toda la plaza resonaba el cuerno de la *caccia*.

Y con esa expresión, *¡Calcio!*, tituló el escritor colombiano Juan Esteban Constaín su novela publicada en 2011: una historia que cuestionaba los orígenes ingleses del fútbol y aseguraba que, tal como lo conocemos, había nacido en Italia. Así lo afirma Arnaldo Momigliano, el protagonista de la novela, profesor del College de Oxford. Momigliano, italiano y judío, se vio obligado a exiliarse a Londres cuando Mussolini tomó el poder en su país. De su pasado, solo se conserva una descomunal biblioteca que mantiene en pie los cimientos de su vieja casa. Sus colegas lo consideran un genio hasta que, en una charla, le toca improvisar sobre los juegos de pelota en la Antigüedad y asegura que las verdaderas raíces del fútbol son italianas. Espanta tanto a los académicos que le acusan de deshonra ante el Comité Real para la Ciencia y la Cultura: «No contentos con el latín y con el Giotto, con Leonardo, con Dante, ahora también quieren reclamar para sí la paternidad del fútbol», refunfuñan.

Momigliano decide regresar a su tierra para husmear en el Archivo de la Señoría en Florencia y preparar su alegato de defensa. Tras meses de investigación, encuentra una sorprendente historia que refuerza su teoría: durante el asedio del emperador Carlos V, se disputó un partido de *calcio* entre los soldados del rey y los mejores jugadores florentinos para dilucidar el vencedor de la guerra. Un encuentro tan trascendental que incluso el emperador asistió. «Aquella tarde del 20 de febrero en que se enfrentaron el imperio y la república, la que se jugó en la plaza de Santa Croce no fue sino una forma primitiva, pero no por ello menos justa, de lo que hoy conocemos como fútbol», termina Momigliano su alegato frente a los académicos ingleses.

Momigliano es consciente de que muchas personas podrían haber inventado lo mismo en lugares diferentes, y luego la sabia historia se habría encargado de repartir glorias y olvidos.

¿No es la historia, al fin y al cabo, una interpretación del pasado basada en diferentes fuentes? ¿No es un cúmulo de verdades asumidas aunque algunas no estén verificadas? «Quizás —reflexiona Momigliano—, desde sus remotos orígenes en una noche, la civilización no fuera otra cosa que el intento de los hombres por dominar la pelota.»

Aunque no exista una verdad histórica absoluta, la factual asegura que en el siglo XIV el *giuoco del calcio* se había difundido desde Florencia a todos los rincones de Italia. En 1580, el conde fiorentino Giovanni de Bardi publicó el libro *Discorso sopra il giuoco del calzio fiorentino* para aclarar sus reglas. Un siglo después, el poeta Vincenzo da Filicaia le dedicó al Señor Príncipe de la Toscana el poema titulado *Sopra il giuoco del calcio*: «Este, excelso señor, que ardiendo veis / noble pugna, áspera, ruidosa, alada, / no es más que furia, magia desatada, / visión de guerra que pareciera y es».

Aunque el poeta comparó *calcio* y guerra, un sustancial detalle lo diferenciaba del *mob football* inglés: los *balonceros* que regían la contienda. Un detalle que estaba a punto de cambiar la historia del fútbol inglés... y mundial.

Un brindis en la Freemason's Tavern

En 1681, el conde de Albemarle regresó a Inglaterra procedente de una misión diplomática en la Toscana. Mientras informaba al rey Carlos II sobre su trabajo en el extranjero, le habló sobre un juego de gran belleza que le había cautivado: el *calcio*. Al contrario que el *mob football* —le dijo—, se jugaba bajo un reglamento tan honorable que lo practicaban personalidades como Julio de Médicis o Maffeo Barberini. Y no solo eso. El *calcio* había contado con las simpatías de los tres últimos papas: Clemente VII, León XI y Urbano VIII.

El rey Carlos II se mesó su larga y ondulada cabellera y le prometió al conde que levantaría la prohibición sobre el *mob football* si lograba aplicarle unas reglas como las del *calcio*. El conde se puso manos a la obra. Entre sus medidas, ajustó el número de jugadores por equipo, delimitó el campo y plantó dos postes en los extremos, separados por un metro, a los que bautizó como *goal*. Bajo estas nuevas condiciones, monarca y conde acordaron disputar un partido. Los criados de uno se enfrentarían a los sirvientes del otro. Los goles se contabilizaron con hachazos en los palos. Ganaron los siervos del conde. El rey pagó diez escudos de oro a los vencedores. Y, como había prometido, levantó la prohibición que pesaba sobre el *mob football*.

Por aquel entonces, el escritor francés Alfred Misson viajaba a través de Inglaterra. En sus cuadernos de notas, registró campiñas infinitas, enormes catedrales, opulentos palacios y diminutas aldeas donde sus habitantes sobrevivían a los fríos inviernos al calor de una pinta. En 1698 publicó *Memorias y observaciones hechas por un viajero*, donde registró un juego que se practicaba en todos los rincones de la isla: «En invierno se practica el fútbol, un ejercicio agradable y útil —explicó—. Consiste en una pelota de cuero, del tamaño de la cabeza de un hombre, llena de aire, la cual se empuja y hace saltar a puntapiés».

Durante siglos, aquel juego creció hermanado con el rugby hasta que, en el Colegio de Rugby William Ellis, el fútbol adoptó las reglas del Código Cambridge. Corría el año 1847. Surgieron clubes como Sheffield Football Club o el Hallam. El juego abandonó las calles para trasladarse a las *public schools*, desde donde colonizaría el mundo. Ya lo había intuido el novelista escocés Walter Scott: «La vida en sí misma no es más que un partido de fútbol».

En las grandes ciudades, los clubes se multiplicaron; pero todavía faltaba el paso definitivo: un conjunto unificado de reglas. En octubre de 1863, un grupo de once caballeros de diferentes clubes se reunió en la londinense Freemason's Tavern. Ebenezer Cobb Morley se quitó el sombrero y dijo que quería dotar al fútbol de un conjunto de normas similares a las que regían el Sheffield Cricket Club. Todos estuvieron de acuerdo. Crearon la Football Association. Y fijaron la norma que lo separaría del rugby: solo el *goalkeeper* tocaría la pelota con las manos. Antes de brindar, prohibieron las patadas al adversario. El *football* debía ser un deporte de caballeros.

El 19 de diciembre, se disputó el primer encuentro con aquel reglamento. En Limes Field, Barnes y Richmond empataron a cero. Las normas fueron puliéndose con los partidos. Se prohibió a los jugadores charlar o fumar. Dejó de considerarse un deshonor anotar un gol a espaldas del rival. Se determinaron las posiciones en el campo. Le colocaron al portero una cuerda sobre la cabeza a modo de larguero. Se creó la figura del árbitro, aunque pitase desde fuera del campo. Se introdujo un cronómetro para medir los tiempos. El saque de banda pasó a realizarse con las manos. Se marcaron las áreas y el centro del campo. Se vistieron las porterías con redes. Y finalmente el árbitro pisó por primera vez el terreno de juego.

En 1872 se disputó el primer partido internacional en Glasgow: Escocia-Inglaterra. El 30 de noviembre, festividad de San Andrés, los escoceses saltaron al campo con un portero, dos defensas, dos medios y seis delanteros. Los ingleses, por su parte, acumularon ocho atacantes en el área rival y solo dejaron dos defensas en la suya. Pero el fútbol mostró su lado más caprichoso: a pesar de los catorce delanteros que asediaron a los dos solitarios porteros, los cuatro mil espectadores no disfrutaron de un solo gol.

La tristeza del marcador no impidió que cada vez más público acudiese a los partidos. Se convirtió en algo habitual encontrarse a personajes ilustres en las tribunas. En 1914, el mismísimo rey Jorge V acudió a disfrutar del partido que enfrentó al Burnley con el Liverpool. Cuentan que aquel día más de cien mil almas abarrotaron el estadio Crystal Palace.

El *football*, para entonces, ya había abandonado la isla y se había extendido por medio mundo. En cada país, un escritor utilizaría su pluma para contar las gestas de los futbolistas. Odas, cantos, romances, novelas, cuentos y obras de teatro, además de infinidad de crónicas periodísticas, registrarían la pasión que despertaba el renovado arte de la patada.

PELOTEO

De patadas y palabras

Un fútbol con poca caballerosidad (1881)

Las palabras son armas de doble filo. En ocasiones, quieren decir una cosa, pero en realidad están diciendo otra muy diferente. A veces callan más de lo que dicen. Y hasta se utilizan para esconder detrás el verdadero porqué de su uso. Una de las más repetidas en la primera parte de esta historia será «caballerosidad». En la Freemason's Tavern, once distinguidos *gentlemen* convirtieron el fútbol en un *sport* de caballeros. El lenguaje, desde entonces, restringió el mundo del balón a los viriles futbolistas que no temían romperse una pierna en una *melé*. La palabra se puso del lado de los hombres. Les entregó el balón a ellos.

A las mujeres, se les cedió un sitio en la grada. Un moño o un elegante recogido sobresalía entre un mar de bombines, sombreros y boinas, señalando a una atrevida mujer entre una multitud de hombres. Una situación que había sido incluso peor siglos antes. En los Juegos Olímpicos de la Antigüedad, no solo se les prohibía participar, también entrar en el estadio. Contaba Pausanias que Calipatira, madre del atleta Posidonio, se disfrazada de maestro para colarse. Hasta que fue descubierta. A la mujer que osase profanar el espacio masculino por excelencia, la despeñaban por el monte Tipeo. Calipatira tuvo suerte. La alta alcurnia de su familia la salvó del fatal destino. Desde entonces, atletas y maestros debían presentarse desnudos a las pruebas para evitar intrusiones femeninas.

En los Juegos Olímpicos modernos, el barón Pierre de Coubertin conservó la arcaica prohibición de no permitir que compitiesen, como si los valores deportivos solo adjetivasen a los hombres. «Coubertin se muestra hostil a la intercalación de la gracia femenina en las competiciones de hombres», escribiría el periodista Jacinto Miquelarena en 1928, con motivo de las Olimpiadas de Ámsterdam, donde acudió como corresponsal. Aquella fue la primera edición en la que les permitieron participar. El primer partido internacional femenino, sin embargo, se había jugado muchos años antes.

En 1881, se enfrentaron Escocia e Inglaterra en Easter Road, Edimburgo. A pesar de ser las mismas selecciones que nueve años antes habían protagonizado el primer partido internacional masculino, la trascendencia de ambos fue totalmente distinta. Contó Paul Brown en su libro *The Victorian Football Miscellany* que, mientras el masculino se aplaudió como el nacimiento del fútbol internacional, así se tildó el femenino: «Para dar a aquel apaño la apariencia de evento internacional —escribieron en el semanal deportivo londinense *Bell's Life*—, las chicas tuvieron el descaro de designar la farsa como un Inglaterra-Escocia».

Las escocesas saltaron al campo con jerséis azules, bombachos blancos, fajines rojos y medias azules y blancas. Las inglesas lo hicieron de rojo, con bombachos blancos, fajas azules y medias rojas y blancas. Unas y otras, con botas de tacón alto. El cronista de *Bell's Life* dedicó varias líneas a la minuciosa descripción de la indumentaria, pero ni siquiera mencionó el resultado final de tres a cero a favor de las escocesas. «El fútbol mostrado —se limitó a resumir— fue del orden más primitivo.»

A pesar de la mala prensa, una semana después volvieron a jugar en Glasgow. Acudieron más de cinco mil personas. «Ninguna del sexo débil», destacaron los medios. Ya en la primera mitad —relató Paul Brown—, comenzaron a oírse comentarios machistas, insultos y vejaciones desde el público. El partido importaba tan poco que, al reanudarse el segundo tiempo, decenas de espectadores invadieron el terreno de juego, sacaron a las futbolistas a empujones y las obligaron a salir huyendo en sus carros tirados por caballos.

Aquel desagradable incidente no amedrentó a las damas

victorianas del balón. Tampoco las recomendaciones médicas que les prohibían la práctica del fútbol por peligro de masculinización. A Nettie Honeyball —Mary Hutson—, le gustaba retratarse vestida de futbolista. Se recogía su rizada melena, se abotonaba la camisa roja y ajustaba las espinilleras sobre los bombachos azules para posar desafiante ante el objetivo de la cámara. Honeyball entendía el fútbol como «un juego varonil que también puede ser femenino». En 1894, envió un anuncio al *Daily Graphic* buscando más mujeres, como ella, enamoradas del balón. Quería formar un equipo. Una treintena respondió a su llamada.

El 23 de marzo de 1895, las British Ladies' Football Club debutaron ante más de doce mil personas, gracias a la campaña de propaganda impulsada por su capitana Honeyball. En el Crouch End Athletic Ground, vencieron por 7-1 a un equipo formado por mujeres del sur de Londres. Lady Correspondent acudió a cubrir el, en su opinión, desastroso partido. Aseguró que las futbolistas ni siquiera cambiaron de campo tras el descanso. Muchos espectadores se burlaron, otros se fueron antes del pitido final. «No creo que el fútbol femenino atraiga a las masas cuando deje de ser una novedad», finalizó su crónica.

Pero se equivocó. Las British Ladies jugaron cerca de cien partidos en los dos años siguientes. El fútbol femenino no era una simple novedad, sino que simbolizaba una lucha que iba más allá de las líneas del campo. Un importante encuentro que Lady Correspondent no supo ver.

El Napoleón del **football** *(1912)*

En 1883, el barón Pierre de Coubertin viajó a Inglaterra para empaparse del sistema pedagógico victoriano. Mientras visitaba la Escuela Pública de Rugby, se detuvo a observar a un grupo de jóvenes *sportmen*. Gritaban, amagaban con la pelota y celebraban los tantos con un entusiasmo contagioso. Le llamó la atención cómo defendían con el cuerpo al compañero que llevaba la pelota, aun exponiéndose a que los rivales les placasen con brutalidad. Pero había cierta nobleza en aquella brutalidad. Primaba el espíritu deportivo.

Durante un rato, Coubertin observó cómo las botas desgarraban la hierba. Cómo el verdín arañaba rodillas y codos. El sudor, con el paso de los minutos, brilló en las frentes de los jugadores. Aquellos bigotudos le recordaron a los míticos atletas griegos que Píndaro había adjetivado en sus odas. Coubertin creía en el *Mens sana in corpore sano* como herramienta educativa para fortalecer a los jóvenes. Creía que el deporte en el césped podría terminar con la guerra en los campos de batalla. Creía en...

«*Monsieur* Coubertin —le llamaron con acento francés—. *Nous sommes arrivés en retard.*»

De vuelta en París, el barón Coubertin arbitró partidos de rugby para conocer las reglas del juego. Fundó la federación Union des Sports Athlétiques. Publicó decenas de artículos en *Revue Athlétique*. Cuanto más reflexionaba, más se convencía de que el deporte podría convertirse en un sello de identidad cultural como la literatura, la política o el idioma. Los deportes dejaban de ser juegos cuando se sabía leerlos. Reflejaban el carácter de un pueblo, su historia, incluso el futuro de una nación. Debían convertirse en la guerra de la nueva época que se avecinaba. Ya no servían las coronas de laurel para recompensar las hazañas de los atletas; el premio debía refulgir como el oro.

Tras un viaje a Estados Unidos, Coubertin regresó a París con un sueño: organizar un festival deportivo con todas las naciones del mundo. En 1892, lanzó un manifiesto para restablecer las Olimpiadas de la Antigüedad; pero su iniciativa no tuvo éxito. ¿Reunir a los mejores atletas de todos los países del mundo para hacer gimnasia con el ideal griego por bandera? ¿Se daba cuenta de cómo sonaba aquello? Aunque le tomaron por un loco soñador, dos años después insistió. Y esta vez los catorce países reunidos en la Sorbona votaron a favor de su proyecto. Se había plantado la semilla del Comité Olímpico Internacional.

Ese año, Coubertin publicó el artículo «Napoleón y el fútbol». La idea también había surgido en Estados Unidos. Allí había conocido a Lorin Delan, ferviente seguidor del Harvard Football Team y fanático de Napoleón. Delan sostenía que las estrategias bélicas napoleónicas podían aplicarse al juego y, siguiendo su ejemplo, proponía acumular atacantes en una formación llamada *Flying wedge*, una punta de lanza para desgarrar las líneas defensivas rivales. A la hora de defender, los *backs* debían hacer coberturas al centro como las reservas napoleónicas cuando sufría un flanco. El capitán debía actuar como un general dando instrucciones a sus soldados en el campo de batalla. Las ideas de Delan para el rugby, pensó Coubertin, podrían aplicarse a otros deportes en equipo: «El hecho de haber podido aplicarle una transformación tal, derivada de principios militares, establece indiscutiblemente su carácter intelectual», escribió.

En 1897 Coubertin publicó «Notas sobre fútbol». En aquel artículo abordó otro juego diferente, más elegante y fino, regido por las normas de la Association para diferenciarlo del rugby: «Se trata de un "balón al pie", ingeniosamente reglamentado, pero sin las combinaciones y peripecias del rugby», explicó. Remarcó la templada acogida que el fútbol inglés había recibido en Francia, principalmente debido a una falsa fama de brutalidad que había provocado su prohibición en muchas escuelas. «Todas esas madres francesas que temen los resfriados y los sabañones no podrían darle una cálida bienvenida», se lamentó.

Un año antes había sido nombrado presidente del COI, y el rey Jorge I había inaugurado los Juegos de Atenas. El deporte volvió a sus orígenes, las primigenias arenas griegas. Más de 75 mil espectadores abarrotaron el estadio Panathinaikos para ver a los doscientos catorce atletas de catorce países. Pero faltaba un paso. Coubertin anhelaba que los artistas remarcasen el espíritu intelectual del deporte, y no vio su sueño completo hasta que, en 1912, inauguró el Pentatlón de las Musas. Como en los antiguos Juegos Olímpiacos, en Estocolmo compitieron poetas, filósofos, arquitectos, pintores, escultores y escritores por plasmar el espíritu deportivo en sus obras de arte.

«El arte quizá sea un deporte, pero el deporte es un arte» afirmó. Y, para dar ejemplo, presentó la *Oda al deporte* a la primera edición del Pentatlón de las Musas bajo el seudónimo de George Ohrod y Eschbach: «¡Oh,deporte, placer de los dioses, esencia de la vida!», decía una de sus estrofas. Y seguía: «Has aparecido de repente en medio del claro gris donde se agita la labor ingrata de la existencia moderna, como un mensaje radiante de épocas pasadas».

Obtuvo la medalla de oro.

Una socia con un par (1913)

Edelmira Calvetó se echaba las manos a la cabeza cada vez que, en su área, el *back* azulgrana Amecharruza regateaba al *forward* rival en vez de despejar y alejar el peligro de su portería. Aunque se lo había visto hacer una y mil veces, no se acostumbraba. Demasiada sangre fría para un juego de sangre caliente. Demasiada calma para sus nervios. Edelmira Calvetó miraba a su marido, Pere Ollé, y volvía a negar con la cabeza.

«Este hombre no tiene sangre. Por sus venas corre horchata», le decía.

«Sabe lo que se hace, mujer», le contestaba Pere Ollé. Y escupía. En 1912, Amecharruza había defendido el escudo de la selección catalana en el debut oficial contra los franceses, en París. No se podía dudar de su calidad. Sin embargo, Pere Ollé no lo dijo en voz alta. Sabía que su mujer le contestaría que muy bien no lo habría hecho cuando los gabachos les habían metido siete goles. Él, entonces, respondería que solo diez meses después les habían vencido por un gol a cero en Barcelona con Amecharruza en el mismo puesto. Pero no lo dijo. A fin de cuentas, un silencio a tiempo era fundamental en los matrimonios bien avenidos.

Pere Ollé estaba acostumbrado a los comentarios futboleros de su mujer. Hacía tres años que habían contraído matrimonio. Poco después, la había llevado por primera vez al estadio de la calle Industria sin saber que su mujer se enamoraría perdidamente del «Barcelona de las diez copas». Con el aguerrido Paco Bru comandando la línea defensiva, los nervios de Edelmira sufrían menos que con Amecharruza. Paco Bru no se andaba con chiquitas a la hora de despejar. Ningún equipo logró ganarles en aquella mágica temporada. Aun así, Edelmira ya le había dejado claro a su marido que el café quedaba prohibido antes de un partido. «En esta casa, solo se sirve tila», decía con frecuencia.

Los más de trescientos socios culés, todos hombres, tampoco se sorprendían de su atípica conducta. Algunos ya se lo habían advertido a Pere Ollé: el fútbol puede unir a una pareja lo mismo que destruir el matrimonio más sólido. Edelmira no se resignó a su papel secundario en el estadio ni cuando nació su hijo Norbert. En l'Escopidora, gustaba que las mujeres acudiesen arregladas y perfumadas del brazo de sus caballerosos maridos. Resaltaban como una flor exótica en los graderíos repletos de bombines, gabanes y poblados bigotes. Y a muchas se las agasajaba con ramos de flores al entrar o se las invitaba a realizar el saque de honor.

Sin embargo, Edelmira no iba al estadio a charlar con las señoras de los quehaceres de la casa ni de los quebraderos de cabeza que daban los hijos. Tampoco a lucir su último vestido. No quería ramos de flores. Acudía a l'Escopidora con el mismo espíritu que los más de seis mil culés que lo abarrotaban las tardes de grandes partidos: sufrir en los malos momentos y disfrutar en las victorias. Se sentía una más. Una culé más. Pero con sus modales, por supuesto. Ni se pasaba los noventa minutos del partido escupiendo ni se sentaba de espaldas en lo alto del muro con medio culo al aire.

En 1912, Edelmira exigió su carné de socia. Se lo comentó a su marido. Pere Ollé la conocía lo suficiente para saber que nada de lo que dijese la haría cambiar de opinión. Ni siquiera que, desde 1902, los estatutos del club remarcaban que solo y exclusivamente los hombres podían ser socios. Casi podía oír la respuesta de su mujer: ¿las reglas injustas no deben cambiarse? Y blablablá.

Ni Pere ni Edelmira conocían la historia, pero el año anterior se había producido un error gramatical en los estatutos. Cuando salieron de la imprenta, los dirigentes se dieron cuenta de que, en el artículo dedicado a los socios, se decía que solo podían serlo «las personas mayores de catorce años». Ordenaron que, sin dilación, se sustituyese «personas», palabra que podía crear ambigüedades, por «varones», que no admitía dudas al respecto.

Edelmira, no obstante, estaba dispuesta a remover cielo y tierra hasta lograr su carné. Comenzó pidiéndole ayuda a uno de los emblemas del equipo, el futbolista Francesc Armet, Pacan. Si él la apadrinaba, su petición llegaría a oídos de Hans Gamper, el fundador del club. Eso mismo le dijeron Emma Pilloud, esposa del suizo, y la conocida tenista Isabel Müller, esposa de otro de los fundadores, Otto Maier. Debía pelear por sus derechos. Por los derechos de todas las mujeres. Y así lo hizo. Edelmira persistió hasta que el 1 de enero de 1913 estrenó su carné de socia azulgrana. Era la primera de la historia del club.

Su lucha había cambiado las cosas. Pero también las palabras. En 1921 los estatutos ya hablaban de «socios», cuyo plural no especifica sexos. Socios a secas. Hombres y mujeres. Con el mismo escudo en el pecho. Con la misma pasión en el corazón.

El hincha más literario del fútbol mundial (1914)

Al periodista uruguayo Luis Alfredo Sciutto, en su país, le llamaban Diego Lucero. Pero cuando cruzaba la frontera con Argentina, le conocían por Wing. Le llamasen como le llamasen, en ambos márgenes del Río de la Plata sabían que, por encima de todo, era un apasionado hincha del fútbol. Él mismo contó que la palabra «hincha» tenía su origen en el Gran Parque Central. A finales del siglo XIX, cuando jugaba el Club Nacional de Football, el solitario grito de un único aficionado retumbaba por todo el estadio. Reinaba un silencio respetuoso por lo que se jugaba en el césped. Solo se aplaudía recatadamente un buen *chut* del delantero o un *plongeon* espectacular del portero. No en vano, aquel *sport* lo habían esparcido por el mundo los caballerosos y educados ingleses.

Hasta que, un día, retumbó un alarido en el Gran Parque Central: «¡Arriba, arriba Nacional!», gritó Prudencio Miguel Reyes. En la grada, unos preguntaron: «¿Quién es ese que grita?». Y alguien replicó: «Es el hincha». Y añadió: «El hinchapelotas de Nacional». Todos en la tribuna se volvieron a mirar cómo Prudencio Miguel Reyes se volvía al gentío —la cara roja, las venas del cuello marcadas, el bigote crispado— y gritaba para que lo acompañaran en sus cánticos: «¡Arriba, arriba Nacional!».

Por supuesto, lo tomaron por un tarado. El *Gordo* Reyes, sin embargo, tenía muy claro que no era un tarado. En todo caso, el fútbol le volvía un tarado. Algo muy diferente. Cada vez que veía a los futbolistas vistiendo la camiseta tricolor notaba cómo se le aceleraba el corazón. Cuando el balón echaba a rodar, sentía como si fuera él quien se dejaba el alma persiguiendo un pase demasiado largo. Aunque no saltaba al campo, le embargaba la alegría en la victoria como si él mismo hubiese formado parte de ella. Y le dolía la derrota como si él la hubiera encajado.

Sin importarle el resultado, el *Gordo* Reyes gritaba: «¡*Vamo, vamo,* Nacional!». En la grada, unos rezongaban: «¿A qué viene tanto grito? ¿Se cree que los jugadores correrán más con esos alaridos?». «Olvidate del tarado —replicaban otros—, y está al partido.»

Durante la semana, el *Gordo* Reyes «laburaba» en la Lomillería y Talabartería Española, un modesto comercio en la avenida Goes, donde, entre otros trabajos con encurtidos, se ocupaba de arreglar los balones del club. Con la pelota entre las rodillas, daba una amarga chupada de mate antes de cerrarle la correílla con sus descomunales manos. Puntualmente los domingos, las pelotas estaban reparadas. Y él también se preparaba para el encuentro con la misma puntualidad. Tras desatarse el mugriento delantal, se enfundaba un impoluto traje negro, se acicalaba el frondoso bigote y se dirigía con paso feliz hacia el Gran Parque Central.

En el estadio, se ocupaba personalmente de los pequeños detalles del sacramento dominical. Vestía las porterías con redes, repasaba con serrín las líneas del campo, mimaba la hierba. Pero con lo que más disfrutaba era inflando los balones. Había que tirar de pulmón, y el *Gordo* Reyes andaba sobrado: le daba para hinchar los balones y aún le quedaba aire para hinchar a los jugadores. Durante el partido, se paseaba arriba y abajo por detrás de la portería. Un pase bueno, lo aplaudía; con uno malo, soltaba tal chillido que temblaban hasta los palos de las porterías.

Con el paso de los partidos, más aficionados se contagiaron de su locura. Y con los años, aquel tarado pasó a formar parte del espectáculo. Contaba Wing que la palabra «hincha» se popularizó en Uruguay, cruzó el Río de la Plata como tantas veces había hecho Diego Lucero, y de ahí viajó a todos los rincones de Argentina, América y el mundo. Desde entonces, el educado fútbol de los ingleses dejó de concebirse sin tipos como el *Gordo* Reyes. Los hinchas tiraban del carro. Insuflaban vida al frío hormigón del estadio. Convertían el fútbol en una fiesta. Y, de paso, les hinchaban las pelotas a los rivales.

Gracias a un poema del doctor Ricardo Forastiero Fernández, Prudencio Miguel Reyes se convirtió en el hincha más literario del fútbol mundial:

Así fue como llamaron
a esta eterna pasión,
incontrolable sentimiento,
que hace vibrar de emoción:
ser hincha, hincha, hincha,
ser hincha de Nacional.
[...]
Sí, sí, sí nació con Nacional.
Sí, sí, sí acá en el Parque Central,
nació el primer hincha,
de todo el fútbol mundial.

En 1914, una foto le inmortalizó junto con la primera gran plantilla de Club Nacional Football, comandada por Abdón Porte. El *Gordo* Reyes aparece en una esquina, con su elegante traje negro. Bajo un espeso bigote, resalta una pajarita negra sobre la camisa blanca. Saca pecho. Mira a la cámara orgulloso. Sabe que los hinchas son una parte fundamental del equipo. Algo tan importante como el aire para los pulmones.

Las spanish *marimachos (1914)*

Antes de cada partido, Paco Bru se ponía un casquete del que colgaba una borla desflecada. No por miedo a la correílla del balón. El fútbol exigía valentía, arrojo, pundonor. Él nunca había temido meter la pierna en una *meleé*. Conocía el arte del *jiu-jitsu*. Había batido el récord de España de lanzamiento de disco. Y había actuado de forzudo en un circo. Sin embargo, su mayor proeza la realizó en 1914. A pesar de haber capitaneado a un F. C. Barcelona histórico, su mejor partido lo hizo como entrenador del primer combinado femenino español: las Spanish Girl's Club.

Mr. Greenwell había renunciado al cargo tras unos desastrosos entrenamientos. El inglés no soportaba los lamentos de las chicas por los tobillos hinchados o las rodillas magulladas. Cuando Paco Bru se enteró, no lo dudó: él las entrenaría, y sin cobrar un céntimo. Afirmó que al cabo de un mes y medio las tendría listas para jugar. Les endurecería los tobillos, pero con una condición: jugarían vestidas con pantalón corto —nada de ropitas remilgadas— y se ducharían juntas. Paco Bru sabía que las chicas necesitarían un irreductible espíritu de equipo para enfrentarse a la opinión pública. Un partido que no tardó en comenzar.

A los pocos días, padres, hermanos y maridos presentaron quejas. Algunos se personaron en el campo de entrenamiento. Hubo discusiones. «El *football* no es cosa de mujeres», decían unos. «Parecen marimachos», se quejaban otros. Paco Bru se mesaba el bigote y contestaba: «*Sportwomen*, señores, *sportwomen*». A la mayoría no los convenció, pero se salió con la suya. En abril, tenían un local en la sociedad L'Amistat y fecha para el primer partido: el 9 de junio, justo cuando se cumplían los cuarenta y cinco días de preparación que había prometido, debutarían en el campo del Espanyol.

Ningún equipo masculino quiso enfrentarse a ellas, así que Paco Bru las dividió en dos grupos: Montserrat y Giralda. Hubo una entrada mejor de la esperada. Los beneficios iban destinados a la Federación Femenina en su lucha contra la tuberculosis. Las jugadoras saltaron al campo ataviadas con bombachos por debajo de las rodillas, blusas y medias altas. Paco Bru ofició de árbitro. Sacó una moneda para sortear los campos. Mientras la pieza giraba en el aire, entendió que en aquel decisivo partido sus futbolistas se jugaban mucho más que un puñado de goles.

Al día siguiente, se acercó a un quiosco. La primera reseña del fútbol femenino español apareció en *El Diluvio*. Comenzó a leer entusiasmado, pero pronto se desilusionó. A las pocas líneas, el cronista ya ponía el foco donde no debía: «El problema principal en la indumentaria femenina, el peinado, lo resolvió cada una a su manera —decía—. Si bien resulta, como más práctico, cortado a lo romano». Tras la narración de los goles, aseguraba que las chicas habían aprendido algo en el poco tiempo de preparación; pero, unas líneas después, añadía: «El sexo femenino no permite las características rápidas que exige el juego».

Paco Bru esperó hasta el jueves para hacerse con un ejemplar de *El Mundo Deportivo*. En la página cuatro, el artículo «Niñas futbolistas» comenzaba así: «El primer partido entre representantes del sexo débil». Estuvo a punto de no leer más; pero en vez de eso se saltó los datos oficiales y fue al final: «Esta primera actuación de la mujer en el viril fútbol no satisfizo, no solo por su poco aspecto *sportivo*, sino que también a las descendientes de la madre Eva les obliga a adoptar tan poco adecuadas como inestéticas posiciones, que eliminan la gracia feminil».

Paco Bru volvió al trabajo pensando que era preferible que hablasen mal al silencio. Todo empezaba con las palabras. El jueves siguiente se disputó el segundo partido en el mismo campo. Acudió menos público. Giralda y Montserrat empataron a uno, pero las chicas jugaron mejor por mucho que la crónica de *El Mundo Deportivo* acabase así: «Por segunda vez las niñas futbolistas no convencieron a las personas amantes de lo bello». Escribieran lo que escribieran, vendrían más partidos. Se estaban atando los cabos de una larga gira por Sabadell, Reus, Tarragona, Valencia o Palma, además de Pamplona durante las fiestas de San Fermín. Si las previsiones se cumplían, incluso jugarían fuera del país.

La gira no pudo arrancar mejor. En Sabadell, Montserrat ganó por 4-1. Tres días después, el 17 de junio, *El Diluvio* habló de «inmenso gentío» y «cariñoso recibimiento». A finales de junio jugaron en el Campo de Tiro Nacional de Mataró. *El Poble Català* dijo: «Nuestras hermosas *footbollistas* cada día imitan mejor el juego de combinación que hacen nuestros futbolistas de primer nivel». Escueto comentario, pues el atentado contra el archiduque Francisco Fernando y su esposa acaparaba todos los focos.

El 6 de julio, las Spanish Girl's Club viajaron a Reus, Tarragona. Habían atravesado la primera frontera. La siguiente parada sería Pamplona. Y después viajarían al sur de Francia. Las barreras sociales, entonces, caerían por si solas. Desgraciadamente, el estallido de la Primera Guerra Mundial obligó a suspender la gira. Y el equipo de las Spanish Girl's Club, poco después, terminó desmantelándose.

El suicidio en la cancha de Abdón Porte (1918)

La muerte siempre arranca palabras a los cronistas. Y más si se trata de la de un joven de tan solo veinticinco años. Y más si el joven se ha quitado la vida en la cancha donde, el día antes, había ayudado a su equipo, Club Nacional de Football, a ganar por 3-1 a Charley. Y más si el joven futbolista se había suicidado de un disparo en el corazón. Aparecieron decenas de crónicas en Montevideo. Centenares en todo Uruguay. Las mujeres se santiguaban en los mercados con solo oír el nombre de aquel chico. En las tascas, los hombres bebían en silencio mientras escuchaban la tragedia en la radio. Y, en todos los potreros, los pibes corrían detrás del balón como habían visto hacerlo al capitán de Nacional. Aquel 6 de marzo de 1918, el suicidio de Abdón Porte conmocionó a todo el país.

Pero una versión, publicada dos meses después al otro lado del Río de la Plata, trascendería hasta nuestros días por encima del resto. Al cuentista uruguayo Horacio Quiroga también le sobrecogió aquella muerte. Vivía en Argentina, pero en Uruguay tenía grandes amigos como el presidente de Nacional, el poeta José María Delgado. Posiblemente su estrecha amistad influyó para que Quiroga escribiese la misma historia que ya había aparecido en todos los medios, pero de una manera diferente: en vez de publicar una fría crónica, le dio forma de cuento. Le insufló la vida de la literatura.

El 16 de mayo de 1918, apareció en la revista *Atlántida* el relato *Juan Polti, half-back*. Narraba la vida de un futbolista que, tras una carrera brillante, se suicida en su estadio. El relato hablaba de fútbol, pero a la vez contaba otra historia. Aunque, entonces, no todo el mundo lo entendiese así. Hacia 1910, un lector anónimo había escrito a *Bohemia: una revista de arte*, solicitando a sus pomposos editores que publicasen algún artículo sobre fútbol. La respuesta fue contundente: «La poesía y las patadas son incompatibles». Quiroga demostró que había literatura en el fútbol. Y precisamente esa literatura mantuvo con vida su cuento hasta que, en 1968, Eduardo Galeano volvió a darle voz en la antología *Su majestad el fútbol*. La trágica historia de Porte no terminaba con el disparo en el corazón, sino que revivía en la literatura.

Tras fichar por Nacional en 1912, Abdón Porte se había dejado bigote. Tremendamente corpulento, parecía más un defensa central que un mediocentro. Tenía garra, empuje, pundonor. Los compañeros lo llamaban «Indio» porque defendía la medular como una frontera. El capitán hizo de aquel círculo su terreno particular, su pedazo de hierba, su hogar. Levantó nueve títulos con Nacional. Con la celeste, siete. Puso el broche de oro a su palmarés con la Copa América. «El muchacho valía en la cancha lo que una docena de profesores en sus respectivas cátedras», escribió Quiroga.

Una tarde, sin embargo, su nombre no apareció en el pizarrón de los titulares. Decían que estaba lento, pesado, apático. En aquel fútbol sin cambios, el banquillo significaba una sentencia de muerte. Cuentan que les había dicho a sus compañeros: «El día que no le pegue, me pego un tiro en el Parque»; pero lo tomaron por broma. El 5 de marzo de 1918 jugó de titular contra Charley. Fue de los primeros en irse de la sede social. Quería coger el último tranvía a casa, dijo. En parte, era verdad: se dirigió al estadio.

Al día siguiente, el canchero Severiano Castillo encontró su cuerpo. Porte se había disparado en el corazón. En el centro del campo. De noche, en el silencio del estadio vacío. En el bolsillo, aparecieron dos cartas. Una, dirigida al poeta José María Delgado: «Le pido a usted y demás compañeros de comisión que hagan por mí como yo hice por ustedes», comenzaba. Del club, se despidió con un poema: «Nacional aunque en polvo convertido / y en polvo siempre amante. / No olvidaré un instante / lo mucho que te he querido». Pedía una última voluntad: ser enterrado junto a los hermanos Céspedes, dos leyendas del club fallecidos de viruela. La otra misiva tenía por destinataria a su prometida, con la que había planeado casarse un mes después.

Sus compañeros cargaron el ataúd hasta el cementerio de La Teja. Todo Montevideo quiso despedirle. Llegaron al Gran Parque Central montañas de coronas de flores. Al día siguiente, comenzó un incesante goteo de peregrinos para visitar el panteón de los Céspedes. Cinco días después, se disputó un partido homenaje contra Wanderers. Nadie pudo mirar el centro del campo sin recordar el reinado de Porte. En aquel círculo de hierba, había quedado encerrado su espíritu, como contó el periodista Diego Lucero, Wing: «Allí lo habíamos visto muchas veces, allí había dormido, allí fue».

En el retrato que lo ha inmortalizado, Porte aún no tiene bigote. Rebosa juventud, vitalidad, fuerza. Viste traje oscuro, camisa blanca, corbata negra. Le brilla el cabello, peinado con la raya a la izquierda. Tiene rasgos de titán: orejas gigantes, cejas ciclópeas, nariz de coloso. Sus labios, gruesos y carnosos, no sonríen. Su rostro transmite la calma de los futbolistas que juegan con la cabeza alta. Nada, en aquella foto, presagiaba el destino que le esperaba: convertirse en el primer mártir de la religión del fútbol.

Un siglo después, la peregrinación a su tumba continúa. Abdón Porte sigue vivo en el cuento de Quiroga y en su estadio: antes de cada partido, en la tribuna que lleva su nombre, los aficionados despliegan una bandera tricolor donde se lee: «Por tu sangre, Abdón».

En el centenario de su muerte, los jugadores de Nacional saltaron al campo con una camiseta roja. En la espalda, lucían el número 100 y una foto de Abdón Porte. No faltaron las voces críticas que, como ya escribiera Horacio Quiroga en su cuento un siglo atrás, remarcaron que el fútbol «era un paraíso demasiado artificial para su joven corazón».

La poetisa que enamoró al portero (1922)

La poetisa brasileña Anna Amélia Queiróz miraba hipnotizada la guirnalda morada que colgaba de la cintura de Marcos de Mendonça, el portero del América Fútbol Club. No quería comportarse como esas jóvenes que acudían al estadio para cuchichear sobre las fornidas piernas de los futbolistas. Ella sabía leer el juego con la misma clarividencia que un poema. De hecho, para su duodécimo cumpleaños, había pedido a su padre unas botas y un balón. Años después, ella los había importado desde Europa para enseñar a jugar a los hijos de los trabajadores de la planta siderúrgica de su padre. Tenía una filosofía de juego. La jugada debía de ser precisa como un verso. Los pases, exactos. Solo así se obtenía la belleza de la literatura. Solo así se lograba la poesía del gol.

Pero no lo podía evitar. Una y otra vez volvía a mirar aquella guirnalda morada bamboleándose en el pantalón de Marcos de Mendonça. «Anna Amélia —le decían sus amigas—, que el balón está en la otra portería. ¡Casi te pierdes el gol!» Ella las miraba como si despertase de un sueño. «Déjala —decía otra—. Está enamorada de Fitinha.»

La mayoría de los partidos, Fitinha Roxa, como le habían bautizado los hinchas del América, abandonaba el área sin apenas haberse manchado de verdín. Anna Amélia seguía el hipnótico bamboleo de la guirnalda en su cintura hacia los vestuarios. Hasta que un día, en 1913, Marcos de Mendonça no abandonó el campo con sus compañeros, sino que se acercó al público a saludar al grupo de jovencitas. Anna Amélia tembló como al colocar el punto final a un poema. Aunque todas sus amigas ofrecieron su mejor sonrisa al famoso portero, él solo tuvo ojos para la poetisa. «¡Anna Amélia! ¿Has visto cómo te miraba?»

Poco después, la poetisa y el portero empezaron a quedar para dar un paseo, ir al cine o simplemente mirarse a los ojos sin parpadear. Ella le hablaba de fútbol como Marcos de Mendonça nunca antes había oído hablar a una mujer. Un día le preguntó si había elegido la soledad de la portería por su tremenda envergadura. Él se rio. «No —dijo—. La he elegido porque la portería es el lugar del campo donde menos se corre.» Ella enarcó las cejas: «¿Qué?». Y él le contó que desde pequeño había sufrido de pleuresía, por lo que su tío, que era médico, le había recomendado jugar de portero. Una tarde, Anna Amélia le preguntó el porqué de la guirnalda. «Eso tiene menos épica —rio Marcos de Mendonça—. Es para que no se me caigan los pantalones en cada parada.»

Anna Amélia lo siguió por todos los campos. Le vio ganar el campeonato carioca con el América en 1913. Le apoyó cuando, al año siguiente, por desavenencias con la directiva, decidió fichar por Fluminense Foot-ball Club. Se sintió orgullosa cuando Marcos se convirtió en el primer portero de la selección brasileña. Y en el más joven: solo tenía diecinueve años, aunque les sacase más de una cabeza a todos sus compañeros en la fotografía que inmortalizó a la primera *Seleçao*. Fue tomada el 21 de junio de 1914, día que su carrera despegó. Jugaban contra el Exeter City y, aunque los ingleses lograron marcarle un gol, vencieron por 2-1 con los goles de Oswaldo Gomes y Osman Medeiros.

Anna Amélia le vio convertirse bajo palos en un hombre. Le vio ganar el campeonato en 1917, 1918 y 1919. Esa temporada, además, ganó el primer Campeonato Sudamericano, evitando así que los uruguayos se convirtieran en tricampeones. Tras el empate a dos con los charrúas en el primer partido, en el de desempate, Marcos de Mendonça dejó su portería a cero. Aquel fue el partido más largo de la historia del torneo: duró ciento cincuenta minutos. El único gol lo anotó Friedenreich, pero Fitinha Roxa se convirtió en el verdadero héroe: en todo el torneo solo consiguieron marcarle tres goles.

En 1922, el mismo año que la *Seleção* se alzaba con otro Campeonato Sudamericano, Anna Amélia publicó el poemario *Alma*. El poema titulado «El salto» hablaba de una joven poetisa que se enamoraba de un desgarbado portero que nunca se ensuciaba su elegante indumentaria blanca: «Fue bajo un cielo azul, al rubio sol de mayo / cuando te encontré, hermoso Apolo, / y mi amor nació, en un luminoso rayo».

Anna Amélia dedicó varios años a la traducción de un manual de reglamento con la misma pasión con la que, a lo largo de toda su vida, tradujo las obras de su admirado William Shakespeare. Y como Julieta, vivió enamorada de Marcos de Mendonça hasta el último día. Siempre pidió que, si moría antes que él, la enterrasen con la vieja cinta coronada por la guirnalda morada, anudada a la cintura.

El poeta del polirritmo loa el **football** *de Gradín (1922)*

Reza la leyenda que, en Las Acacias, los hinchas de Peñarol cantaban versos al futbolista Isabelino Gradín. Los había compuesto Juan Parra del Riego, un joven poeta peruano que no chilló en el campo como acostumbraba el *Gordo* Reyes, sino que, en la intimidad de una cuartilla en blanco, adjetivó para siempre el juego de Gradín como «ágil, fino, alado, eléctrico, repentino, delicado, fulminante».

La vida de Juan Parra del Riego transcurrió veloz como uno de sus versos, y duró apenas un suspiro como sus poemas más intensos; pero le bastó para revolucionar la poesía latinoamericana y convertir el fútbol en un tema loable. Dicen que a pesar de sus problemas físicos fue un excelente futbolista: «Quizá, si mis indios jugaran al fútbol —escribió—, hallarían en este maravilloso deporte su redención». A él, el balón le redimió de su enfermedad mientras pudo jugarlo. Y la poesía le acompañó el resto de su vida.

Con apenas veinte años, Parra del Riego inició un largo viaje en busca de su propia voz. Recorrió la costa peruana hasta llegar a Guayaquil, en Ecuador. Regresó a su tierra, pero para volver a abandonarla. Esta vez atravesó Chile, Uruguay y Argentina. Siempre recordaría que en un diminuto pueblo de la pampa, Santiago del Estero, tropezó con Bernardo Canal Feijóo, otro joven poeta entusiasta del fútbol y las vanguardias como él.

En aquellos viajes aprendió que volver al origen no significaba encontrarse, y se buscó mucho más lejos, en París. Sumergido en el torbellino de la ciudad, sus poemas encontraron la luz que buscaba. Poeta del polirritmo le llamaban porque sus versos parecían tratar de escaparse del papel, desbordantes de adjetivos y velocidad. La alegría, sin embargo, no fue total: en la ciudad de la luz comenzó a padecer síntomas de tuberculosis. Y la enfermedad le obligó a desandar el camino.

De vuelta en Montevideo, los días de grandes partidos le gustaba mezclarse con el gentío en la plaza Solís como contó en *Aspectos psicológicos del football*, con motivo de un Argentina-Uruguay: «Pienso en la capacidad incalculable de idealismo que hay en un pueblo capaz de seguir horas y horas, anhelante, palpitante, atónito, las incidencias de este remoto partido de *foot-ball*».

Aunque cada vez más enfermo, le sobró vitalidad para enamorar a la escritora de dieciséis años Blanca Luz Brum. Dicen que, tras raptarla del convento donde vivía interna, se casaron con dos poetisas como testigos. Sea como fuere, en 1918 publicó los poemas polirrítmicos que había alumbrado en París. El titulado «Loa el fútbol» demostró que, además de espíritu de poeta, Parra del Riego tenía corazón de hincha: «En el fútbol todo es clara poesía, / luz de sol, viento viril y panorama». Pero el poema que le consagró apareció en 1922, en el primer número de la revista uruguaya *Calibán*. Se titulaba *Polirritmo dinámico a Gradín, jugador de foot-ball*: «Y te vi, Gradín, / bronce vivo de la múltiple actitud, / zigzagueante espadachín / del *goalkeeper* cazador».

Parra del Riego aún tuvo tiempo para publicar dos poemarios más. Llegaron a las librerías casi al mismo tiempo que su mujer daba a luz. Desgraciadamente, seis días después de convertirse en padre, la tuberculosis acabó con su vida.

El final de su ídolo futbolístico también sería trágico. Tras pasar los últimos años de su vida en la indigencia, a finales de 1944, Gradín ingresó en el hospital Pasteur. En aquella aséptica habitación, tal vez recordó los versos que le había dedicado, años atrás, aquel joven poeta peruano. O quizá rompió a reír con la surrealista entrevista que un día le hiciera el mítico periodista Ricardo Lorenzo. Tras las preguntas, le pidió un título para la crónica, y Gradín respondió: «¡Borocotó, chas, chas!». Así la encabezó, y desde entonces así firmó sus crónicas: Ricardo Lorenzo *Borocotó*.

Quizás el *Negro* Gradín recordase los aplausos a sus más de cien goles. Quién sabe si se le escapó una sonrisa al recordar cómo los chilenos, en el partido inaugural de una lejana Copa América, pidieron a la organización que les quitasen la victoria alegando que utilizaban «refuerzos africanos». Aquel había sido su mejor campeonato: ganó el título, lo nombraron el mejor jugador y fue el máximo goleador. Corría la temporada de 1916. Tenía tan solo diecinueve años. Quizá sus recuerdos se remontasen más atrás, hasta su infancia en el barrio de Palermo, donde sus padres, esclavos de Lesoto, habían emigrado en busca de una vida mejor. Quién sabe hasta dónde vuela un corazón cuando entiende que el cielo ya no es frontera, sino destino.

El 17 de diciembre de 1944, Peñarol se proclamó campeón. Los jugadores decidieron ir a visitarle al hospital. Llevaron el trofeo. Se acercaban las Navidades, y tocarlo seguramente fue el mejor regalo que recibiera Gradín en mucho tiempo. Tres días después, falleció. Tenía cuarenta y siete años. «A Isabelino Gradín, como estrella fugaz, le fueron concedidos tres deseos», escribieron en el *Libro de oro de Peñarol* conmemorativo del centenario: «que brillara en canchas y pistas, que le cantaran los poetas y que no se le olvidara».

Aquel poema le convirtió en el primero de una larga lista de futbolistas consagrados en los versos de un poeta.

Los clásicos sportmen *franceses (1924)*

Desde que el *football* desembarcó en Francia, apasionó al dramaturgo Jean Giraudoux. No entendía aquel dicho inglés de que era un juego de caballeros practicado por bestias, mientras que el rugby era uno bestial que practicaban caballeros. Para Giraudoux, se podía leer la vida en un partido de fútbol con la misma claridad que en una obra de teatro. En el terreno del juego actuaban el héroe y el villano. Y antes de que cayese el telón, uno interpretaba la gloria del vencedor mientras el otro se resignaba con el triste papel del perdedor.

C'est la vie!

Giraudoux no dudó en poner su pluma al servicio del barón Pierre de Coubertin cuando, en 1924, le pidió colaborar en la organización de los Juegos Olímpicos de París. Coubertin soñaba con que los ideales deportivos sellasen la paz en una Europa devastada por la guerra. Y los artistas, desde los dramaturgos a los pintores, pasando por los poetas y los escultores, debían dar vida a los mitos deportivos que actualizasen los que había cantado Píndaro. Además de entrevistar a numerosos atletas, Giraudoux formó jurado junto con Claudel, Blasco Ibáñez o Marcel Prévost en el Pentatlón de las Musas. Y escribió sobre el fútbol.

Giraudoux no solo lo consideraba el rey de los deportes, sino el soberano de todos los juegos. Así lo definió en el prólogo de *La gloria del fútbol* —recopilación de textos de Rimet, Montherlant o Coubertin—, donde afirmó que la pelota era «en la vida lo que mejor escapa a las leyes de la vida». La de fútbol se movía con más inteligencia que la que rebotaba en el frontón, con más ingenio que la que rodaba por el tapete del billar: «El equipo da a la pelota el motor de once malicias y once imaginaciones», escribió.

También aseguró que la pelota solo admitía «los efectos estelares de los pies», mientras que las manos delataban a los «animales tramposos». Pero su colega Henry de Montherlant nunca se consideró un animal tramposo, sino un tipo solitario que encerraba sus emociones en la jaula de la portería. En 1924, todavía se sentía más *goalkeeper* que escritor. Ponerse los guantes no era lo mismo que coger la pluma. El sudor no tenía nada que ver con la tinta. Las palabras no alcanzaban a reproducir la esencia de una jugada. Bajo palos, el portero competía contra el hombre, no contra la idea, como el escritor en la hoja en blanco.

Fue un amante del balón. En su opinión, el hombre más desgraciado era el que se cruzaba con una pelota y no podía chutarla. También fue un clásico *sportman* de la época. Además del fútbol, en el club deportivo L'Auto cubrió los cien metros en once segundos y cuatro décimas, o pilotó coches de carreras. Pero donde más disfrutaba era en la portería. En una foto de entreguerras le retrataron apoyado en el palo, enfundado en un jersey de cuello de cisne, con guantes, calzones y rodilleras salpicadas de barro. No lo sabía, pero esa fotografía lo convertía en uno de los primeros de una larga estirpe de escritores bajo palos.

«El del zaguero es un juego de abnegación —escribió en 1924 en *Las Olímpicas*—. Subsanar, ante todo, las fallas de los otros.» Coubertin lo bautizó como el Píndaro moderno. Y a *Las Olímpicas*, libro que presentó al Pentatlón de las Musas, como la *Ilíada* deportiva. Aunque Montherlant no consiguió la medalla de oro, dejó una imagen del portero que pasaría a la historia: «Manos fuertemente cubiertas, muslos desnudos hasta arriba, / rodillas lustrosas como una hoja. / Va y viene como un enamorado que espera».

La espera en la portería le recordaba las angustiosas jornadas que había vivido en la trinchera. «No hay más que repetir las palabras del juego para que sienta el olor de la guerra», escribió. Había participado en la Primera Guerra Mundial. Había pasado muchas horas preguntándose dónde caería el siguiente obús. Uno le explotó cerca. Regresó del frente con siete esquirlas en el cuerpo. El deporte le sirvió para sacárselas. O al menos para calmar la quemazón de recuerdos como el de *l'enfant perdu*: soldados obligados a salir de la trinchera para realizar un reconocimiento del que pocos volvían, a los que comparó con los habilidosos extremos: «Corre acosado y en él hay algo / de inmóvil. / Sus ojos, bajos y fijos en el balón, / como en una página de Virgilio».

También dedicó un poema a sus botas de cuero de vaca. En *Las Olímpicas,* como si de un pentatlón se tratase, incluyó relatos, ensayos y dos piezas teatrales protagonizadas por chicos de entreguerras que juegan un fútbol *amateur*. Así concebía el fútbol: el equipo, como una familia espiritual; el partido, como un destino común: «Para vosotros el *foot-ball* se reducía a una manera de hacer el mayor número de *goals* —escribió—. Para mí, era un ejercicio que formaba parte de toda una regla de vida: el cuerpo jugando lo mismo que deben jugar el espíritu, el alma, el corazón, la carne, todo».

Montherlant recibió en el Parque de los Príncipes una lección de realismo: la pelota le enseñó qué podía hacer. Y allí, el Píndaro moderno lanzó la pregunta a la que los futuros bardos deportivos deberán contestar: «¿Qué hay en el juego de los cuerpos que me atrae con esa fuerza sombría tan semejante a la fuerza del amor?».

Un sensible poeta entre viriles futbolistas (1924)

Cuando Montherlant vio debutar a los desconocidos futbolistas uruguayos en Colombes, tuvo una *révélation*: «Esto es fútbol de verdad —dijo—. Lo que conocíamos antes, eso a lo que nosotros habíamos jugado, no era más que un juego de niños de colegio.» No exageraba. Los charrúas habían desembarcado en suelo francés como las cenicientas del torneo; pero lo habían terminado coronados como los mejores futbolistas del planeta.

En todo el torneo, solo habían encajado tres goles por los veinte conseguidos. Montherlant siguió de cerca la andadura olímpica uruguaya. Apenas había acudido público al estadio de Colombes para verlos debutar el 26 de mayo de 1924. Aun así, en ese partido hicieron siete goles a los yugoslavos. Tras los cinco que marcaron a los franceses en cuartos de final, ya se hablaba de ellos en todos los cafés de París. Su gesta se extendió por los bulevares parisinos cuando eliminaron por la mínima a Holanda en semifinales. El 9 de junio, no cabía un alfiler en el estadio olímpico para ver cómo vencían a los suizos en la gran final. Para celebrar la medalla de oro, los uruguayos dieron una vuelta al campo saludando al público que los ovacionaba. Acababan de inventar, sin saberlo, la vuelta olímpica.

De aquella gesta, llegaron a Montevideo las crónicas del periodista Lorenzo Batlle Berres, enviado especial del diario *El Día* a la primera aventura europea de la selección uruguaya. Pero pasó a la historia de la literatura gracias al poema «Olímpicos 24» de José María Delgado: «Con oro arrancado a las minas de la quimera / habíamos bordado un sol en la bandera —escribió—. Un sol pequeño cuyos rayos / doraban solo los campos y los pechos uruguayos».

Como presidente de Nacional, Delgado había colaborado para que la selección uruguaya participase en aquellos Juegos. Tras haber logrado la medalla de oro, muy lejano parecía el día en que el Comité Olímpico Uruguayo había rechazado su candidatura. ¿Peones de almacén y picapedreros en Europa? ¿Repartidores de leche y vendedores ambulantes? ¿Qué pensaban enseñarles a los inventores del juego? Incluso en París les habían puesto trabas: «Tratándose de una provincia de Argentina, no podría intervenir», les objetaron. Gracias a Delgado o Atilio Narancio —que hipotecó su casa— se había reunido el dinero necesario para el viaje. Y los obreros habían logrado la hazaña frente a futbolistas profesionales. Como sentenció un periódico francés: «A patadas metieron a Uruguay en la geografía».

Por experiencia, Delgado sabía que las historias comienzan antes de la primera palabra. Aquella también. Y había comenzado en los clubes. Delgado se había involucrado en la directiva de Nacional tras licenciarse en Medicina, en 1911. Con veintisiete años, ya presidía el club. Su papel había sido clave en el paso del fútbol *amateur* al profesional, proceso que retrató en el cuento *El general Manuel Rovira Uriarte y su época*: «El *football* se había convertido en el deporte nacional —escribió—. No existían nombres más pronunciados en todos los círculos que los de sus cracs y estos, en su inmensa mayoría, no llegaban de las esferas señoriales, sino de las humildes donde el pan es difícil y duro».

Para llegar hasta aquella medalla de oro, el fútbol uruguayo había atravesado un periodo de profundos cambios, sobre todo sus dos grandes clubes. Peñarol había perdido su carácter ferroviario hasta que el dicho de los patronos ingleses —«Quien organiza partidos de fútbol no organiza huelgas»— perdió toda su vigencia. Nacional, por su parte, cortó sus raíces elitistas. En 1911, cuando Delgado aterrizó en el club, la directiva se dividió en dos. Por un lado, un núcleo clasista que había apartado a jugadores como Romano o Dacal por sus orígenes. En el opuesto, Rovira Uriarte, Atilio Narancio, Restamo y él, con un objetivo: entregar el club al pueblo. Ganaron en las urnas. La plantilla, entonces, la lideraba el trágicamente fallecido Abdón Porte. Lo secundaban los albañiles Landoni, Briezan y Mazzulo, el vendedor ambulante Somma, y el primer jugador negro, Antonio Ascuzi. Con aquellos futbolistas de origen humilde había comenzado a forjarse la hazaña olímpica.

Inspirado por la experiencia de los Juegos de París, Delgado proyectó una gira para Nacional de ciento noventa días por Europa, un año después. Y en 1927, otra por América del Norte. Aquellas dos *tournées* catapultaron la fama del club lejos de las fronteras del pequeño país. En el viaje por tierras americanas, a su paso por La Habana, un reportero de *El Heraldo de Cuba* se enteró de que entre los futbolistas viajaba un poeta. Cuando llegó a sus oídos que, además, era el presidente del club, no paró hasta entrevistarlo. Había encontrado una historia diferente que le fascinó: un sensible poeta comandando una plantilla de viriles futbolistas.

Delgado ejerció de presidente hasta 1932. Como homenaje a su amor por el club, la tribuna principal del Gran Parque Central lleva su nombre. Antes de iniciar el viaje definitivo, Delgado pidió un último deseo: allá arriba solo quería una ventana chiquita por donde ver a Nacional y volver a emocionarse con el himno que él había compuesto: «Y otra vez, otra vez oh, vitoria / celebrando la hazaña sin par / solo un nombre en los ámbitos vibra: / ¡Nacional, Nacional, Nacional!».

La patada empelotante de Bernardo Canal Feijóo (1924)

Como al resto del mundo, el fútbol llegó a las costas argentinas en los buques ingleses. En 1922, el vizconde Lazcano de Tegui relató en su poema «Yo he visto nacer el *foot-ball*» cómo los marineros ingleses bajaron de los buques y echaron a rodar balones por plazas, parques y campitos: «Yo he visto nacer el fútbol a la vera de San Telmo, / y los ingleses honrados / llamaron "fiel" al terreno / que les devolvió la gloria / de verse niños, y eternos».

Pero como sucedió en el resto del mundo, aquel fútbol romántico pronto se transformó en otra cosa. Solamente un año después del poema, el campeonato liguero argentino tuvo un final surrealista. La Asociación Argentina de Fútbol lo dio por terminado cuando todavía no se habían disputado todos los partidos. Para dilucidar al vencedor se fijó un desempate entre los dos primeros, Boca Juniors y Huracán. Boca se proclamó campeón tras cuatro partidos, el último disputado con la nueva liga en marcha. No fue el único desatino. Atlético Palermo se había incorporado más de dos meses tarde; Estudiantes de la Plata y Sportivo Palermo se retiraron antes del final sin que se anulasen partidos o se restasen puntos.

Ni el escritor más vanguardista hubiera urdido un final tan estrambótico, debió de pensar Bernardo Canal Feijóo desde su tranquila vida en Santiago del Estero. En aquellos años, colaboraba con el diario *El Liberal* escribiendo artículos que aderezaba con sus propias viñetas humorísticas. Fuera de la redacción, ejercía de presidente del Club Atlético Santiago, el equipo local. Aunque modesto, el club prosperaba. En el *Anuario* de 1923, inventariaron que contaba con trescientos cincuenta asociados, cinco equipos en diferentes divisiones, un campo con tribuna, además de un frontón para la pelota vasca.

Frente a la cuartilla en blanco, a Canal Feijóo no le gustaban las ataduras. Le sucedía como a Parra del Riego, aquel poeta peruano al que había conocido en su periplo por Argentina. Ambos querían imprimir a la poesía la velocidad de una jugada por banda. Romper los lazos que los encadenaban al pasado. Alumbrar una literatura donde se vieran reflejados. Pero a Santiago del Estero no llegaban las vanguardias que agitaban los cafés de Buenos Aires que él había frecuentado en sus años universitarios, cuando los poemas más rompedores se escribían en servilletas.

Desgraciadamente, la poesía no se extendía con la misma velocidad que el fútbol. La vanguardia moría cubierta de polvo en la inmensidad de la llanura pampeana. Canal Feijóo sabía que para ganar un partido no valía con esperar a que el balón llegase a tus pies; había que salir a buscarlo. En 1924 resolvió que, si las vanguardias no llegaban a Santiago del Estero, él las traería. Publicó el poemario *Penúltimo poema del fútbol,* una patada que sacudió la pampa, un regate al pasado literario norteño. Al fin y al cabo, una gambeta no era más que «una broma gastada a un señor serio, agrio, reumático».

En la primera edición, los poemas aparecieron acompañados por dibujos de futbolistas de piernas amorfas y botas ortopédicas, que lanzaban torpes patadas en praderas llenas de margaritas. Con las caricaturas, Canal Feijóo buscaba crear en el lector la ilusión de que acudía, junto al poeta, a un disparatado partido de comarcas en el que las jugadas se trenzaban con versos de vanguardia mientras la grada rugía en un carnaval de digresiones. Dibujó al árbitro «con una judiciaria propensión a descubrir la falta, a aplicar sus sanciones de pito solemne». Se acercó al área a observar al solitario portero en «Al arco»: «El arquero sabe de la alegría de transmutar / en juego el ceño homicida del adversario». Y describió la inevitable llegada en «¡Gol!»: «—¡Un grito!— / Y el desmoronamiento lapidario / de la multitud». Pero en aquel poemario, sobre todo, Canal Feijóo alumbró la patada empelotante, un acto más noble que el puñetazo o la trompada: «Hija de la democracia igualitaria moderna, hermana del sufragio universal —la definió—. El único don olímpico que está atribuido hoy al hombre.»

Penúltimo poema del fútbol permaneció en el olvido hasta que, en 1971, el poeta Roberto Jorge Santoro lo encontró. Hasta aquel momento, solo había dado con un cuento firmado por Horacio Quiroga que superaba en antigüedad a los versos de Canal Feijóo. No había descubierto el poema del vizconde Lazcano de Tegui, pero *Penúltimo poema del fútbol* significaba un hallazgo de mayor calado: era el primer poemario dedicado íntegramente al fútbol, y además al de provincias de los años veinte. Para su recopilación, Santoro decidió incluir el titulado «Córner»: «Como de un lejano horizonte / se levanta la pelota del córner / abriendo su vuelo de serpentina... [...] Entonces, / entre las frentes endurecidas, / una frente».

Bernardo Canal Feijóo nunca reivindicó aquellos poemas. Todo lo contrario. Renegó del estilo y la temática, y también de la patada empelotante «que introduzca en el orden prudente del mundo una maciza sinrazón». Quizá de eso trataba el disparate de la vida, debió de pensar Roberto Jorge Santoro: pasar de irreverente vanguardista a ensayista solemne y, con los años, olvidarse de un puñado de versos polvorientos que ni uno mismo tiene ya ganas de releer.

Américo Tesorieri, poesía bajo palos (1924)

En la Copa América de 1924, ningún delantero pudo hacerle un gol. Ni siquiera los temidos futbolistas uruguayos, que finalmente se proclamaron campeones. Tras el empate a cero, dos jugadores charrúas, Romano y Zibechi, se acercaron al área de Américo Tesorieri y le pidieron, por favor, que los acompañase. Tesorieri se quitó la gorra. Lo condujeron hasta el palco principal y lo colocaron frente al presidente constitucional uruguayo, José Serrato: «Señor, este hombre nos impidió la victoria ante la selección argentina», dijeron.

Tras aquel partido, el desgarbado Américo Tesorieri se consagró como uno de los mejores porteros del mundo. «Yo no he aprendido de nadie —escribió ese mismo año—. Cuanto he realizado en el arco es experiencia, estudio, cálculos, horas perdidas en trazar croquis de jugadas frente a la valla [...] tras lo que adquiría una enseñanza para la suma de conocimientos que exige la defensa del *goal*».

Un portero, sin embargo, nunca sabe cuándo recibirá el último gol. Tampoco un escritor cuál será su última palabra. El punto que cierra la frase nunca parece final, aunque su diminuto tamaño pueda esconder una gran tragedia. Parte de la historia de Américo Tesorieri aparecería mucho tiempo después en el último capítulo de *Memorias del Míster Peregrino Fernández*. Cuando Osvaldo Soriano le puso el punto final, no sabía que sería el último que colocaría. Había terminado el capítulo doce de las memorias, pero había proyectado muchos más. La muerte se lo impidió.

Su personaje sí que intuía que aquella historia sería una de las últimas que contaba. Enfermo en el hospital, Peregrino

Fernández le dedicó su postrer aliento a Tesorieri. A su maestro. Entre caladas al habano, el míster regresó a sus lejanos años de futbolista: «Me quedan imágenes difusas y una foto que llevo en la cabeza —dice—: Tesorieri, flaquísimo, alto, desgarbado, de pie bajo el arco». Después, Peregrino relató el inolvidable partido que enfrentó al maestro con el alumno.

Durante el tiempo reglamentario —cuenta—, apenas pudo acechar el área; pero, a escasos minutos del final, el árbitro cobró un tiro libre a veinte metros del arco. Peregrino colocó el balón con mimo. En aquel tiempo, no se ponía barrera entre el *shoteador* y el arquero. A pesar de su ajustado lanzamiento a la escuadra, la reacción de Tesorieri sorprendió a todo el estadio: en vez de volar hacia el ángulo, corrió al punto de penalti, se giró y esperó a que el balón, rebotado del larguero, se alojase mansamente entre sus guantes.

El abrupto final de las memorias de Peregrino deja en el aire si aquella parada sucedió en realidad o si simplemente es una más de sus rocambolescas ficciones. Lo que sí afirmaba el míster es que Tesorieri, aunque jugaba de portero, le había enseñado a marcar goles. Un delantero debía entender al arquero para ser letal cuando lo enfrentase. Y Tesorieri había sido el mejor guardameta de la historia de Boca y de la selección argentina. Por algo le habían apodado «La Gloria». Por algo había sido el primero en copar la portada de *El Gráfico*. Por algo los hinchas *xeneizes* le cantaban: «Tenemos un portero que es una maravilla, ataja los penales sentado en una silla».

Sentado en una silla, además, Tesorieri escribía poesía. En el poema en prosa «Yonedick», dedicado al canchero de River, John Diggs, contó que, cuando era un pibe, merodeaba junto a su amigo el Mochuelo las canchas de Boca y de River Plate mendigando una pelota vieja que patear. «De la una los echaban como perros apestados —escribió—, en la otra los recibían como ángeles traviesos.» Los recibía el viejo Yonedick, el canchero que les prestó la codiciada pelota con la que había comenzado a forjarse la leyenda.

Tesorieri aseguraba que un buen portero debía ver cada movimiento, no solo del balón, también de los jugadores. Debía entender el estado de ánimo de compañeros y rivales: «No basta ver jugar —escribió—. Hay que estar en los nervios y el corazón de los jugadores y prever las amenazas de catástrofe para el arco.» El juego discurría en una mecánica de aciertos y errores; pero al mismo tiempo se jugaba en otro plano, vivo y humano, que muy pocos acertaban a leer. El arquero, como el poeta, debía anticiparse a ese desconcierto inminente para evitar la tragedia del gol.

Tesorieri colgó los guantes con tan solo veintisiete años. Las intrigas internas del club acabaron con sus ganas de jugar. Y también de acudir a la cancha, como escribió en este poema: «Las canchas me hacen penar, / porque ya no puedo jugar. / Entonces, mi bien, ¿a qué ir? / ¿Recuerdas a un muñeco de gris? [...] Escuchemos, querida, por la radio el partido, / está muy fría la tarde, / y más frío el olvido».

Muchos años después del cuento de Osvaldo Soriano, un escritor seguidor de Boca, Martín Caparrós, recuperó en su libro *Boquita* los versos y las paradas de Tesorieri. Recientemente, se publicó la biografía *Américo, el poeta del arco*. La presentó su hijo en la Bombonera. La sala estaba abarrotada, y muchos asistentes se sorprendieron al descubrir que Tesorieri había sido poeta. «El libro va a dar a conocer el costado literario de mi padre —aseguró su hijo. Y añadió—: Escribiendo, él me supera por varios cuerpos.»

Un pelotón en la cabeza de Unamuno (1924)

Los ancianos de La Mina, como se conocía a Río Tinto, observaban pasmados cómo los fornidos ingleses corrían en calzones detrás del pelotón. Uno se sacó el mondadientes de la boca: «¿Por qué no lo agarrarán con las manos?», barruntó. El pelotón, del tamaño de una sandía o de la cabeza de un muerto, botaba endemoniado entre las peludas piernas de los ingleses. Los ancianos siguieron con ojos hipnotizados las parábolas del pedazo de cuero hasta que los colonos lo mandaron más allá de las líneas de serrín que marcaban el rectángulo de hierba. Uno chascó la lengua: «¡Menudos borregos estos colonos!».

Si, al salir de la escuela, los zagales imitaban aquel juego por las callejas del pueblo, los mayores los abroncaban: «Será que no hay entretenimientos de aquí, para andar jugando a "eso"». El asunto cambiaba en la taberna. Tras la agotadora jornada de trabajo en la mina, ya con pantalones largos, los ingleses bebían con una sed que ni la cerveza ni el vino sofocaban. Y chapurreando una mezcla de inglés y castellano, una noche, explicaron a los lugareños en qué consistía el juego: «Se dice *football*», balbuceó uno mientras, tambaleándose, trataba de tocarse la punta del pie. La regla principal era sencilla, explicaron: nunca se tocaba la pelota con las manos. Eso lo diferenciaba del rugby. «¿El rugby?», preguntó un vecino. Los ingleses se miraron unos a otros, negaron con la cabeza y se limitaron a pedir más cervezas.

Poco después —y muchas cervezas más tarde—, aquel *sport* pasó de locura de los colonos a pasión desmedida de todo un pueblo. Y en apenas dos décadas, los españoles habían pasado de tratar de entender las reglas a golear a los maestros. Sin embargo, no todos los lugareños vieron con buenos ojos el desembarco del pelotón. Antonio Machado había recibido la educación de la Institución Libre de Enseñanza; pero eso no evitó que Juan de Mairena, su *alter ego*, se definiera como «enemigo de lo que hoy llamamos, con expresión tan ambiciosa como absurda, educación física». Aunque Mairena ejerce de profesor de gimnasia, considera el deporte como algo estéril una vez acabado el juego. Sobre todo aquel *sport* del pelotón, donde no se jugaba a pelear, sino que se peleaba jugando. Algo que, en palabras de Machado, «saben hacer los ingleses mejor que nadie».

Su opinión no impidió que el *football* ganase más espacio en los diarios. De esqueléticas reseñas con alineaciones y resultados, se pasó a alabar a los ases del balón en sobrecargados párrafos. De tener que escribirlas en los cafés, los cronistas se ganaron un sitio privilegiado en las redacciones. Aquel juego tenía tirada. «La prueba está en los periódicos —aseguró Ortega y Gasset—, que por su naturaleza misma son el lugar donde más pronto y más claramente se manifiesta todo lo falso de una época». Aunque había instaurado una filosofía basada en el espíritu lúdico para desterrar los valores de la senectud, no soportaba que los lunes solo se hablase del partido de la tarde anterior, mientras el resto de la semana se perdía en las cábalas para el siguiente. Ortega y Gasset había afirmado en *El tema de nuestro tiempo* que «el poeta tratará su propio arte con la punta del pie, como el buen futbolista»; pero acabó saturado de las patadas poéticas de su *homo ludens*: «Está bien alguna dosis de fútbol, pero ya tanta es intolerable», dijo.

Algo similar debió de pensar Miguel de Unamuno. En sus paseos vespertinos, había comprobado cómo las ortigas devoraban las boleras y frontones donde generaciones de chicos habían pasado la infancia. Los niños ya no se entretenían cortando troncos ni segando hierba. «La Hispania chiquillería —escribió— juega al balón y juega tras él frenética, asustando perros y haciendo caer viandantes desprevenidos.» A Unamuno le inquietaba que miles de jóvenes solo se preocupasen del dichoso pelotón en lugar de cultivar, junto al físico, el espíritu. La violencia se desataba en los estadios. Un rancio patriotismo se escondía tras los escudos. Y una verborrea desmesurada se había adueñado de las páginas de revistas y periódicos especializados. Pero sobre todo le horrorizaba lo que denominó «deporte contemplativo»: relatar los partidos hasta el hartazgo se había convertido en el deporte favorito del «aficionado *footbollístico* que no da patadas al pelotón, pero acaba por convertir en un pelotón su cabeza a fuerza de discutir jugadas».

En la cabeza de Unamuno resonaban aquellas extrañas palabrejas inglesas que habían colonizado los descampados. Golfillos de apenas siete años chillaban «chuta» y «*goal*» con inusitada naturalidad. El fútbol amenazaba al lenguaje. El fútbol amenazaba incluso a las corridas de toros. «Si al menos tuviéramos un Píndaro que cantase a los grandes jugadores —se lamentó—. Pero la literatura que el *football* provoca es tan ramplona como la que provocan las corridas de toros.»

Unamuno no podía imaginar los trastornos que provocaría la traducción de aquellas palabrejas inglesas que le hinchaban la cabeza como un pelotón. Ni que su sobrino nieto provocaría ríos de tinta con sus goles, y hasta destellos de buena literatura.

¡Bienvenido, míster Football!

Los fornidos ingleses no solo atracaron en los puertos españoles con un pelotón y mucha sed, también trajeron las maletas cargadas de palabras que, además de exóticas, eran necesarias para entender las reglas del juego y contar su historia. Eugenio d'Ors, por aquel entonces, publicaba las suyas en diminutas glosas. Ya en 1907 había escrito una para contar la llegada de una pelota a un remoto pueblo catalán. En la plaza —explicó—, los *pagesos* formaron dos equipos. Aunque cada jugador se colocó en su posición, D'Ors pronto entendió que hacía falta una subordinación interna entre todos para que el engranaje del equipo funcionase. El fútbol contenía esa paradoja: era un juego individual que se ganaba en equipo. Y los *pagesos* no poseían la disciplina necesaria. «Poseen la herramienta para jugar al *foot-ball* —matizó—, pero no juegan al *foot-ball.*»

Lo curioso es que, en posteriores glosas, D'Ors ya no utilizó el vocablo inglés para referirse al juego. *Notas sobre balompié* arrancaba así: «Algunos poetas, en vena de ultra o de futuro, han abierto, por fin, los ojos al presente y, dados a remozar el viejo repertorio de temas líricos, cantan ya, entre otros espectáculos de la vida moderna, los partidos de balompié». Él acudió a muchos, como contó en *Notas nuevas sobre el balompié.* Disfrutaba de las buenas coreografías de los jugadores, pero le aburrían soberanamente las insulsas polémicas de graderío por las decisiones arbitrales: «¡Y que tuviéramos que recurrir a Pascal y a *las razones que la razón no conoce,* y a Freud y *los complejos que no conocen vergüenza,* para decidir si a este defensa derecho, que ha jugado sucio, hay que pitarle un penal o no!».

Decidir si lo correcto era utilizar la palabra inglesa o el vocablo castellano para designar el juego enzarzó a académicos, lingüistas, intelectuales y escritores en una larga discusión. El asunto venía de lejos. En 1877, el lingüista Mariano de Cavia había reivindicado el uso de la palabra «deporte» en lugar de *sport,* y de «balompié» por *football.* Nadie le hizo caso. Bastantes dolores de cabeza tenían los primeros cronistas con tratar de escribirlos correctamente. Consciente del problema, Antonio Viada publicó una serie de artículos para castellanizarlos. Le secundó el periodista Narciso Masferrer con un llamamiento al gremio para que a cada cosa se la llamase por su nombre: al *team,* «bando»; al *match,* «partido»; y al *goal,* «tanto».

La traducción de «fútbol» fue la que dio más juego. En 1902, el periodista Cartero había hecho la primera sugerencia: «Si a *foot-ball* no se le quiere llamar *pilapié* por resultar voz artificiosa, aunque armónica, ¿qué inconveniente habría en llamarlo *futbol?*». Surgieron inconvenientes. Y muchos. Antonio Viada propuso *fudbol,* respetando su pronunciación. Por si no convencía, apuntó otra opción más literal: «pelotapié». También entró al trapo Jacinto Benavente con *fuboll:* «Si con cariño se pronuncia, veréis como suena dulcemente y desentonaría menos en cualquier composición poética que el *balompié* o el *piebalón* de los académicos», dijo.

Se refería a la sencilla propuesta de Mariano de Cavia: «balompié», traducción literal de las dos palabras inglesas que la componían. A Azorín le debió de parecer carente de literatura y propuso «esferomaquia», que explicó como la lucha por la pelota de viento. Al poeta Carlos Miranda no debió de convencerle tanta carga poética. En su opinión, el problema radicaba en la raíz francesa *ballon.* «¿Por qué no traducir *football* por «bolopié», como yo me atrevo a indicar con carácter preferente y definitivo?», sugirió. Ni preferente ni definitivo, debió de pensar Felipe Pérez cuando propuso *fut-bol* como solución al problema.

A pesar de la variedad de opciones, ninguna logró un consenso unánime. Solo algunos escritores se mantuvieron fieles a la castellanización que defendió el periódico *El País* en el artículo «No se dice *football,* se dice balompié»: «Cuando un pueblo es fuerte, pone su sello, su personalidad y carácter a las ideas y palabras ajenas». Pero ni siquiera la RAE daba pie con bola. *Foot-ball* se admitió en el *DRAE* en 1927. Nueve años después, «futbol», sin tilde. Y no sería hasta 1970 cuando le llegase el turno a «balompié». Diez años antes, Salvador de Madariaga se había lamentado por las patadas idiomáticas asestadas a la lengua: «Empezando por este dichoso fútbol que ni es inglés, ni es español, sino algo híbrido y estéril como la mula». En vista de la ineficaz inventiva mostrada hasta el momento, aportó su solución: «Todavía no me explico por qué los españoles no hemos adaptado "bolapié"».

Nada. No hubo árbitro capaz de terminar con las patadas idiomáticas. Incluso Dámaso Alonso, en su segunda ponencia en el Congreso de la Academia de la Lengua, titulada *La lengua, en peligro* y celebrada en Madrid en 1956, se había sentido obligado a hablar de la polémica palabreja. Explicó que no veía inconveniente en introducir extranjerismos si se daban dos condiciones: que los hablantes lo aceptasen y que su fonética y morfología fueran correctas en castellano. En este sentido, afirmó que había sido una pena la propagación del vocablo «fútbol», ya que aquella «tb» se tornaba casi impronunciable para los locales. Y esto provocaba que cada uno lo pronunciase a su manera: *fúlbol, fúrtol, fúbol, fulból, furból*. «No lo toquéis, creéis limpiar, y lo que inconscientemente hacéis es fomentar la fragmentación idiomática».

Menos mal que, como había escrito Eugenio d'Ors, no se recurrió a las razones que la razón no conoce del bueno de Pascal ni a los complejos que no conocen vergüenza del amigo Freud para salir del embrollo idiomático.

Menos mal.

Los royalties *del balón*

La discusión entre lingüistas, académicos y demás intelectuales no evitó que la narración del fútbol inundase de anglicismos periódicos, novelas y poemarios. Para un lector de los años veinte, se volvió habitual leer crónicas que narraban que, en abarrotados *stadiums*, los *players* habían disputado un reñido *match*. No era todo literatura: en aquel fútbol, solo dos fornidos *backs* protegían la portería, mientras cinco *forwards* buscaban incansablemente el *goal*.

El aficionado gustaba del *dribbling* certero, disfrutaba con un buen *chut* y se emocionaba con cada ágil *plongeon* del *goalkeeper*. Rematar aquellos correosos pelotones o meter la pierna en una *meleé* exigía virilidad y arrojo. El *football* era un *sport* peligroso. No solo un *fault* podía lesionar al jugador; había que cuidarse mucho de las pedradas de los aficionados. Reinaba otra justicia: los jugadores podían echar al *referee* si les pitaba un *penalty* injusto o largarse con la contienda a medias entre *hurrahs* de victoria.

La literatura deportiva creció gracias a la vitalidad de una generación de jóvenes escritores que necesitaron reflejar su mundo. En sus textos, cantaron a la modernidad y a todo lo que esta trajo consigo: el *jazz*, los automóviles y los aviones, el cine, todos los deportes. Y lo hicieron con un lenguaje cargado de anglicismos. Aunque tradicionalmente los poetas se han encargado de adentrarse en la selva de significados para, a machetazos de versos, elegir la palabra exacta que designe cada realidad, en este espinoso asunto de la traducción de *football* tampoco hubo consenso entre ellos.

En 1919, Pedro Garfias publicó en la revista *Cervantes* un breve poema titulado «Domingo» en el que aparecía la controvertida palabra: «Compañeros gozosos / juegan al *football* con pelotas metálicas / de torre a torre / yo agujereo el sol». Ese mismo año, Eugenio Montes incluyó en *Los poemas musculares* uno titulado con otro anglicismo: «*Match*». En realidad, el poema trataba sobre boxeo, pero en sus dos últimos versos volvía a aparecer la dichosa palabra inglesa. Y para mayor escarnio, en mayúsculas: «*FOOT BALL* / RIENDAS DE OXÍGENO». Fernando de Lapi sí le cantó al floreciente deporte que colonizaba los descampados; pero, al contrario que sus predecesores, lo hizo titulando su poema con la palabra castellanizada, «Fútbol»: «La testa alta; los ojos escrutadores, mientras, / bañada de aire azul, la frente sueña / que el balón es un mundo que ha parido la tierra».

Ni palabreja inglesa ni castellana, debió pensar Fernando Villalón. El poeta sevillano quiso imprimirle un toque castizo al anglicismo, y se sacó de la manga *foot-booll* para titular su extravagante poema de amor: «Si fueras puerta del campo / y yo fuera delantero / del equipo del «Cariño» / F. C., *goal* certero, / chutaría sobre tu red, / que no pararía san Pedro, / que es mucho más que Zamora, / porque es portero del Cielo». En este entuerto de vocablos y rimas, en lo único en que coincidieron todos los poetas fue en darle una cordial acogida al juego inglés con un rotundo: ¡Bienvenido, míster *Football*! Y «*Football*» tituló Luis Hernández González un poema de 1929: «Tiros directos, regates, pases, / fuertes rumores de la emoción, / marchas veloces / con el balón, / duro tanteo, bella parada, / acometida bien esquivada».

La discusión se alargó como una prórroga sin final. Mientras intelectuales, lingüistas y académicos continuaban proponiendo la traducción más correcta, los poetas hacían lo que les daba la gana. Así pasaron los años y los goles sin que se llegase a un consenso unánime. A finales de los sesenta, quizá ya un poco cansado de tanta discusión, Gerardo Diego decidió centrarse en lo verdaderamente importante: zurcir un balón a base de versos.

Hinchado de literatura, el balón encerraba un mundo inexplorado. En su cuero se leía una nueva poética. Con un solo bote, el balón convertía un polvoriento descampado en un lujoso estadio o la plaza más pedregosa en un teatro de ensueño. Poco importaba que la portería fuesen dos pilas de mochilas, los pilares de un soportal o las patas de un banco. Nada se resistía a la magia de un balón. Y de nada servían los *royalties* cuando echaba a rodar. Daba igual que lo llamasen *balompié, furbol* o *bolapié*. Mandaba el balón. Una verdad tan simple como su redondez.

Y con esa simpleza, Gerardo Diego tituló su poema: «Balón de fútbol».

Qué olor la Tabacalera.
—Suelta ya el balón. Incera.
—No somos once. —No importa.
Si no hay *eleven* hay *seven*.
Qué elegante es el inglés:
decir *sportman, team, back*;
gritar *goal, corner, penalty*.
(Aún no se ha abierto el *Royalty*.)

Pan, capotazos y más pelotones (1924)

La lingüística no fue la única polémica que desembarcó en España con el fútbol. Desde que el poeta Juvenal la pusiera de moda, la expresión *panem et circenses* se había ido adaptando a las necesidades de cada época. En 1793, había aparecido en un panfleto clandestino que clamaba: «Gobierno ilustrado: pan y toros pide el pueblo». Y así se mantuvo hasta que, con la llegada del fútbol, cambió el alimento espiritual de las muchedumbres. En 1895, Unamuno había afirmado con ironía: «¡Pan y toros, y mañana será otro día!». Pero nada más pisar el siglo XX, rectificó: «¡Pan y pelotón!».

Desde entonces, capotazos y pelotones se enzarzaron en una lucha por convertirse en el espectáculo más popular. El país quedó dividido: a un lado, los que alababan las faenas de dos orejas y rabo de Belmonte; en el otro, los que aplaudían los espectaculares *plongeons* de Zamora. Los arriesgados pases de Joselito se comparaban con los *goals* que agujereaban las redes de Alcántara. Los partidos más épicos con las corridas más destacadas. El sudor en el césped se defendía frente a la sangre en la arena. La franela contra la montera. Para quitarle hierro a esta acalorada polémica nacional, Luis de Tapia echó un capote de versos con «Toros y fútbol»: «En esto no vierto lloros / que esto es claro como el sol. / Si Juan torea, ¡a los toros! / Si no torea, ¡al fútbol!».

Como él, muchos intelectuales no vieron necesidad de elegir entre tacos y astados. El arte del regate tenía la misma valía que el recorte del banderillero. Dámaso Alonso, lateral incansable en su infancia, fue seguidor del Real Madrid y gran admirador del toreo. Gerardo Diego cantó al balón y a los astados. Miguel Hernández, a los miuras y al portero. José María de Cossío presidió el Racing y escribió *Los toros*. «Me gusta el fútbol y me gustan los toros —afirmó—. Hay espíritus superiores que creen que la gente es tonta porque le gustan estos espectáculos de multitudes.» Él no. Opinión compartida por su amigo el torero Ignacio Sánchez Mejías, presidente del Real Betis Balompié durante poco más de un año.

No fue tan ecuánime el escritor Rafael López de Haro. Por treinta céntimos, los lectores que se acercaban en 1924 a su quiosco habitual podían comprar un ejemplar de *La Novela de Hoy*. Seguramente, muchos se hicieron con *Fútbol... Jazz-band*, faena literaria que López de Haro aprovechó para torear a las *sportwomen*, clavarle un par de coloridas banderillas al *jazz* y asestarle una estocada mortal al fútbol. O, al menos, intentarlo.

El argumento pivotaba sobre un trío amoroso: Guillermo, as del balón, y Suárez, ganadero apasionado de la fiesta, luchan por el amor de Alicia Franklin, una joven burguesa que monta a caballo y juega al tenis, además de acudir a los cafés a disfrutar del *jazz* mientras fuma un cigarrillo. Por ella se enfrentan las dos Españas: la moderna del fútbol contra la castiza de los toros.

Su padre, a pesar de ser inglés, piensa que los críos se volverán zanquilargos, estrechos de hombros y cortos de brazos, además de imbéciles, si siguen jugando al fútbol con tanto entusiasmo. No soporta que su hija salga con Guillermo. Pero los tres viajan a Madrid: Guillermo a jugar un partido, Alicia a verle jugar y el señor Franklin a cerrar un negocio con Suárez. En un restaurante céntrico, cenan con el ganadero. Tras cerrar el trato económico, Alicia propone otro más mundano: le pide a Suárez que asista al partido. El ganadero, a cambio, le pide que le acompañe a una corrida de toros. Ella acepta. Aunque también invita a Guillermo, el futbolista se niega: «El fútbol les quita a las plazas de toros su clientela —le dice—, y acabará con ellas muy en breve».

Suárez no lo cree. Tampoco aprecia el *jazz*. Y detesta el concepto moderno del *sport*. Él practica deportes de hombres: caza, monta a caballo, maneja la garrocha. Una vez en el estadio, no encuentra la elegancia de la plaza. Los abrigos de cuello vuelto no tienen nada que hacer frente a los claveles en el bolsillo de la americana. Y no hablemos de los futbolistas —rezonga—, disfrazados con esos ridículos calzones que les dejan los garrotes al aire. Un torero nunca se pondría el traje de luces para corretear como un niño detrás de un balón. «A mí me hace un señor la zancadilla, y le estoy dando bofetadas hasta las doce de la noche», le dice a Alicia.

Capotazo a capotazo, el ganadero convence a Alicia de la supremacía del torero. Y lo que es peor: en lo que dura la faena, la joven cae rendida en sus brazos y abandona la modernidad que la definía. La disputa entre toros y fútbol, sin embargo, no terminó con el resultado pronosticado por Rafael López de Haro. Ese año, los clientes que acostumbraban a pasar por el quiosco pudieron hacerse con un ejemplar del periódico deportivo *Gran Vida*, y leer: «Sigue *in crescendo* la afición por el balompié, a despecho de ciertas plumas taurófilas que observan con desasosiego cómo aumenta la sombra que a la otra afición hacen los deportes en general, y entre todos, ocupando primerísimo lugar, el fútbol».

Patoto: El delantero centro de Pili *(1924)*

Un quiosquero sabía que los juegos de los niños imitaban a los oficios de los mayores. No en vano, se pasaba los días viendo a las cuadrillas de chicos correteando por la plaza, mientras atendía a los mayores. Unos se entretenían con juegos; los otros, con sus periódicos. Y observándolos a ambos, era fácil darse cuenta de cómo habían cambiado sus juegos y oficios.

Los niños habían pasado de las espadas caseras a, en los primeros años de la Restauración, imitar a los toreros. El que hacía de astado se colocaba los cuernos, agachaba el lomo y embestía el mugriento capote, mientras el resto ovacionaba al bravo torero con folclóricos olés. Lo mismo hacían los mayores en la plaza. Antes de proclamarse la Segunda República, la mayoría de los niños ya había abandonado el trapo en un rincón. Y muchos adultos habían cambiado la plaza por el estadio. Niños y no tan niños querían imitar los increíbles vuelos de Zamora o marcar goles como los de Samitier. El futbolista había desbancado al torero en su imaginación. Los goles levantaban más pasiones.

Cada lunes, cuadrillas de chavales corrían hasta el quiosco para leer las crónicas de los partidos del domingo. Si el quiosquero se despistaba, los más espabilados se abalanzaban sobre las portadas de la colección *La Novela Pasional*, un catálogo que se enorgullecía de contar con las más sugestivas plumas del género erótico. En la portada del primer número, aparecía un balón entre las piernas de una joven sentada a horcajadas sobre cojines rojos. La chica llevaba unas ligas apretándole los muslos. Detrás, se entreveía a un futbolista desdibujado. Pero los chavales no le prestaban atención. Todos miraban las tetas al aire de la chica. Solo los menos espabilados perdían el tiempo leyendo el título, *El delantero centro de Pili*. Y el nombre de su autor: Alonso de Santillana.

Además de mezclar sexo y fútbol, esta novelita plasmó la atracción de las jóvenes de la época por la figura del as del balón. Y, como un espejo, reflejó el papel secundario que muchos hombres proponían para la mujer en el deporte.

Ese mismo año, en el periódico *Gran Vida* hacían un llamamiento a las mujeres para que acudiesen al estadio; pero no como hinchas, sino como mero trofeo del vencedor: «Debemos todos poner cuanto esté de nuestra parte para que este se os haga ameno y placentero —escribieron—, porque será la única manera de que sobre los barandales de nuestros campos sigan posándose vuestras manos blancas, para que los jugadores, aparte del reconocimiento de su afición, tengan el estímulo de vuestra presencia».

En *El delantero centro de Pili*, sin embargo, se invirtieron los papeles del cortejo: es Pili la que poseerá al macho, el delantero Patoto. Pili lleva el pelo corto a lo *garçon*. No quiere vivir la vida mustia y gris de su madre. Acude con frecuencia al *dancing*, disfruta del cine, toma té en las carreras de caballos, se enfunda el *maillot* cuando va a la playa. Su cuerpo, delgado y atlético, representa un nuevo modelo femenino alejado de las mujeres entradas en carnes que habían triunfado hasta entonces. Es social, urbana, moderna. Demasiado independiente y atrevida para muchos hombres.

Está enamorada de Patoto, «el rey de la patada, el as de los chutadores». Suspira cada vez que ve una foto del famoso delantero del Once F. R. C. en los periódicos. No imagina que lo verá en carne y hueso cuando, un día, sus caminos se cruzan por casualidad: el morro de su flamante Citroën, regalo paterno por su decimoséptimo cumpleaños, embiste al delantero en plena Castellana. Pili reconoce al popular futbolista y, asustada al verlo inconsciente en el asfalto, lo sube en el Citroën y se lo lleva a casa.

Al despertar, el agudo olfato goleador de Patoto le avisa de una inminente ocasión de gol. La familia de la niña rica maneja más dinero del que él nunca podría conseguir jugando: «Patoto era un hombre que había colocado siempre la pelota donde le había dado la gana. En aquel caso estaba seguro de no marrar el golpe», escribió Alonso de Santillana. Sin embargo, unas páginas después es Pili la que aparece desnuda entre las sábanas. Ella se apunta el tanto.

El revolcón sucede porque don Ramón se ha largado de su propia casa ante la negativa de su hija de echar al futbolista. A don Ramón le repelen todos esos jóvenes que pierden el tiempo practicando violentos deportes en vez de trabajar. Pero, sobre todos los demás, odia a los futbolistas, «niños insulsos que se pasan la vida en calzoncillos, ante una multitud que no me atrevo a calificar como se merece», le dice a su hija. Al futbolista, no obstante, se atreve a calificarlo como «un mixto entre avestruz y gorila» que solo sabe dar patadas a un inofensivo balón. Y lo que es peor: después del partido se pasa toda la santa semana vanagloriándose de ellas.

Aunque el fútbol crecía a pasos agigantados, el bueno de don Ramón no sería el único que desdeñase la poesía de las patadas. El fútbol, para muchos, no tenía aquella exagerada épica en la que mojaban sus plumas tantos y tantos cronistas.

Los sainetes deportivos de Jardiel Poncela (1925)

Una irónica sonrisa retorcía los labios de Enrique Jardiel Poncela cada vez que leía las pomposas reseñas que se escribían sobre los mundanos partidos de fútbol. Tenía costumbre de escribir en los cafés de Madrid, después de leer las noticias más recientes. Y el fútbol se había convertido en el pan de cada día. Ni siquiera saltándose la sección de deportes, se libraba de la turra; en la barra no se hablaba de otra cosa. Pero Jardiel Poncela no podía escribir en la soledad de su casa. El silencio adormecía su imaginación. Necesitaba el tintineo de la porcelana, el intenso olor a café recién hecho y el murmullo incesante de los clientes para concebir sus disparatadas historias.

No le temblaba la pluma al afirmar que, en aquellos cafés, había concebido libros que sobrevivirían al paso del tiempo. Ni siquiera el polvo de las librerías conseguiría borrarles su brillo. Tampoco le flojeaba la corbata al admitir que otros textos escritos en esos mismos cafés habían nacido predestinados a morir al cabo de unos días o incluso de las pocas horas que duraba la vida de un periódico. También había publicado toneladas de este tipo de textos, como los sainetes deportivos que, por considerarlos irrepresentables, entregó al semanario deportivo *Aire Libre* en 1925.

En estas seis piezas breves, Jardiel Poncela mezcló humor y deporte. Los atletas ya recibían demasiados adjetivos. El *sport* tenía su parte oscura, cómica, miserable. No todo era tan épico. El pueblo se había trastornado tratando de imitar, hasta límites ridículos, a sus héroes. Como Anatolio que, empeñado en alcanzar el ideal griego de «*Mengano incorpore al sano*», todas las mañanas se mete en una tina de lavar ropa con el objetivo de entrenarse para cruzar el *Aztlántico* a nado. Su mujer se lamenta: «¡Deportista! Lo que tú eres es un vago». Y culpa a un amigo, «que por cierto le ha salido futbolista a la mujer», de haberle metido aquellas ideas deportivas en el almendruco.

A los futbolistas, Jardiel Poncela les dedicó el sainete *El Once del Amaniel F. C.* Reunidos en la casa comité, los viriles *equipiers* discuten los temas más acuciantes de la actualidad del club. Lino, el capitán, preside la sesión. «El once de Amaniel es más invencible que un filete de a real», proclama. «A nosotros nos echan un once, y le hacemos un siete, y en dos por tres nos tomamos un quince, porque somos más chulos que un ocho.» Por descontado, estos honorables *equipiers* nunca cometen una falta, pero que nos les toquen su honor ni su virilidad porque, entonces, aparece el verdadero *sportman.*

Paco Niágaras (sí, el mote es por las cataratas), un vecino, ha osado afirmar que juegan «con la misma agilidad que un rinoceronte pesimista». Lino les dice a sus compañeros que la honra del club es el *leite motives* de su *esistencia.* Y que se batirán para defenderlo en un partido contra el Policlínica de Cuatro Caminos F. C. La táctica: arrear balonazos en las fosas nasales de los contrarios, cargar con violencia, clavar los codos, machacar sin piedad los tobillos... De repente, un compañero interrumpe el discurso del capitán para anunciar que es la hora del vermú. Eso sí que es sagrado, «y los once van haciendo mutis, pegando puntapiés a las sillas para entretenerse, camino del bar de la esquina».

Seguramente, aquella historieta futbolera arrancó carcajadas a los lectores de *Aire Libre* antes de que el manoseado periódico acabase olvidado en el fondo de una papelera. Quién sabe si hasta su autor olvidó aquel sainete cuando, en 1932, se trasladó a Hollywood. La Fox le contrató para adaptar guiones al castellano, y le instaló en una cómoda oficina. Pero Jardiel Poncela no lograba concentrarse como en los cafés. Para solucionarlo, tuvieron que recrear en las paredes de la oficina un típico café madrileño. En la Poncella's Office, como la llamaban Charles Chaplin o los hermanos Marx, volvió a escribir.

En 1955, dos años después de su muerte, todos sus cuentos, artículos, guiones de cine, monólogos, conferencias, novelitas cortas, pasatiempos, escorzos, *boutades*, colaboraciones en diarios, revistas y radio, además de los seis sainetes deportivos, aparecieron reagrupados en los dos volúmenes de *Exceso de equipaje*. El viaje literario había sido largo. Y el equipaje acumulado, muy pesado. Quizá los sainetes no fueran muy importantes, «como todo lo que se escribe para que viva una semana, un día o unas horas —escribió en el prólogo—; pero, con los cinco tomos de novelas y los siete volúmenes de teatro, completará ante el lector asiduo y fiel el casi total esfuerzo de dieciséis años de vida artística durante los cuales abordé todos los géneros y pisé todos los terrenos».

Contaba la periodista Josefina Carabias que, en una ocasión, Jardiel Poncela había pisado un estadio en Madrid. Se situó en uno de los fondos. Durante la primera mitad, el juego se concentró casi todo el tiempo en la portería contraria. En la segunda, cuando el escritor se frotaba las manos por los cuarenta y cinco minutos de espectáculo que disfrutaría, todo el juego se volcó en el área contraria. Jardiel Poncela nunca más volvió a pisar un estadio. Como tampoco, después de aquel sainete, volvió a escribir sobre fútbol.

Football, *un* sport *no tan viril (1926)*

Jugando con aquel balón, pensó Manuel Bartolomé Cossío acariciando sus gajos, sus alumnos y alumnas aprenderían cómo enfrentar la vida. Sabía que el cuero recio, todavía sin estrenar, se endurecería con las patadas. Que la lluvia lo volvería más pesado y el sol afilaría los dientes de la correílla. Rematarlo de cabeza, entonces, requeriría más valor, el mismo que exigía la vida cuando las condiciones se volvían más adversas.

A Cossío le gustaba afirmar que el suyo fue el primer balón de reglamento que botó en España; pero por aquellas mismas fechas habían atracado muchos otros balones por toda la costa española. Lo importante, sin embargo, es que el balón de Cossío empezó siendo de todos en las escuelas de la Institución Libre de Enseñanza, donde niños y niñas convivían en las aulas. Es fácil imaginárselo en el patio. De repente, le propina el primer puntapié y el balón dibuja una estela en el inconfundible cielo de Madrid para después aterrizar en la tierra del patio. «Al *football* se juega con los pies —explicaría Cossío a sus alumnos y alumnas—. Con las manos está prohibido, es *foul.*»

Mientras niños y niñas pateaban cuero y espinillas, Cossío relataría al resto de los profesores su experiencia en Inglaterra junto a Gonzalo Giner. Les hablaría de la fiebre que tenían en la isla con aquel juego. Les enumeraría sus múltiples beneficios. El fútbol no era un simple juego, les diría. Tampoco aquel balón tenía dueño por mucho que todos tratasen de controlarlo. Solo los que lo respetasen, se adueñarían de él. Cossío había vuelto a Madrid con la idea de educar con él. Y, desde entonces, se lo llevó bajo el brazo en los largos paseos por Puerta de Hierro.

Aquel juego inglés comenzó a perder sus raíces cuando se extendió por plazas y descampados. Cientos de niños y niñas desatendían los estudios por jugar y, al llegar a casa con los zapatos deslenguados, recibían la merecida tunda de sus madres. No así el pequeño Gregorio Marañón, que sacaba sobresalientes en todas las asignaturas. La única mácula en su brillante expediente la ponía un triste aprobado en gimnasia. No es raro que se fracturase una pierna jugando al fútbol. Cuentan que el cirujano Camisón le sanó con sus propias manos, sin quitarse ni sombrero ni levita. Otros hablan de un artilugio de hierro que el cirujano diseñó y fabricó para sanarle. Lo único cierto es que, una vez recuperado, Marañón volvió a darle al balón. «Jugaba de mediocentro derecha en el Vitoria —contó Fernando Ponte—, el primer club que hubo en Madrid, fundado por el coronel de Artillería, Sr. Méndez.»

Por aquel entonces, el fútbol ya se había convertido en un juego de hombres. Exclusivamente de hombres. A las mujeres se les recomendaba hípica, tenis, natación, gimnasia, esquí o críquet. Incluso médicamente se les prohibía el fútbol por pérdida de feminidad. Así se trataba a las *sportwomen* que se atrevieron a practicarlo en periódicos y revistas deportivas: «Grupos de muchachas, llevadas por el prurito de imitar al hombre, cultivan el deporte de su predilección, sin excluir el fútbol», escribieron en 1926 en *Aire Libre.* «Nunca se combatirán bastante tales instituciones en las que se consiente a la mujer la práctica de ejercicios que no corresponden a su condición orgánica.»

Ese mismo año, Gregorio Marañón —convertido ya en un

afamado médico— publicó *Sexo, deporte y trabajo*, un ensayo donde abordó la polémica cuestión de la feminidad en el deporte. A pesar de haber apoyado los métodos de la Institución Libre de Enseñanza, Marañón consideraba que el único deporte que debían practicar las mujeres era el de la reproducción. «El deporte es originalmente una actividad masculina —escribió—, y solo en épocas muy tardías de la evolución humana la mujer normal, no la de excepción, se hace deportista.»

La mujer «normal» practicaba deportes en la soltería afectada por una fiebre que se esfumaba tras el matrimonio. Su función en el deporte, desde entonces, se limitaba al de espectadora. «En suma —resumió Marañón—, es el trasunto de la hembra del ciervo, que espera que riñan los machos para ser poseída por el más fuerte.» Mientras ellos competían, ellas debían resignarse a ser el segundo trofeo del vencedor. «Un papel no pasivo y accidental, como pudiera creerse —remarcó—, sino lleno de transcendencia directa.»

Por suerte, algunos periodistas rebatieron esta tesis defendiendo que la mujer debía practicar el deporte que más le apasionase. Así lo hizo la portera Irene González en el Orillamar, un club masculino. Sin miedo a las limitaciones del área, Irene González capitaneó una plantilla de hombres antes de fundar su propio equipo.

Apenas se conservan un par de fotos. En la más recordada, apoyada en el palo de una portería, luce un jersey blanco de cuello alto que contrasta con el negro de sus pantalones bombachos. Lleva rodilleras y unas medias que le cubren las piernas. Las botas, fuertemente atadas. Pisa un balón con autoridad. El 28 de febrero de 1925, contaron en el diario *El Orzan* que aquel «retrato de la incomparable portera» se exhibió en un escaparate de la coruñesa calle Real, «siendo la admiración de las gentes que contemplan su arrogancia y gallardía».

Fue admirada por muchos guardametas profesionales, pero ella siempre tuvo como referente a Zamora. Como él, colocaba un muñeco en el fondo de la portería para que le trajese suerte en los partidos. En la vida, por desgracia, no la tuvo. Irene González murió con tan solo diecinueve años. Antes de que la tuberculosis acabase con su vida en 1928, dejó una lección para todas las mujeres: el balón no tenía dueño, solo los que lo respetaban se adueñaban de él. Y en la tarea de gobernar lo ingobernable, poco importaban los sexos. El *football*, en definitiva, no era un *sport* tan viril como muchos hombres intentaban hacer creer.

La novela de un guardameta divino (1927)

En 1927, el misterioso escritor inglés Abel Kings, supuestamente afincado en Barcelona, publicó *La novela de un guardameta*. Años más tarde se descubrió, en la correspondencia de Màrius Verdaguer, que tras aquel seudónimo se escondía en realidad su pluma. A finales de los veinte, Verdaguer ejercía como editor del sello Lux, donde apareció publicada *La novela de un guardameta*, incluida en la colección La Novela Mensual. Lo importante en una novela, sin embargo, no es su autor, sino sus personajes. Y en esta historia, Cirilo Caramunchi, el protagonista, se basó en el futbolista más popular de entonces en España, y en casi todo el mundo: Ricardo Zamora.

Lejos quedaba su debut con el R. C. D. Espanyol contra el Madrid F. C. cuando apenas tenía quince años. Zamora había viajado con el equipo a la capital porque el portero titular, Pere Gibert, no pudo desatender sus negocios. En la pensión donde se hospedó el equipo, pidió a un compañero que durmiese con él. Aquel miedo infantil desapareció al día siguiente cuando se colocó bajo palos. Ni siquiera la presencia de Santiago Bernabéu en la delantera rival le puso nervioso. El niño se había convertido en hombre. Un año después, el hombre ya era mito, y se había ganado el respeto de sus rivales: muchos le pedían disculpas con un apretón de manos cuando le marcaban un gol.

El primer crac del fútbol español no lo fue por los goles que marcaba, sino por los que detenía. Y poco tardaron en resonar los ecos de su leyenda: «Solo existen dos porteros —le cantaban los niños—: uno es san Pedro en las puertas del cielo y el otro Zamora en las porterías de la Tierra». El mito saltaba al campo con las manos enguantadas en cuero, un jersey de cuello alto y la gorra de *tweed* bien calada. Lejos de la portería también era todo un dandi. Miles de jovencitas suspiraban por su peinado *a la mode* como los cantantes de jazz. No solo conquistó el corazón de la portera Irene González, también el del poeta Pedro Montón que, años después de su retirada, le dedicó una oda: «Mientras yo, entre árboles urbanos / crecía en sueños de pelota y manos, / tú andabas por París o por Amberes / prendiendo en los estadios grito y eco».

Aunque más comedido, Cirilo Caramunchi podría considerarse el primer Ricardo Zamora literario. Su carrera empezó en praderas con el *team* de un grupo excursionista hasta que Max Colber, famoso seleccionador inglés, lo fichó. Su debut en Inglaterra contra el Stramoor, entonces campeón del mundo, presagió un brillante futuro: nadie consiguió perforar su portería. Desde entonces, el mito del portero imbatible creció en cada partido.

Como Zamora, Caramunchi es un caballero en el área y un dandi lejos de la portería; aunque el italiano sacrifica el amor por su oficio: «Nuestro arte tiene un límite de tiempo marcado, después del cual ya no sirve uno para nada», dice. Está a punto de embarcarse en su primera *tournée* por América. Su sufrida madre se angustia por las dos largas semanas que el vapor *Saudia* tardará en llegar desde Sicilia hasta Valparaíso; pero Caramunchi no permite que ninguna mujer se entrometa en su vida. Y no por falta de candidatas. Entre ellas, destaca Lucrecia, joven burguesa que va a verlo a todos los partidos. Ella se define como una *sportwoman,* a lo que un personaje de la novela de Kings objeta: «Uno de esos marimachos que ahora se han puesto de moda».

En esa misma escena, Lucrecia, Caramunchi y un vizconde conversan sobre tan espinoso tema. El vizconde comenta que en Inglaterra existen *teams* de señoritas, y que una vez vio un partido en el que se desnudaban unas a otras. Lucrecia contesta que algunas mujeres se ponen en ridículo jugando al fútbol, y por eso ella se mantiene lejos del balón. El vizconde solicita a Caramunchi su opinión. «Es un ejercicio impropio para la mujer —contesta—. Ni su constitución física ni moral pueden permitirlo.» El vizconde, entonces, le pregunta sobre la igualdad de sexos, a lo que el portero responde que socialmente sí cree, pero que no conviene rebasar ciertos límites. La mujer, en su opinión, pierde feminidad detrás de un balón: «Me parece natural y hasta agradable que una señorita guíe un auto, juegue al golf y hasta monte en bicicleta, a condición de que estos ejercicios no le hagan olvidar que, sobre todo, es mujer».

A regañadientes, Lucrecia admite que es muy razonable; pero acto seguido coge su bolso, le estrecha la mano y se va. El resto de la novela transcurre entre una historia romántica y una trama negra. Lucrecia, para dar celos al portero imbatible, se ve envuelta en un lío con el famoso aviador Yorik, el Ícaro moderno, del que finalmente saldrá gracias a la ayuda de Caramunchi. Como a sus paradas, no le da importancia: «La oportunidad es mi oficio», le dice tras salvarla. Aunque a ojos del lector actual —y a los de la bella Lucrecia— el glorioso portero haya desperdiciado la oportunidad más importante: comportarse como un verdadero caballero fuera del campo.

El nacimiento de un descomunal coloso (1927)

Escribió Homero que el héroe no podía aspirar a mayor gloria que la conseguida con sus manos y pies. La excelencia de su destino, que debía enfrentar en soledad, dependía de ellos. Los héroes homéricos utilizaban la fuerza, pero siempre con honor. Poseían un control envidiable sobre sí mismos. Actuaban con caballerosidad, hablaban con sensatez. Discurrían con sagacidad en las situaciones más complicadas. Y se forjaban a sí mismos venciendo a los más fieros enemigos. Solo derrotándolos alcanzaban la ansiada fama, la gloria. Superando con éxito las pruebas más exigentes trascendían al hombre corriente, y conseguían el mayor de los honores: ser recordados, mediante el relato de sus hazañas, por las generaciones venideras.

El periodista José Luis Bugallal conocía la obra de Homero. Admiraba a los clásicos griegos. Durante años, había firmado las crónicas balompédicas que publicaba en varios medios con el seudónimo de Marathón. Junto a Guidon, Rubryk o Juan Deportista se había convertido en una de las plumas mejor considerada del periodismo deportivo de los años veinte. Sin embargo, cuando en 1927 publicó su primera novela, *El coloso de Rande,* lo hizo con su nombre y apellido. Pero sin abandonar las ideas homéricas: Jaime Montalbán, el habilidoso *forward* que protagoniza la novela, encarna todos los valores del héroe griego.

La crítica catalogó *El coloso de Rande* como la primera gran novela deportiva española. Y el tiempo le dio la razón. El tema que abordó, el ascenso y la caída del ídolo, se convirtió en el más recurrente con el paso de los años.

Bugallal comparó a Jaime Montalbán con la estatua de Rodas. La figura del futbolista alcanzaba descomunales cotas de popularidad. Y ambos colosos —estatua y futbolista— compartían destino: el *ánodos* y el posterior *káthodos*. Jaime Montalbán asciende hasta el equipo olímpico español y, tras acariciar el cielo como hiciera la estatua de Rodas, solo puede caer. Los dos colosos —el del pueblo coruñés de Rande y el de Rodas— nacen destinados a un olvido del que solo les podría salvar la palabra, el relato. «El partido de la tarde —escribió Bugallal—, pase por pase, regate por regate, resurgía allí, detalladamente comentado por innumerables aficionados.»

La novela funciona como un partido. Arranca con un «Peloteo» para conocer a Jaime Montalbán y Nacho Olivares, jugadores del Victoria, un modesto club comarcal que esa tarde se enfrenta a los ingleses del Welton-Wanderers en el estadio de Rande. En su debut, Montalbán, de apenas diecisiete años, deslumbra con sus goles a los maestros. Y el pueblo lo bautiza como su nuevo coloso. En el «Primer tiempo», recibe ofertas de los mejores clubes. Montalbán posee las cualidades de los cracs que lo han precedido: «la valentía y la furia de un Patricio Arabolaza, la rapidez y el tiro de un Petrone, y la técnica conductora de un Bradford». Demuestra que, como los héroes homéricos, tiene *areté*: se comporta como un caballero fuera del campo, mientras que dentro hace gala de la fiereza del guerrero. En el «Segundo tiempo», tras un partido entre posibles y probables, Montalbán se convierte en el nuevo ídolo de la selección. De vuelta en Rande, el profeta es aclamado por todos los vecinos. Su gloriosa carrera no impide que, en los minutos de «Prolongación», se consuma la tragedia del futbolista: su carrera ha terminado y un nuevo coloso vendrá a superar sus gestas.

Hasta las últimas páginas, Montalbán ha encarnado la trayectoria heroica trazada por los escritores clásicos. Desde su nacimiento en el remoto pueblo coruñés de Rande, ha logrado superar a incontables rivales gracias a sus pies para obtener la ansiada gloria. Sin embargo, José Luis Bugallal sabía que el futbolista vivía su verdadera tragedia cuando llegaba el momento de desatarse las botas y volver a su condición de hombre corriente. Los héroes homéricos terminaban su misión y los dioses les cubrían de honores; pero Jaime Montalbán, en la plenitud de su vida, debía quitarse su uniforme de héroe y vestirse como un hombre más. Tras sus gestas en la hierba, solo le esperaba el anonimato. El tiempo le arrebataba el balón. Su partido había terminado. Y los dioses no le aseguraban que su recuerdo no se difuminase con el paso del tiempo.

Aparte de la caída del ídolo, otro tema más mundano sobrevuela la historia. Solo una decisión provoca dudas en Montalbán durante su carrera: cobrar o no por jugar. Un conflicto moral con el que Bugallal reflejó el cambio de mentalidad que supuso el profesionalismo en el fútbol español en 1926, apenas un año antes de la publicación de la novela. «¿No son asalariados los artistas más famosos —pintores, actrices, tenores, violinistas— y siguen siendo, sin embargo, artistas y muy artistas? —le dice Nacho Olivares—. Tal y como está el deporte hoy, lo vergonzoso es no cobrar un sueldo.»

Pero no le convence. Jaime Montalbán, el primer gran futbolista literario, termina su carrera como *amateur*. Nunca traiciona el *areté*. Toma la decisión más heroica, y el gesto lo convierte en el último caballero romántico. El día de su despedida en el estadio de Rande, el coloso llora. «Mientras escucha los últimos aplausos de su vida deportiva —escribió Bugallal—, concibe el deseo de que aquellas lágrimas sean germen de nuevos atletas, de nuevos deportistas, de nuevos caballeros del fútbol.»

Un fútbol con alma de Judas (1928)

Las lágrimas que Jaime Montalbán derramó en su retirada, con la esperanza de que germinasen nuevos caballeros del fútbol, no cayeron en suelo fértil. Lo confirmó solo un año después la novela en catalán *Judas futbolista*. En 1928, apenas quedaban rastros de *areté*. El héroe tenía dos caras: una oscura y diabólica, y otra, luminosa y divina. Los jugadores que se negaban a cobrar se contaban con los dedos de la mano. Desaparecía el arte por el arte. Y el título de la novela de Francesc Rossell y Rossend Pich desvelaba la traición y anunciaba el motivo: el dinero había venido a comprar el alma lúdica del fútbol.

Judas futbolista llegó a las librerías catalanas en 1928. Ese año, arrancó la Liga de manera oficial. Apenas habían transcurrido dos temporadas desde la implantación del profesionalismo, pero Rossell i Pich ya intuyeron que el deporte rey había virado drásticamente su rumbo original. El futbolista *amateur* había dejado su sitio en el campo al de taquilla. Los sacrificados directivos que financiaban los clubes con dinero de su cartera comenzaron a llenarse sus propios bolsillos. La caballerosidad se vendió al espectáculo. A simple vista, un proceso natural: a más demanda por ver a los ídolos, más cobraba el jugador por llenar los estadios, más crecía el club y más se lucraba su presidente. Todos parecían ganar con el negocio, excepto el fútbol, que, como demostró la novela de Rossell y Pich, se ahorcaba con la misma cuerda que Judas.

La historia arranca con un prólogo donde Juli Rentanom entrega a unos periodistas el diario de un amigo que, tras visitar el país de Xauxa, escribió sus vivencias. La mayoría tienen relación con el F. C. Canelobra (anagrama de F. C. Barcelona), el club más importante de la ciudad. El narrador de tan misterioso diario —del que no sabemos el nombre— es un joven burgués al que su padre, un comerciante, envía al extranjero para que madure y, a su vuelta, sea capaz de dirigir el negocio familiar. En el tren hacia Xauxa, conoce a Blanca Rentanom, la hermana de Juli, que le introducirá en el mundillo deportivo.

Una tarde le invita a tomar el té en casa del señor Bostaks, presidente del F. C. Canelobra. Allí se mezcla con redactores que escriben crónicas como si fueran novelas por entregas; con miembros de la federación que solo son «señores con afán de figurar en este organismo que era un cadáver en constante putrefacción»; con directivos que parecen elegantes payasos de circo, pero en realidad son chupasangres con dotes de oratoria; y, por supuesto, con futbolistas: chicos humildes que «solo tienen pies: la cabeza está vacía» y no entienden que «los ídolos de hoy son figuras pasajeras que se esfumarán rápidamente cuando se inicie la decadencia física».

No le gusta lo que ve. Tampoco las historias que escucha. «Si al sincero, noble y valiente por decir las cosas como son, además de ser un hombre de ideales, todos lo atacaban, y hasta el club subvencionaba campañas para derrocarlo, y en cambio se daba cancha al inmoral, ¿qué significaba aquel fútbol?», se pregunta al salir de allí. Se refiere a Klop, miembro federativo al que han destituido por tratar de mostrar los libros de cuentas, a causa de una campaña de desacreditación orquestada por el señor Bostaks en los medios afines al club. Juli Rentamon descubre las dos caras del fútbol: la deportiva, que se jugaba a campo abierto, y otra empresarial, que se dilucidaba en los despachos a puerta cerrada.

En el café Continental, sede del club, los socios cuentan historias de tesoreros corruptos, taquilleros que revenden entradas, contables sin escrúpulos, miembros federativos comprados, directivos que dilapidan las ganancias del club en caprichos para sus esposas, árbitros sobornados, partidos amañados y hasta miembros de la junta que no saben que un balón es redondo. La mayoría, cargos innecesarios con una única finalidad: «Asegurar la vida de gente incapaz de ganársela trabajando».

Harto, el narrador decide viajar por el país para comprobar la salud del fútbol comarcal. Pero la situación no mejora fuera de la gran ciudad: «El que no debía las pelotas no había pagado las camisetas —anota en su diario—; otros no estaban al día de los pagos de alquileres de campo, las obras se abonaban cuando se podía y no cuando se debía, y algunos pagaban los sueldos a los jugadores con mucho retraso.»

Judas futbolista supuso la primera gran crítica a todos los que se enriquecían con la pasión de los domingos. La primera denuncia literaria a los mercaderes que invadían un templo hasta entonces custodiado por los *sportmen*. «Lo moral era el impulso del deporte, su esencia —dice el protagonista—. Cuando se trata como una mercancía en la lonja de contratación, pierde su fuerza.»

La historia del profesionalismo acababa de comenzar; pero, en el primer capítulo, el fútbol había cometido su particular pecado original: alejarse de su espíritu lúdico para convertirse en un juego excesivamente serio en manos de chupasangres, materialistas, buitres carroñeros y cobardes sabandijas que terminarían convirtiéndolo «en un muñeco de cartón sin alma».

Solo el tiempo diría si no terminaría convertido en algo mucho peor.

Los dados de Hércules y el balón del Niño Jesús (1928)

Ernesto Giménez Caballero sabía que el mercado lo engullía todo. No solamente al fútbol de multitudes, también a la literatura más minoritaria. El dinero hacía tiempo que había comprado el alma del romanticismo. Y había que adaptarse o echarse a un lado. Giménez Caballero sabía —y aceptaba— que por este tipo de ideas lo consideraban un poeta empresarial, un contratista de asuntos poéticos. Pero no le importaba demasiado lo que opinaran sobre su persona en el mundillo intelectual. Ya había oído demasiadas opiniones por haber introducido el ideario del fascismo en España. Aquella había sido una de las primeras lecciones de la escritura: aprender a hacer oídos sordos.

Giménez Caballero creía que sus ideas se adelantaban en muchos años a la presunta modernidad en la que vivía. Sostenía que la industria del libro agonizaba, y por esa razón la cultura debía renovarse, adaptarse al nuevo siglo y entrar en el mercado para sobrevivir. Se hacía necesaria una reforma de la figura del artista. No bastaba con crear, había que vender esas creaciones. Él lo hizo. Mientras por un lado publicaba libros en la editorial Calpe, por otro escribía artículos de crítica en el diario *El Sol* sobre libros de esa editorial. Crear, publicitar, vender. A lo que habría que sumar un sustancial detalle: su padre dirigía una papelería.

Giménez Caballero intuía hasta qué punto era importante la publicidad para hacerse visible en una sociedad cada vez más compleja, y tituló su segundo libro *Carteles*. También fundó una revista para dar voz a sus ideas. Con *La Gaceta Literaria*, creó un innovador espacio cultural donde pretendía desmontar tópicos culturales. Quería publicar textos en portugués, catalán y gallego. Y ni siquiera el mandatario Primo de Rivera detendría su espíritu vanguardista. Así se lo aseguró a su secretario. Él mismo telefonearía al dictador si trataba de impedir su publicación.

El fútbol fue un tema al que otorgó un papel importante en la revista, y en algunos de sus ensayos más populares. Su agudo olfato empresarial le había alertado de su pujante crecimiento. «Yo no sé por qué Unamuno ha insistido tanto contra el fútbol —escribió en 1927 en el ensayo *Los toros, las castañuelas y la Virgen*—. Cuando la gran parte de los chicos de España tengan el suficiente vigor que exige el deporte, pueden pasar cosas de cuantía.»

En realidad, ya habían sucedido algunas como la plata de

Amberes. Los jugadores patrios no solo habían dado un nuevo empuje y respeto a la palabra España internacionalmente, sino que habían conseguido algo más importante que cualquier medalla: que miles de niños soñasen con el balón y hubieran abandonado la muleta de madera para correr detrás de él. «El niño Jesús, en vez del mundo, sostendrá en la diestra un balón —escribió—, como la divinidad de toda esa serie de equipos infantiles, adolescentes y juveniles que han venido a sustituir a las viejas "lides taurómacas".»

Contaba Giménez Caballero que se había vuelto peligroso pasear cerca de plazas y descampados porque, como solían exclamar los castizos: «¡A Cristo, padre, le pegan un pelotazo!». Pero paseando por calles y plazuelas entendió que había nacido un negocio colosal con una virtud innata que rápidamente reconoció: prolongaba el mundo del niño en el del adulto, devolvía fugazmente un pedazo de la codiciada infancia perdida. Lo que para los niños era un juego, para los adultos era algo más. Algo por lo que pagarían. Desde que Giménez Caballero entendió la importancia de este fenómeno social, supo que los intelectuales debían ganarse el derecho a comentarlo. El crítico debía arrebatarle ese terreno fértil al periodista. Y él, por supuesto, lo hizo.

En 1928, coincidiendo con los Juegos Olímpicos de Ámsterdam, publicó *Hércules jugando a los dados,* ensayo donde exploró el choque entre la lúdica modernidad y los valores más castizos. España, en su opinión, debía contaminarse de anglicismos para dejar atrás el lastre de la tradición católica. El juego debía cambiar la cultura. Para lograrlo, el rey de los deportes esperaba la llegada de un Cervantes balompédico que lo desvinculase del primigenio estilo periodístico. Había que dejar atrás la literatura de juglaría. «Va siendo hora de crear —frente a esta— una culta: humanística; crítica. Puramente intelectual», escribió. En el capítulo *Explicación del fútbol,* sentenció que el fútbol simbolizaba «la ironía trágica de un pueblo que ha jugado hasta entonces con la esfera del mundo y ahora se divierte con una llena de aire». No le cabía la menor duda. Encabezando al resto de los deportes, el fútbol sería clave para que la juventud dejase atrás los viejos valores. Y el dinero del fútbol, a su vez, cambiaría la sociedad. De hecho, ya lo estaba haciendo.

Tras la publicación del libro, se centró en consolidar *La Gaceta Literaria*. Y en un nuevo proyecto que absorbía todo su tiempo; su olfato empresarial había descubierto un embriagante negocio lejos de la putrefacción de la imprenta: el primer cineclub de España. En la imagen estaba el futuro, el dinero. Ya decía el sabio refranero que valía más una sola imagen que mil palabras. Y el tiempo, eso lo sabía muy bien Giménez Caballero, siempre había sido oro.

El encontronazo poético de Alberti (1928)

A pesar de las recomendaciones de Giménez Caballero, el balón tardó en botar en el mundo intelectual. Entre los que recogieron su pase, destacó José María de Cossío. Durante años, el escritor vallisoletano se aburrió de explicar que adjetivos y goles no eran incompatibles. «Es como si usted me dijera que he sido —y soy— aficionado a leer toda clase de libros y a comer bien. ¿Es que leer buenos libros y comer bien son cosas incompatibles?» Cossío paladeaba la buena literatura, apreciaba una diestra verónica y vibraba con un gol. Por eso abrió los portones de su casa de Tudanca a futbolistas, poetas y toreros por igual.

Rafael Alberti aceptó su invitación para retirarse a descansar unos días. No atravesaba su mejor momento desde que recibiera el Premio Nacional de Poesía. Necesitaba olvidar el mar de sus primeros versos. Y Tudanca, alejada del mundanal ruido, parecía el lugar ideal. Alberti llegó una noche lluviosa de mayo, a caballo, alumbrando el embarrado sendero con un farol. Pero el tortuoso camino mereció la pena. A la mañana siguiente, ya se encontraba como en su casa. Leía al calor de la chimenea, arrullado en los sillones fraileros de la biblioteca. Se regodeaba en el profundo silencio. Y, con los días y las lecturas, recuperó las ganas de escribir. Uno de aquellos poemas vino inspirado por un partido de fútbol, como desveló más tarde en sus memorias *La arboleda perdida*: «Dejando a un lado alas y tinieblas, hice una oda a un futbolista —Platko—, heroico guardameta».

La poesía brota de una chispa, de un segundo que ilumina con luz propia; pero aquel poema se gestó en un encontronazo que poco tuvo de poético. Sucedió en el los Campos de Sport de El Sardinero, el 20 de mayo de 1928, en el primer partido de la final de Copa entre el F. C. Barcelona y la Real Sociedad. Cossío era socio del Racing, y se llevó a Alberti al estadio. Minutos antes de que arrancase el encuentro, se toparon con el tanguista Carlos Gardel. Estaba en su tercera gira por España, les contó, y había acudido a la final invitado por Samitier y Platko.

Vieron juntos el partido. Llovía, soplaba el viento. La Real, en los primeros compases dejó claro que vendería cara su derrota asediando el área de Platko; pero todos los ataques *txuri-urdin* se marchitaban en los guantes del guardameta húngaro. Hasta que justo antes del descanso se produjo el choque. Medio estadio cantaba el gol de Cholín cuando Platko se lanzó con todo y la patada destinada al cuero impactó de lleno en su cabeza. El estadio enmudeció. Durante unos segundos, el portero permaneció tendido en el barro. Finalmente, Arocha se puso su jersey y ocupó la portería mientras varios médicos le vendaban la cabeza al accidentado. Así terminó la primera mitad.

Durante el descanso, se produjeron acalorados enfrentamientos entre las hinchadas, que la Guardia Civil enfrió a porrazos. Platko no salió al reanudarse la segunda mitad. Y Samitier tardó unos minutos en hacerlo, también atendido por otro golpe. «Cuando el partido estaba tocando a su fin —relató Alberti—, apareció Platko de nuevo, vendada la cabeza, fuerte y hermoso, decidido a dejarse matar.» La lluvia, el barro y las estiradas desprendieron la venda dejando al descubierto el flequillo rubio teñido de sangre. «A los pocos segundos, el gol de la victoria penetró por el arco de la Real», contó Alberti. El encuentro, en realidad, acabó con empate a uno. Faltando siete minutos, Mariscal igualó el tanto de Samitier. Quizás Alberti lo vivió como una victoria porque, con cada nueva parada de Platko, un fogonazo poético iluminaba versos en su imaginación.

Esa noche, los tres artistas cenaron con la expedición culé. Entre tragos de vino, canciones en catalán y banderas separatistas, decidieron que al día siguiente alquilarían un coche para perderse por las olvidadas carreteras castellanas. Brindaron por los reencuentros, por el F. C. Barcelona y por el bravo Platko. Y Gardel, con arte y maestría, regaló varios tangos a los presentes.

Al día siguiente, antes de partir, se acercaron al hospital. Una foto inmortalizó a Platko, recostado en la cama, con la cabeza vendada, junto a Samitier y Gardel. El tanguista sonreía, quizá porque componía mentalmente el tango que más tarde dedicaría a Samitier: «De las playas argentinas, donde el tango es la ilusión, / tú mereces, bravo Sami, que te brinden la canción».

Siete días después del partido, apareció en *La Voz de Cantabria* una oda dedicada a Platko y firmada por Rafael Alberti: «El mar, vueltos los ojos, / se tumbó y nada dijo. / Sangrando en los ojales, / sangrando por ti, Platko, / sangre de Hungría, / sin tu sangre, tu impulso, tu parada, tu salto / temieron las insignias. / No, nadie, Platko, nadie, / nadie se olvida».

La historia de aquella final no terminó con la oda. Se jugó un segundo partido que finalizó de nuevo con empate a uno. En el definitivo, el F. C. Barcelona se llevó la copa tras vencer por 3-1. La Real Sociedad, sin embargo, no salió del todo derrotada. Un poeta de corazón blanquiazul también se encontraba en la grada aquel 20 de mayo de 1928. Los *txuri-urdin* habían perdido un trofeo en sus vitrinas, pero ganarían la inmortalidad de un poema.

La contraoda del poeta txuri-urdin *(1928)*

Un poeta, ante todo, le debe fidelidad a su poesía. Es lo poco que trae al mundo bajo el brazo, será el pan de cada día y lo único que se llevará a la tumba. Puede odiarla, pero nunca traicionar su lealtad. Ese día estará perdido, no le quedará nada, habrá muerto. Gabriel Celaya maldijo la poesía como lujo cultural, y a todos aquellos poetas neutrales que no se atrevían a mancharse las manos con el barro de la realidad. Ser poeta no era oficio, sino conducta. Como el poeta, el hincha podía odiar sus colores en algunos partidos o maltratar su escudo tras dolorosas derrotas, pero nunca traicionar su fidelidad. Ese día estaría perdido, no le quedaría nada, habría muerto.

Celaya, como buen poeta, tomó partido. Quizá la noticia llegó a sus oídos por casualidad. Puede que le avisase un amigo. El caso es que se enteró de que Alberti había publicado una oda alabando la actuación de Platko en el primer partido de la final de Copa. Temperamental como era, seguramente bajó al quiosco y se hizo con un ejemplar de *La Voz de Cantabria*. El poema ocupaba toda la portada del 27 de mayo. Cuando terminó de leerlo, como buen hincha, su primer impulso posiblemente fuese agarrar la pluma y contestar. Pero se contuvo. Celaya sabía que un contraataque necesitaba de una mínima pausa para ser letal.

Reconocía la valentía del portero húngaro al volver bajo palos tras aquel encontronazo; nunca que el F. C. Barcelona hubiese arrancado un empate solamente por sus paradas. Por más atención que le puso a la lectura, Celaya no encontró rastro de los penaltis que no les habían señalado a los donostiarras en aquella final. «Nadie se olvida», había escrito Alberti; pero quizás hubiese sido más acertado decir que cada uno olvida lo que no quiere recordar.

A Celaya no le fue fácil olvidarse de la oda. En junio volvió a aparecer en la revista *Papel de Aleluyas*. Y un año después, recogida en a *Cal y canto*. En aquel poemario, los versos de «Carta abierta» que decían «Globo libre, el primer balón flotaba / sobre el grito espiral de los vapores» le recordaron a los balones que se colaban en la fábrica de su padre. El edificio de Mugica estaba pegado al estadio de Atocha, y los futbolistas solían romper los cristales a pelotazos. La conserjería se llenaba de balones, que su padre se negaba a devolver por menos de cinco duros la pieza.

Hacía muchos años de aquello. Y pasaron muchos más. Celaya, sin embargo, no olvidaba la oda de Alberti. Tenía el pelo blanco cuando, el 25 de agosto de 1984, subió al estrado y se colocó frente al micrófono en los actos del septuagésimo quinto aniversario de la Real Sociedad. Desdobló un papel con mano temblorosa. Se aclaró la garganta. Medio siglo después de la final, había llegado el momento de contraatacar. «Está dedicado, sobre todo a la Real de mis años de infancia —dijo con un hilo de voz—. Jugadores que para nosotros —se ahogó en un sollozo, tomó aire y continuó— eran dioses.»

Tras disculparse por el tono cursi y emocionado, recitó «Mi Real Sociedad», acompañando los versos con los aspavientos del brazo derecho: «Todos lo recordamos y quizá más que tú, / mi querido Alberti, lo recuerdo yo, / porque estaba allí, porque vi lo que vi, / lo que tú has olvidado, pero nosotros siempre / recordamos: ganamos». Como buen hincha, Celaya sabía que en el fútbol, como en la vida, no solo contaban los resultados. Y como buen poeta, no creía en marcadores. Celaya contraatacó con jugadas colectivas para desmitificar al héroe individual. Impuso la realidad a la épica: no habían ganado «gracias a Platko, / sino por los diez penaltis claros que nos robaron» y «un árbitro comprado».

Dos años después, el 12 de junio de 1986, Celaya acudió a la presentación del libro *La Residencia de Estudiantes*, en Madrid. Se sentó junto a Alberti. Seguramente charlaron de libros, de desengaños, de los años luminosos que habían vivido en aquella residencia junto a Lorca, Unamuno, Neruda o Machado. Después, la conversación se encaminaría al paso del tiempo, a la vejez, a las canas. Ninguno se parecía ya a los dos jóvenes poetas que habían vibrado en aquella lejana final de Copa. Pero ninguno olvidaba.

Ese diciembre, Celaya recibió el Premio Nacional de Literatura. El galardón no evitó que tuviese que vender a la Diputación los doce mil libros de su biblioteca. Necesitaba dinero para costearse el tratamiento de la arterioesclerosis que padecía. Poco después, perdió el apetito, las ganas de leer y las fuerzas para escribir. En el poema «Despedida» dijo que, quizá, cuando falleciese, alguien diría: era un poeta, y el mundo, siempre bello, seguiría girando sin conciencia. Cuando murió, el mundo siguió girando sin consciencia. Y Camilo José Cela dijo: «Era un poeta importantísimo que debería haber ganado lo suficiente para tener una mínima holgura económica».

Por la mañana, Amparitxu depositó sus cenizas en una pradera de Hernani. Celaya había pedido que no las lanzasen al mar, no fuera a ser que una gaviota despistada volase demasiado bajo y se las comiera. Por la tarde, se disputó un derbi vasco en la Catedral. Los jugadores salieron hermanados al césped. Los *txuri-urdin*, con brazaletes negros, no pudieron despedir a su poeta con una victoria, aunque eso poco le hubiera importado a Celaya: en el fútbol, como le demostró a Alberti, no solo contaban las victorias y los marcadores.

Las aguafuertes porteñas de Roberto Arlt (1929)

El 17 de noviembre de 1929, al otro lado del mundo, el escritor Roberto Arlt acudió a un partido de fútbol por primera vez en su vida. Tenía veintinueve años. Al día siguiente, contaría su debut como comentarista deportivo en su habitual aguafuerte porteña, publicada en el diario *El Mundo*. No era para menos. Había debutado con un partidazo. En la cancha de San Lorenzo, Argentina y Uruguay se habían enfrentado por el Campeonato Sudamericano. Eran las dos mejores selecciones del momento y aquel partido, además, se presentaba como una revancha de la pasada final de los Juegos Olímpicos de Ámsterdam, donde se habían impuesto los charrúas.

Precisamente la participación en los Juegos de ambos países había obligado a aplazar aquella edición del Campeonato Sudamericano hasta noviembre. Roberto Arlt acudió al choque decisivo: si Uruguay ganaba aquel último partido, empataría a cuatro puntos con paraguayos y argentinos en la cabeza de la tabla; Argentina, en cambio, dependía de sí misma: si vencía, se llevaba el trofeo con seis puntos, además de el honor de doblegr a los dos veces campeones olímpicos.

Los futbolistas saltaron al césped del Viejo Gasómetro. El rugido de la grada se volvió ensordecedor. Ferreyra, capitán argentino, trotaba al frente de sus compañeros. A su lado, Nasazzi capitaneaba a los charrúas atenazando el balón bajo el brazo. Un fotógrafo de *El Gráfico* inmortalizó a dos pibes, uno en camiseta y otro en traje y corbata, corriendo sonrientes delante de los jugadores. Entre los cuarenta mil espectadores, Roberto Arlt sacó su cuaderno de notas. «Aquí van, para que se den cuenta cómo trabaja un cronista que no entiende ni media de *football* (creo que así lo escriben los ingleses)», escribió.

En su aguafuerte, contó que decenas de naranjas estallaban contra la gente o el césped. Una minucia en comparación con el estallido de júbilo que recorrió el Viejo Gasómetro en el minuto catorce con el tanto de Ferreyra. El escritor, sin embargo, no se contagió de la electricidad del gol. No le interesaba especialmente lo que sucedía en el césped. Su olfato periodístico buscaba otro tipo de detalles: las expresiones de emoción, los olores, los ruidos que correteaban por las tribunas, las naranjas. Le llamó la atención un negro que vendía su destartalado paraguas para librarse del sol. O un grupo de pibes que vendían ladrillos y cajones, frutas y bebidas, diarios y retratos de los *footballistas*.

El partido que le atraía se jugaba en las tribunas. «Las gradas están negras de espectadores —escribió—. Sobre estos cuarenta mil porteños, de continuo una mano misteriosa vuelca volantes que caen entre el aire y el sol con resplandores de hojas de plata.» Apenas tomó notas de jugadas durante el primer periodo, a excepción de una ocasión clara que Cherro falló en boca de gol y de un *foul* que señaló el árbitro paraguayo Miguel Barba. Tras la brutal patada, Roberto Arlt no dejó pasar la oportunidad de mojar su pluma en ironía: «No hay vuelta, los deportes son saludables», escribió.

De pronto, decenas de hinchas señalaron una fábrica a lo lejos, cuyas claraboyas estaban llenas de gente. Desde las tribunas, aquellas personas parecían hormigas arrastrándose por el tejado para ver la victoria argentina. ¿Qué movía a aquellos hombres, mujeres y niños a jugarse el pellejo por un simple partido de fútbol? ¿Había algo en el Viejo Gasómetro que él no atinaba a descubrir?

En el descanso, Arlt se paseó entre los desperdicios sembrados por las gradas. «Tropecé con una brigada de forajidos que vendían ladrillos, no para tirárselos a los jugadores, parece que para estos se reservaban las botellas», escribió. También con familias, parejas, cuadrillas de amigos, hombres solitarios. En ellos se escondía el verdadero secreto. En sus corazones anidaba la pasión. Enfrascado en sus pensamientos, Arlt abandonó el estadio antes del pitido final. Del gol que selló la victoria argentina, obra de Evaristo en el minuto setenta y siete, solo le llegó el estruendo de los aplausos.

Los argentinos habían vencido por dos goles a cero. La ciudad vibraba, pero él no lograba contagiarse del entusiasmo. Mientras caminaba por la avenida de la Plata, siguió preguntándose qué movía a los hinchas a jalear a sus ídolos en la victoria y a odiarlos en la derrota. Tenía claro que existían dos clases: los que vociferaban en la cancha y los que se limitaban a participar del relato posterior en el café. Todos con la misma esencia: «Es un admirador gratuito —escribió—. Tan desinteresado que no necesita conocer a su admirado para discutir sobre él y armar pelotas en el café».

El problema no eran las discusiones de café, sino que los hinchas más radicales actuaban «en barras que como expediciones punitivas siembran el terror en los *stadiums*». Unas barras que, en los barrios marginales, se transformaban en mafias. ¿Despertaba el fútbol aquella violencia grupal, o la culpa era de los individuos que la generaban? ¿Existía algún condicionante social?

Demasiadas preguntas para ser el primer partido al que acudía en su vida. Y muy poco espacio en una columna para responderlas. «Aquí todos somos hinchas, y hasta yo me estoy acostumbrando a ser hincha y por eso es que hoy lo hincho a usted», se despidió Roberto Arlt de sus lectores aquel 18 de noviembre de 1929.

Un poeta entre cabras y futbolistas (1929)

Los balidos de las cabras desperezaban el silencio de la sierra. Como si despertase de un profundo sueño, Miguel alzaba la vista del papel de estraza de su cuaderno. Ante él, se extendía un inmenso paisaje verde moteado por el blanco de las cabras. Miguel acomodaba la espalda en la morera, y volvía al cuaderno. Si el balido no había espantado a las musas, escribía una palabra. Era la magia de la poesía. Aunque por dentro le había sacudido como un terremoto, todo seguía igual alrededor: silencio, campos verdes, cabras, sol.

Algunas tardes, tras horas mirando una palabra, Miguel terminaba tachándola. Otras, sucedía todo lo contrario: las horas volaban mientras componía versos como poseído. Todos los poemas los terminaba con la palabra FIN. Aquellos primeros versos, los repartía entre sus compadres. Al Meno le iban al pelo. Los días de verbena, los regalaba entre las zagalas del pueblo. Si alguna picaba el anzuelo de rimas, quizá se ganase un beso.

Miguel había aprendido a escribirlos a base de leer y repetir las palabras una y otra vez en su cuaderno. A los catorce años, su padre le había sacado del colegio. Había que pastorear, le dijo. A su padre no le gustaba la tontería de leer, y muchos menos se tragaba el cuento de escribir. Pero Miguel no entendía de prohibiciones. Quería ser poeta y en su morral siempre cargaba con su cuaderno y un libro. Solo se desprendía de ellos tras guardar el rebaño en la majada. Entonces, quedaba con el Rosendo, el Manolé, Gavira, el Mella, Sapli, Pepe, Paco, el Botella, Rafilla, el Habichuela,

José María, Meno y el Paná para jugar al fútbol hasta que no se distinguía el balón en las sombras de la noche.

Tenían un equipo: La Repartiora. Se reunían en el local social de la calle de los Cantos, aunque en las infernales tardes de calor solían juntarse en la tasca del Chusquel a echar unas partidas al raque o al dominó. «A Miguel le gustaba mucho jugar al fútbol —recordó el Paná en la revista *El Eco Hernandiano*—, y como allí nos poníamos nombres, pues a él le llamábamos el Barbacha, porque jugaba bien y era fuerte, pero lo hacía algo lento.» Lento como los caracoles. Lento para aplicar la pausa. Lento porque al fútbol no se jugaba corriendo como una cabra.

Miguel fue nombrado secretario por mayoría absoluta. Era el que mejor juntaba palabras y números. Para honrar el cargo, pasó varias noches componiendo el himno del equipo. «Había que ver a los once del equipo aprendiéndose a toda prisa la letra, en las once coplas que Miguel les entregó», contó Filomeno Bas. Bajando a Los Andenes o a cualquier pueblecito donde se desplazasen a jugar, los futbolistas de La Repartiora entonaban a pleno pulmón: «Vencedora surgirá, / porque lo ha mandado el "Pá", / la terrible y colosal Repartiora. / Por las calles marchará / y el buen vino beberá / porque siempre victoriosa surgirá».

Todos los vecinos de Orihuela conocían el equipo. En la taberna del Chusquel, unos contaban que el nombre venía porque todo se repartía. Si el Paná tenía queso, todos lo almorzaban con un currusco de pan. Si aparecía el Manolé con el pellejo, todos brindaban con tinto peleón. Eso significaba la palabra equipo. Otros vecinos, al oírlo, chascaban la lengua y objetaban que no solo repartían lo suyo. Más de uno les había pillado, al volver de La Olma o de San Antón, picoteando de las huertas camino del pueblo. Un equipo de pillos, decían, eso es lo que son.

«Como teníamos formado un equipo, [Miguel] nos decía que hiciéramos gimnasia para estar fuertes, pero lo que nos faltaba a muchos era buena alimentación», recordó Vicente Sarabia. Algunas tardes, Miguel repartía vasos de leche que él mismo ordeñaba de las cabras de su padre entre sus compañeros. Tenían que estar fuertes porque les habían salido dos duros competidores en Orihuela: el Iberia, de la calle de La Acequia, y los Yankees, formado por un grupillo de burgueses.

En algún partido, además de patadas, volaron piedras por La Olma. Miguel, en cambio, prefería defender sus colores con versos y mucha ironía: «Hurra los repartidores, / los mayores jugadores, / además de bebedores, / en Madrid como en Dolores, / en el campo ha visto usted».

Disputaron decenas de partidos. Miguel subió y bajó la banda infinidad de veces. Dio pases de gol, recuperó balones, vio cómo se le escapaba el rival sin poder detenerlo. Pero con los años, abandonó la banda y se encerró más en sus poemas. Su escaso tiempo libre lo dedicaba a su novia Carmen, al teatro, la tahona de Carlos o las interminables charlas de poesía con Ramón Sijé; pero sin olvidar «a sus viejos amigos de juegos, los callejeros de siempre, con los que sigue disputando partidos de fútbol y defendiendo, desde su puesto de medio volante, los colores del equipo de La Repartiora», apuntó José Luis Ferris en la biografía del poeta.

Tampoco olvidó al C. D. Orihuela. No había domingo que no bajase a San Antón con Carlos Fenoll, el Arriero, y Efrén. A Miguel, la soledad del portero le recordaba a la del poeta: ambos compartían la esperanza cuando todo lo demás había fracasado. Tanto le atraía que, en 1929, le dedicaría a Miguel Soler, Lolo, el portero del C. D. Orihuela, la famosa «Elegía al guardameta»: «Goles para enredar en sí, derrotas, / ¿no la mundial moscarda? / que zumba por la punta de las botas, / ante su red aguarda / la portería aún, araña parda».

Pero antes, Miguel Hernández necesitaba abandonar el pueblo. Deshacerse del pastor. Sentirse poeta para llegar a serlo. A plazos, compró una Corona portátil con la que escribió una carta a Juan Ramón Jiménez. Le contó que había acumulado un millar de versos que en Orihuela no podían florecer. Que quería ir a Madrid para convertirse en poeta.

Aunque no recibió respuesta, Miguel metió la Corona en la maleta, guardó los poemas en una carpeta y se calzó su único traje. En la estación de tren, se despidió de los compañeros de La Repartiora. Por primera vez, se sintió el gran poeta que en unos años deslumbraría al mundo. Ya nunca más volvería a cargar con el morral de pastor. Tampoco a vestir la camiseta de La Repartiora. El poeta, al fin, le había quitado el sitio al Barbacha, el volante derecho más lento y poético del fútbol español.

El gol de chiripa de Zunzunegui (1931)

Unamuno había clamado contra los chavales que corrían enloquecidos detrás de un balón espantando a las viejas. Había despotricado contra los golfillos que asustaban a los perros con sus chillidos de *goal*. Pero su sobrino nieto, Rafael Moreno Aranzadi, Pichichi, se había convertido en el ídolo de todos ellos. En sus paseos vespertinos, Unamuno había visto a los chavales anudarse un pañuelo blanco de obrero a la cabeza, como acostumbraba su sobrino nieto antes de los partidos. Y, tras hacer un gol, los desvergonzados golfillos gritaban con el puño en alto: «¡Pichichi!».

Unamuno no se cansó de afirmar que el fútbol no era El Dorado que parecía, y el final de la carrera de su sobrino nieto le dio la razón. A pesar de haber logrado el histórico gol en la final de Amberes, y de los cientos marcados con el Athletic, surgieron los abucheos en San Mamés y las críticas en las tabernas de las Siete Calles. Muchos aficionados pidieron su retirada. Harto, Pichichi colgó las botas el día de Navidad, tras un amistoso contra el Sparta de Praga en la Catedral. Tenía veintinueve años. Durante un año ejerció de árbitro; pero, con treinta recién cumplidos, el tifus acabó repentinamente con su vida. Su muerte conmocionó al país. Aquellos que le habían criticado con dureza lloraron de pena.

Con ironía, Unamuno había afirmado en el artículo «Deporte y literatura» que «lo mejor que lleva al deporte sano, desinteresado y puro es, sin duda alguna, la literatura». Y leyendo se dio cuenta de que había ciertos paralelismos entre la historia de su sobrino nieto y la que contaba la novela *Chiripi* que Juan Antonio de Zunzunegui publicó en 1931. José Gómez, alias Chiripi, el protagonista, también se convierte en el mejor delantero del Athletic. Y ambos, Pichichi y Chiripi, compartieron motes y destinos similares.

La novela de Zunzunegui, además, mostraba cómo había cambiado el fútbol en pocos años. La que fuera diversión de clases acomodadas, en los años treinta se había convertido en deporte profesional. De un modesto club de barrio obrero, podía surgir un goleador mejor pagado que trabajadores con estudios cualificados. El profesionalismo daba al pobre la oportunidad de meterle un gol al rico: «La eterna lucha de clases salta sobre el verde de los campos vestida de camiseta y pantalón corto», escribió Zunzunegui. Y, en el caso de Pichichi, también con el pañuelo de obrero en la cabeza.

Gracias al fútbol, el pobre podía vivir dignamente, sin trabajar. Así le sucede a Chiripi cuando, en un partidillo entre taxistas y chóferes, marca el gol que cambia su vida. Admite que con suerte; pero un gol siempre es un gol y su valor no fluctúa aunque la suerte lo empuje a la red. Tras una buena temporada en el Cadagua F. C., pasa al Athletic de Bilbao. La directiva le pone un taller mecánico y un sueldo. Unos partidos después, sus goles le han convertido en el héroe local: «El centenar de escritores deportivos que garrapateaban en los periódicos bilbaínos anunció el nuevo dios en una prosa bíblica».

La siguiente temporada, el rendimiento de Chiripi baja. Y Zunzunegui avisa: «Los hombres que viven del fervor público han de mantener siempre renovada la causa de su simpatía». Especialmente cuando cobran más de lo que rinden. Atrapado en esa encrucijada económica, Chiripi ya no siente la libertad al jugar que tenía cuando era *amateur*. Desde que le pagan, los directivos le tratan como una máquina en vez de como a un hombre con miedos y ansiedades. Y llega la lesión. Un derrame en la rodilla le aleja de los estadios. Ahora, los mismos periodistas que le habían endiosado lo tiran a patadas del pedestal.

El héroe, sin embargo, no se resigna a su caída. No soporta la idea de volver a la vida de un hombre normal. Durante meses, Chiripi trabaja intensamente para volver en el partido decisivo del campeonato. Gracias a un antiguo directivo, lo juega; pero lo hace con miedo. La afición le abuchea cada vez que falla una ocasión. Es el final. Chiripi se ha convertido en el primer futbolista de la literatura española con las piernas agarrotadas por el dinero. Y como le había sucedido a Pichichi, también fue el primero en sentir el odio de su propia afición. Mientras ahoga sus penas en una taberna, otro futbolista le explica que se han convertido en trabajadores, y los clubes más ricos, en sociedades anónimas. Esa es su verdadera tragedia: una nueva lucha social le ha pillado en medio.

A pesar del parecido en los motes, el final de los dos futbolistas discurrió por caminos muy diferentes. El mote de Rafael Moreno Aranzadi pasó a la historia como sinónimo de goleador. En 1926, el Athletic le homenajeó colocando un busto de bronce en la grada de Misericordia. Desde entonces, el capitán de cada equipo que visita La Catedral por primera vez le ofrece un ramo de flores.

Zunzunegui ofreció diferentes finales para Chiripi. El más benévolo, lo situaba como entrenador en Castellón o Alicante. Sin embargo, es más fácil imaginárselo bebiendo en la terraza del café Boulevard mientras ve consumirse los días, como les sucedió a tantos futbolistas de su época que, cuando les fallaron sus piernas, se quedaron sin nada. Solo con el recuerdo nostálgico de goles olvidados.

El sentido **sportivo** *de Jacinto Miquelarena (1934)*

Nada de lo que había vivido antes podía compararse a un Mundial, debió de pensar el periodista Jacinto Miquelarena mientras acudía al estadio Giovanni Berta. Aquel 31 de mayo de 1934, se enfrentaban italianos y españoles por una plaza en semifinales. El partido prometía: los jugadores de la *squadra azurra* seguirían a rajatabla la orden de Mussolini de vencer o morir, mientras que a los españoles solo les quedaría contestar recurriendo al temido espíritu de la *furia rossa*. Jacinto Miquelarena solo deseaba que la lucha se rigiese, ante todo, por el sentido *sportivo*.

Mussolini, sin embargo, no pensaba lo mismo. Había amenazado con guillotinar a los jugadores si no pasaban aquella eliminatoria. Quería motivarlos como a soldados. Y lo logró. Aquel partido se convirtió en una batalla campal que acabó con empate a uno y con cinco españoles lesionados. En la crónica que Miquelarena escribió aquella noche para *Abc*, afirmó que España había sido superior y que, con un poco más de suerte y un árbitro más justo, se hubiera adjudicado la victoria. No hubo más quejas ni lamentos. Sentido *sportivo* en cada párrafo.

Al día siguiente, Miquelarena volvió al estadio. El partido de desempate discurrió como una continuación del anterior:

patadas, puñetazos, agarrones y más jugadores españoles lesionados ante la permisividad del colegiado. España resistió con diez jugadores muchos minutos, y un solitario gol de Meazza dio el pase a los locales. La crónica de Miquelarena, a pesar del juego sucio, habló de mala suerte. Su sentido *sportivo* no le permitió cargar tintas contra el árbitro. No fue tan elegante Ricardo Zamora, que no pudo jugar por las dos costillas que le habían roto en el primer choque: «Nos han birlado el partido», aseguró a los medios.

Italia terminó ganando el campeonato con poco sentido *sportivo*, mientras que Miquelarena, de vuelta en España, publicó *Stadium. Notas de sport*, libro donde recogió gran parte de su dilatada experiencia como periodista deportivo. Había fundado el diario *Excelsior*, el primero dedicado íntegramente al deporte, además de dirigir «Páginas Deportivas» en *Abc* y el semanario *Campeón*. En 1928, había acudido como corresponsal a los Juegos de Ámsterdam. Hacerlo como enviado especial a Italia para cubrir la primera participación mundialista de la selección española le había consagrado como uno de los cronistas deportivos más influyentes del país.

En *Stadium*, Miquelarena volvió a reivindicar el sentido *sportivo* que había demostrado en sus crónicas mundialistas. Un espíritu que debía aplicarse a la vida, la política, los negocios y hasta al amor. También expuso su visión del fútbol. No se dejaba arrastrar por el fanatismo de la furia española. Todo habían sido batacazos desde entonces. El mundo del balón seguía dividido en dos: en un lado, los británicos; en el otro, el resto, con uruguayos y argentinos a la cabeza. Personalmente, le apasionaba el juego directo, preciso y veloz que buscaba el gol sin rodeos: «No hay más fútbol que uno: el fútbol. El que brota del césped sin otro destino que la realización del *score*», escribió.

No entendía el *sport* de coñac y puro. Aborrecía al hincha que cargaba sus furias contra el árbitro sin comprender que sus errores y aciertos formaban parte del juego. Tampoco soportaba a los periodistas que, en lugar de explicar el juego, justificaban sus colores: «Para el cronista que no sabe perder, el tanto de los suyos fue conseguido por medio de un "tiro imponente de Miguelín" —escribió—. Los dos tantos de los de enfrente se debieron, en cambio, "a indecisiones de nuestra defensa"». El cronista debía analizar el juego sin bufandas al cuello, alejándose de aquel periodismo rancio que dañaba tanto al fútbol como las medallas y las copas que premiaban el esfuerzo.

Cuando apenas nadie se acordaba de ellas, Miquelarena se puso del lado de todas aquellas mujeres a las que «el *sport* ha arrancado de la mecedora, de la tristeza del canario y de los tiestos». Había visto a las doscientas setenta y siete mujeres de cuarenta y seis países reivindicándose en los Juegos de Ámsterdam, a pesar de la oposición de Coubertin. Aquellas pioneras habían comenzado una lucha por la igualdad deportiva y social que Miquelarena apoyó frente al manido tópico de la pérdida de feminidad. En realidad, sucedía todo lo contrario: «La llena de encantos nuevos, esencialmente femeninos. La mujer gana horizontes con el *sport*», afirmó.

Aunque siempre reivindicó el sentido *sportivo*, ni él mismo lo mantuvo tras el estallido de la Guerra Civil. Tampoco lo tuvieron otros cuando, el 10 de agosto de 1962, falleció. Dos cruces de tiza en el andén de la estación de Michel Ange-Molitor señalaron el lugar desde donde, la tarde anterior, se había lanzado a las vías. En *Abc* escribieron que había caído debido a un paro cardiaco, aunque hubo voces que abogaron por la tesis del suicidio. Lo único cierto es que meses antes le habían diagnosticado un cáncer incurable y que, aquella tarde, en su bolsillo apareció una carta para Luis Calvo, director de *Abc*, donde le responsabilizaba de su muerte.

Nadie parecía acordarse del sentido *sportivo*. Olvidadas parecían las alabanzas que, en 1934, le llovieron en las páginas de crítica literaria por la publicación de *Stadium*: «Miquelarena es, ante todo, nuestro acaso primer cronista y crítico del deporte en toda su gran significación».

Un mago del balón sube al escenario (1935)

La comedia del fútbol podía funcionar como espejo del mundo. El estadio, en esta historia, sería el teatro de la sociedad. El rectángulo de hierba, el escenario donde el futbolista actuaría como héroe unos domingos y, otros, se vestiría de villano. El balón simbolizaría lo ingobernable de la vida. De negro, el árbitro representaría la justicia más imparcial o la injustica más partidista. Los noventa minutos imitarían una existencia que de antemano se sabe limitada. Antes de que cayese el telón, la victoria de unos implicaría irremediablemente la derrota de otros. Y contemplando el espectáculo, el público abarrotaría las gradas.

El fútbol no tardó mucho en subirse a los escenarios. En 1910, el dramaturgo asturiano Pachín de Melás lo introdujo en *Mal de cañaes. Xuegos del día* o *Los mozacos d'agora*. Pachu, el protagonista, le cuenta a su amigo Xuan que el hijo del amo le llevó a un prado donde unos muchachos jugaban a algo extraño. «Vestían elásticas con rayas de colores, pantalón corto por la rodilla, medias de un dedo de gordas, y en los pies unos botines con tacos que levantaban una pulgada», le dice. Pero la indumentaria no es lo que más le sorprendió. Tampoco la pelota, del tamaño de una calabaza, sino que: «¡Jugaban con las patas y la cabeza!».

La extrañeza de Pachu pronto se convirtió en algo cotidiano entre el público. En Cataluña, el polifacético Valentí Castanys ayudó a normalizarlo con dosis de humor. Además de colaborar con *El Mundo Deportivo*, en 1925 escribió el sainete *El partit del diumenge*, historia donde un futbolista intenta explicar a su mujer que no le da patadas al balón por simple entretenimiento, sino por trabajo. Castanys retomó el tema del profesionalismo dos años después en *Una final de campionat*, comedia narrada en viñetas que apareció publicada en la revista *Xut!*

En *Tanorio Deportivo*, Castanys comparó al futbolista con el mítico Don Juan. Como protagonista, eligió al más idóneo en aquel momento, Samitier. Además de todo un seductor, el capitán del F. C. Barcelona se embolsaba dos mil pesetas de sueldo. Muchos le acusaban de pesetero, pero Samitier demostró tener algo más que fachada y bolsillo cuando se subió a un escenario para representar otra obra de Castanys, *L'honor del barri*. En 1930, junto con Zamora, Arocha o Piera, actuó en el teatro Novedades para recaudar fondos que ayudasen al exfutbolista Marià Martínez Vallès, Rini, que no pasaba por su mejor momento. Mal no lo hicieron: recaudaron cinco mil pesetas en entradas.

El fútbol también triunfó en los escenarios de la capital. *El mago del balón* se estrenó en el teatro Cervantes la noche del 12 de marzo de 1935. Su autor, el dramaturgo Antonio Paso, definió la obra como un juguete cómico-deportivo dividido en tres actos.

El primero giraba en torno a Antonio, delantero del Madrid, y su relación con Julia, hija de Rita y Felipe, quienes, a pesar de la huelga general, han decidido abrir el restaurante que regentan. La huelga, por supuesto, tampoco ha conseguido que se cancele el fútbol. Mientras trajina en la cocina, Rita sufre por su yerno. Teme que los tres feroces medios del Arenas de Getxo le lesionen. Su marido le dice que no sufra por Antonio. Por algo es quien es. «El mejor delantero centro del mundo: el mago del balón —dice—. Dos mil pesetas de sueldo, y disputándosele los clubs como fieras.»

Su cuñado Vicente regresa al restaurante entusiasmado porque Antonio ha marcado cuatro de los cinco goles: «Y cómo regatea, dan ganas de mandarle a la compra», dice. Tras él, entran en escena con la misma alegría Nina, bailarina de cabaret, acompañada de Zapatones, extremo del Madrid que no da pie con bola. La única que no parece contenta por la abultada victoria blanca es Julia. «Para Antonio no hay más que fútbol», se lamenta. Se siente sola porque su recién estrenado marido pasa más tiempo concentrado con el equipo que con ella. Y, harta, se encierra en un cuarto contiguo y abre el gas.

Por suerte, la encuentran a tiempo. Una vez recuperada, decide darle un ultimátum a su marido: «¡O el fútbol, o yo!». Julia está cansada de que, para verle, tenga que comprar el *Mundo Gráfico* o el *Semanario Gráfico As*. Pero, para su desgracia, Antonio aparece acompañado de Dióscoro, miembro de la federación, para anunciar que ha sido convocado y viajará a Checoslovaquia toda una semana. Ante las amenazas de Julia, Dióscoro tiene claras las prioridades: «Entre un disgusto con tu mujer y una derrota en Checoslovaquia, es preferible el disgusto, incluso el divorcio», le dice a Antonio.

El verdadero espectáculo se monta durante el segundo acto, en la puerta de Chamartín. Tanto se enreda la comedia que Vicente y Felipe acaban disfrazados con los uniformes del Madrid y camuflados en una multitudinaria carrera de *cross-*

country. «Prefiero que nos tomen por Ciriaco y por Quincoces a que nos cojan», le dice Felipe a Vicente.

Seguramente, habrían corrido mucho más lejos si hubiesen sabido que solo un año después de estrenarse la obra estallaría una guerra civil que duraría tres largos años. Una guerra que envejeció de golpe a los vitales poetas de vanguardia que habían cantado al balón, pero que no impidió que se continuase jugando al fútbol.

Sin posesión de balón, ni de palabra (1938)

Aunque aquel poema de Anna Amélia Queiróz no cantó directamente al fútbol, sino al portero que le había robado el corazón, se convirtió en uno de los primeros escritos sobre fútbol de una mujer. Y demostró desde dónde veían ellas el partido: desde la grada. Algo que nunca gustó a la poetisa brasileña, ferviente feminista que defendió el derecho de las mujeres a pisar el balón con autoridad y dar el pase donde ellas decidiesen.

Lamentablemente, el fútbol reflejó con transparente claridad la sociedad machista donde comenzó a jugarse. Y también la literatura con el silencio de las escritoras. Apartadas del balón, lo tuvieron más difícil para escribirlo. Si la pelota a duras penas botaba en sus vidas, imposible que lo hiciese en sus renglones. Mientras, ellos tomaron el control del balón. Y de la palabra.

El médico Gregorio Marañón había recetado a las mujeres «normales» que se alejasen de la pelota. Tres años después de su ensayo, Wenceslao Fernández Flórez publicó *El ladrón de glándulas*. La novela contaba la historia de Norberto Artale, un viejo multimillonario que cree que en los testículos de los futbolistas se encuentra el secreto de la eterna juventud y la virilidad. Norberto ofrece un millón y medio de pesetas al exfutbolista olímpico Jaime Escobar, que, en el declive de su carrera, se ve obligado a trabajar de simple oficinista. Por supuesto, Escobar se niega a entregar sus preciadas glándulas; pero Artale tratará de conseguirlas por todos los medios para recuperar el vigor perdido.

El futbolista se imponía como símbolo de hombría, aunque hubo otros escritores que, al contrario, vieron una pérdida de la masculinidad en los deportistas. Ernesto Giménez

Caballero encontraba detalles homosexuales en los comportamientos de los atletas que protagonizaban las historias de Henry de Montherlant: «En fuerza de cultivar el cuerpo viril, sobrepasaron toda apetencia de feminidad, hasta reducirse al esquema a que han llevado a la actual mujer, incitándola a virilizarse, a adaptarse a sus necesidades de efebos», escribió. El deporte, en su opinión, estaba trastocando los papeles socialmente asociados a hombres y mujeres.

En *Los toros, las castañuelas y la Virgen,* Giménez Caballero afirmó que la mujer ya no se resignaba a esperar en casa la llegada del marido. Gracias al *sport,* se había recortado la falda, se había cortado el cabello y, con un balón en los pies o una raqueta en la mano, peleaba por su sitio en el estadio. Las mujeres se habían hartado de ver el partido desde la grada; querían su lugar en el campo. Giménez Caballero se dio cuenta de que jugaban en inferioridad numérica y de que además «tenían que vencer en España las repugnancias enormes para que las masas adopten la fórmula general». Repugnancias muy variadas: religiosas, económicas y sobre todo «las del buen gusto tradicional del país».

El asunto no terminaba aquí. También hubo escritores que encontraron síntomas de lesbianismo en los partidos de fútbol femenino. Un claro ejemplo: «Fútbol de mujeres», de Bernardo Canal Feijóo. El poema apareció recogido en *Penúltimo poema del fútbol.* El escritor argentino lo ubicó, precisamente, en el penúltimo lugar: una manera simbólica de situar los partidos femeninos en la sociedad.

> No podía prosperar el partido…
> La pelota se apesantaba, se enmelaba.
> En los muslos,
> en los senos
> en las caderas
> en el vientre,
> con una galantería solapada
> y aprovechona…
> Y los choques trataban a los jugadores en un abrazo lésbico
> inaceptable…
> En el medio tiempo, como en una alcoba reservada, todas ellas

> se oblaban al descanso vigoroso sobre el césped del estadio... La muchedumbre se agolpaba a sus propios ojos, como al ojo de la cerradura, para fisgar el holocausto orgiástico...

A principios del siglo XX, pocas escritoras cantaron al fútbol. Tras rastrear por todos los rincones de Argentina, el poeta Roberto Jorge Santoro solo encontró unos versos firmados por una mujer, anteriores a la década de los sesenta. En 1937, Bertha de Tabbusch había publicado el poemario *El secreto de la cigarra*. Uno de los poemas que lo integraban se titulaba «Fútbol». Leyéndolo es fácil darse cuenta de quiénes eran los únicos dueños del balón: «¡Fuerte, muchachos, la cancha se llena / de júbilo y emoción! / Émulo del sol, émulo del mundo / es vuestro balón!».

Un año después, la brasileña Gilka Machado les dedicó el poema «A os heroís do futebol brasileiro» a los populares futbolistas de la *Seleção*: «Yo os saludo, / héroes de hoy, / que os habéis hecho comprender / en lengua cambiante, / escribiendo con los pies, / magnéticos y alados, / una epopeya internacional». Una epopeya escrita en la novedosa lengua de los pies, que excluía a las mujeres. Finalizaban los años treinta y el balón todavía era un mundo «de» y «para» caballeros que demostraron tener poca caballerosidad. El partido, sin embargo, no había hecho más que comenzar.

PRIMER TIEMPO

Su majestad el fútbol

El futbolista en guerra de Max Aub (1943)

Este primer tiempo comienza con la última jugada del último partido oficial disputado en España antes de la guerra. El 21 de junio de 1936, Real Madrid y F. C. Barcelona se jugaron, en Mestalla, el título de Copa del Rey. En aquella última jugada, el defensa blanco Jacinto Quincoces no pudo hacer nada. Se resignó a mirar cómo el atacante catalán José Escolà se plantaba frente a Ricardo Zamora. Solo quedaba rezar por un fallo garrafal del delantero o una parada milagrosa del portero. Se había cumplido el tiempo reglamentado de la final, y los blancos vencían por 2-1. El tanto culé, precisamente, lo había anotado Escolà. Quizás el recuerdo de ese gol cruzó fugaz por su mente cuando clavó los tacos y chutó.

En sus memorias, Zamora rememoró aquel decisivo momento. Contó que, durante unos segundos, todo a su alrededor desapareció excepto sus manos, las botas de Escolà y el balón. Había mucho más en juego que un simple gol. Y se lanzó sin dudar adonde le aconsejó su instinto: a la izquierda. Acertó. La parada supuso el séptimo título copero para el Real Madrid. Nadie sospechaba que ese despeje había sido el último del glorioso portero. Tampoco el propio Zamora, mientras lo sacaban a hombros de Mestalla, podía imaginar el calvario que le esperaba apenas un mes después.

A pocos días de que estallase la Guerra Civil, se disputó un derbi gallego. Recogió Carlos Fernández en su libro *El fútbol durante la guerra civil* que, en *La Voz de Galicia,* escribieron a propósito de ese encuentro: «En estos tiempos en que las emociones nos vienen por diferentes conductos, bienvenido sea un partido de fútbol que, aunque parezca paradoja, puede servir de sedante para nuestros alterados nervios». Los nervios, sin embargo, se crisparon más. Y los futbolistas, como el resto de los ciudadanos, sufrieron las consecuencias de la guerra.

Alcántara tuvo que pasar a Francia hasta que pudo regresar a zona nacional. Samitier fue detenido por la FAI, pero consiguió huir en un buque de guerra que atracó en suelo francés. Quincoces condujo ambulancias para las Brigadas Navarras en el norte y en Villareal, hasta que fichó por una selección de futbolistas franquistas. Zamora fue encarcelado en La Modelo. Por suerte, tuvo un buen padrino. El día de su ingreso, el escritor Pedro Luis de Gálvez se presentó en el patio: «He aquí a Ricardo Zamora, el gran jugador internacional —dijo desde el balcón que daba al patio—. Es mi amigo y muchas veces me dio de comer.» Luego amenazó con que, si alguno se atrevía a tocarle un pelo de la ropa, se las vería con él. En sus memorias, Zamora contó que los carceleros terminaron regalándole un balón, y con él organizó partidillos en el patio hasta que consiguió la libertad y pudo exiliarse a Francia.

Otro futbolista —este más literario— al que pilló la guerra por sorpresa fue Vicente Farnals, el protagonista de *Campo abierto*, novela que Max Aub publicó en 1943. El fútbol apenas aparecía en las tres primeras páginas, pero lo importante es que en Farnals convergían dos pasiones hasta entonces antagónicas: política y fútbol. Max Aub arrancó su historia diciendo que su protagonista, antes que cualquier otra cosa, era socialista y futbolista: «La filiación política le viene de casta; lo otro, de la calle: mejor dicho, de los solares de la avenida Victoria Eugenia», escribió.

Cuando estalló la guerra, Farnals jugaba en el C. D. Ruzafa. Aub describió el modesto campo de tierra del Ruzafa diciendo que no tenía una brizna de hierba («La hierba para los vascos, aquí la pelota salta más») y que estaba rodeado por vallas blancas donde se apoyaban el puñado de aficionados que acudían al partido. Los largueros, combados por la intemperie, reflejaban las dificultades económicas del club. Cada domingo, Farnals y el medio centro Ramón llegaban antes que sus compañeros para pintar las líneas y colocar las redes. Farnals jugaba de extremo derecho. Mientras repasaba las líneas, solía reflexionar sobre su lugar en el campo: siempre haciendo equilibrios sobre esas finas líneas de cal para bombardear el área rival y clavarle puñales al lateral en la espalda cuando menos lo esperaba.

El joven Farnals no imaginaba que nunca volvería a poner centros en el área porque, desde la tercera página, la guerra sustituirá al juego en la novela. Obligado a abandonar el campo de fútbol, como le sucedió a Zamora y muchos otros, Farnals... se internó en el de batalla (el campo abierto al que alude el título), donde el estallido del gol se cambió por el de las bombas; donde los derrotados pasaron a ser víctimas.

Antes de vivir el horror de la guerra, Farnals había disfrutado de «ese desgarrar lo desconocido que es el gol». Antes de saber cuánto pesaba un fusil, había conocido «el peso exacto del balón: hecho para la fuerza de la pierna». Y, con su recuerdo en el petate, Farnals se encaminó al campo de batalla como tantos otros jóvenes españoles que se habían visto obligados a descordarse las botas de tacos y calzarse las militares.

Había empezado el partido entre política y fútbol.

Dos odas a Quincocini *(1943)*

Franco mezcló fútbol y política sin pudor. Como tantos otros dictadores, sabía que el primero se basaba en un juego de fidelidades más profundas que las del segundo: era más fácil cambiar de camisa que de camiseta. El partido de la política, además, se podía jugar sin el sobrevalorado espíritu deportivo. Y los de fútbol podían convertirse en un valioso filón para reforzar el ideario nacionalista. Franco no perdió ni un segundo. Entre las ruinas de la posguerra, a falta de pan, convirtió el fútbol en el plato principal de la dieta de un pueblo famélico. Sabedor de su importancia para controlar a las masas, asaltó la Delegación Nacional de Deportes y ordenó que sin mayor dilación se retomase la Copa, pero con el nombre de su nuevo propietario: Copa del Generalísimo.

En 1940, el general Moscardó, responsable del Consejo

Nacional de Deportes, capitaneó un comité de depuración para sancionar a jugadores, entrenadores, árbitros o dirigentes afectos a la República. El fútbol, de hecho, había comenzado a politizarse antes de terminar la guerra. En la primera portada de *Marca,* una joven rubia de aspecto germánico saludaba bajo el titular: «Brazo en alto a los deportistas de España». En el interior, Jacinto Miquelarena afirmaba que el fútbol, durante la República, no había sido más que una vil orgía roja de pequeñas pasiones regionales. «Estaba haciendo política sin saberlo», remataba el artículo.

Además de miembro de la Falange que había colaborado en la composición del *Cara al sol,* Miquelarena comandó una sutil depuración idiomática que prohibió los seudónimos ingleses con los que Marathón, Sprint o Rubryk, padres del periodismo deportivo español, habían firmado sus columnas. A pesar de haber utilizado anglicismos para titular su *Stadium. Notas de sport,* Miquelarena escribió en *Abc*: «Conviene saber que los que han caído por Dios y por España, han caído muy orgullosos de su Pérez, de su García o de su Martínez». Su marcado sentido *sportivo,* al parecer, se había esfumado tras la guerra.

El fútbol, por suerte, no solo llamó la atención de Franco. También la de muchos directores de cine. Los futbolistas tenían tanto tirón social que, aunque no brillasen ante la cámara, comenzaron a protagonizar películas. No había pan, pero sí mucho fútbol y cine. Perfectamente peinados, rociados de colonia en vez de cubiertos de sudor, sonrientes y seductores, los héroes modernos se consagraron en la gran pantalla. Uno de los primeros fue Jacinto Quincoces con *Campeones.* En los cines Iniesta, anunciaron el estreno como una «preciosa comedia NACIONAL» que se convertía en la «primera película eminentemente deportiva editada en España». Y terminaban vaticinando que con ella nacía «una nueva modalidad del cine nacional de palpitante éxito».

Acertaron. Ese mismo año, Quincoces repitió en *El camino del amor.* Además de en *Tierra sedienta,* apareció en *La fe* y en *Ciento catorce goles.* No fue el único futbolista que amortizó su tirón en el césped para llenar salas de cine. Di Stéfano y Kubala protagonizaron *Saeta rubia* y *Los ases buscan la paz* respectivamente. Varios jugadores se unieron para dar vida a un equipo en *Once pares de botas*. Incluso Fernando Fernán Gómez interpretó a un futbolista en *El fenómeno*. El récord de taquilla se lo adjudicó *Los héroes del domingo*, con Rafael Vallona en el papel principal.

Además de películas, Quincoces protagonizó dos odas en un solo año. La primera, de Federico Muelas, apareció en la revista *Garcilaso* en 1943: «Allí estabas tú, fina tijera / abierta en el instante necesario. / Tela de araña de la delantera. / Tú, mirmillón, contra el audaz reciario». Federico Muelas rememoraba los años del pañuelo blanco en la frente y la rodillera que le protegía el menisco izquierdo. Quincoces arrastraba la lesión desde el Mundial de Italia. En la batalla campal contra los anfitriones, había aguantado lesionado hasta la extenuación. Su bravura le había valido ser nombrado el mejor lateral del torneo, y que incluso los periodistas italianos le nacionalizasen como *Quincocini*.

Aunque en el Real Madrid había formado el trío defensivo más temido del mundo junto a Zamora y Ciriaco, en 1943, algunos redactores de *Garcilaso* opinaban que *Quincocini* era cosa del pasado. Escaseaban los despejes y sobraban tantos primeros planos. Faltaba sudor y sobraba maquillaje. En el número de diciembre, publicaron un breve comunicado seguido de la «Segunda oda a Jacinto Quincoces»: «Un poco trasnochada resultó la magnífica oda [...] publicada en nuestro número anterior —escribieron—. Hoy, saliendo al paso de algunas objeciones y, como justo castigo al poeta, le dedicamos ésta». Y se podía leer:

> Canto el sueño del *travelling*, Jacinto,
> que presta a tu perfil su laberinto.
> Canto mejor tu cara que hoy se tensa
> por la falsa belleza del cosmético
> que tu bota dispuesta a la defensa
> del reducto por ti intacto y hermético.

Quizá no hubiera sobrado un buen árbitro para mediar en esta guerra de odas o, ya puestos, en el tenso partido que disputaron política y fútbol durante el franquismo.

Un Don Quijote silbando por el mundo (1947)

El árbitro es un personaje fundamental en la historia de un partido. Dijo un poeta —de cuyo nombre no puedo acordarme— que lo importante en la vida es ser flor entre el follaje. Y algo de flor, aunque de pétalos negros, tiene el árbitro cuando salta a la alfombra de césped y se mezcla entre las coloridas camisetas. Imposible pasar desapercibido.

Durante los noventa minutos, un incómodo pitido le perfora los tímpanos. Si no silban unos, le abuchean los otros. Señale lo que señale, una parte de la grada lo sentirá como un ultraje. Silbe lo que silbe, le lloverán injurias y algún objeto camuflado entre cánticos y amenazas. Irremediablemente, sus decisiones engordan la polémica. Pero en eso consiste su oficio: fallar, sentenciar, impartir justicia en un juego injusto por naturaleza. Y para tan quijotesca tarea solo se pertrecha con un silbato y dos tarjetas.

No siempre fue así. Hubo un tiempo en que los colegiados ajusticiaban con el silbo y sus palabras. Cuenta la leyenda que Paco Bru, tras su carrera como futbolista, decidió vestirse con la chaquetilla negra de *referee*. Le tocó debutar en un polémico Universitari-Atlético de Sabadell. Cuentan que sacó un Colt y lo cargó con exasperante lentitud mientras los futbolistas se cambiaban. Después lo guardó en el bolsillo de la chaqueta. Paco Bru sabía por experiencia que con el silbato y las amonestaciones verbales no era suficiente para mantener a raya al personal. Aunque en aquel partido no se registraron incidentes, la leyenda dice que, cuando los pitidos ya no surtieron efecto, disparó al aire. «Podemos hacer dos cosas —cuentan que dijo—, o terminamos con el partido otro día, o mañana unos cuantos salimos en las necrológicas.»

En 1947, algunos escritores se habían detenido en la figura del árbitro. Zunzunegui, en *Chiripi*, se había apiadado de su desgraciado destino: «Tú, *referee*, la figura más simpática del espectáculo, no contaste con el lado más sangriento del espectáculo», escribió. En aquel *football* de principios de siglo XX, se limaban asperezas a porrazos, que, por lo general, pillaban al árbitro en medio. Más de un domingo, estos Quijotes vestidos de negro tuvieron que salir del campo escoltados por dos Sancho Panza armados con porras y coronados con tricornios de la Guardia Civil.

Aquella era su tragedia: los derrotados perdían por su culpa al mismo tiempo que los ganadores obtenían la victoria gracias a sus decisiones. Su cometido al iniciarse el partido, pitar fallando, se volvía fácilmente en su contra para convertirse en fallar pitando. El sueño de justicia podía transformarse, en una sola decisión, en la pesadilla más injusta. Los elogios, en una sola jugada, podían convertirse en insultos. Y los aplausos, en abucheos. Los sueños del árbitro, escribió Zunzunegui, como «los más bellos sueños de nuestro señor Don Quijote, terminaron así, a batacazos».

Para evitar el linchamiento, un colegiado debía poseer un poco de la sabiduría del rey Salomón. La que tuvo, por ejemplo, el belga John Langenus. Contó en su libro *Silbando por el mundo. Recuerdos e impresiones de viajes de un árbitro de fútbol*, publicado en 1947, que una lesión le había obligado a descordarse las botas, y solo le quedaron dos opciones para permanecer cerca del balón: el silbato y la pluma. Se convirtió en árbitro y, al terminar los partidos, escribía las crónicas de los partidos que acababa de pitar para el periódico *Kicker*. Dominaba cuatro idiomas. Su más de uno noventa de altura ayudaba a la hora de hacerse respetar entre los futbolistas. Su elegancia al saltar al campo —pantalones bombachos, una impoluta camisa blanca y una elegante chaqueta negra— engrandecieron su fama.

En su libro, Langenus confesó el miedo que sintió antes de pitar la primera final mundialista en Uruguay. Para aquel 30 de junio de 1930, llegó a apalabrar con el capitán del barco *Duilio* un pasaje por si tenía que salir huyendo del estadio Centenario... y del país. Antes del inicio del partido, ya tuvo que tomar la primera decisión salomónica. Argentinos y uruguayos protestaban por el balón con que se jugaría la final. Cada combinado quería usar el suyo. No se fiaban del de sus vecinos. Tras darle varias vueltas a tan espinoso asunto, Langenus decidió que cada parte se jugase con uno. Y así acalló todas las protestas. Al menos, de momento.

Cuando pitó el final, Langenus tuvo que salir corriendo al *Duilio*. Aunque los uruguayos habían vencido por cuatro goles a dos, él había tomado algunas decisiones controvertidas durante el partido y prefirió no esperar a que los hinchas se tomasen la justicia por su mano. Permaneció encerrado en su camarote durante los dos largos días que el buque estuvo atracado en el puerto por culpa de una espesa niebla que cubría el Río de la Plata. Langenus solo respiró tranquilo cuando el buque, al fin, tomó rumbo a Europa.

En el libro contó muchas otras anécdotas, como el suspenso que obtuvo en el primer examen para sacarse el título de colegiado. No encontró respuesta a dos estrambóticas preguntas. La primera: «Qué hacer si el balón impactaba contra un avión». La segunda: «Cómo hacer que un portero baje del larguero si le da por encaramarse al palo más alto y se niega a continuar jugando».

Los vicegoles de Wenceslao Fernández Flórez (1949)

Wenceslao Fernández Flórez se tomó el tema del deporte con guasa. Solo había que ver a su quijotesco personaje, Héctor Pelegrín, embutido en aquel ridículo jersey rojo de chándal, y con aquellos pantalones cortos que dejaban al descubierto sus escuálidas canillas. Ni siquiera el poblado bigote, al estilo de los viejos *sportmen*, le otorgaba la virilidad necesaria para ganarse el respeto de los alumnos del colegio Ferrán, donde imparte Educación Física.

Wenceslao Fernández publicó *El sistema Pelegrín* en 1949, una historia que combinaba humor y fútbol: como al famoso hidalgo, a Pelegrín se le tuercen todas las aventuras, sobre todo las futbolísticas. A pesar de esforzarse por crear un equipo competitivo con sus alumnos para enfrentarse con otro colegio, el día del crucial partido, una turba enfurecida terminará persiguiéndole por toda la ciudad para afeitarle el bigote. Ha ejercido de árbitro y ha anulado un gol clarísimo al equipo del colegio rival. Y Pelegrín no lleva una pistola en la chaquetilla como Paco Bru para contener a la turba. Entre aventura y desventura, no obstante, Pelegrín reflexiona con acierto sobre el fútbol: «En todo partido hay dos pugnas: la que se ve en el terreno del estadio, con jugadores de carne y hueso [...] y la que no se ve —piensa—. Esta última es la verdaderamente epopéyica y extraordinaria, risible y penosa a un tiempo: la de las almas».

Aunque el fútbol había entrado en la órbita de la novela antes de la guerra (el propio Wenceslao Fernández había publicado *El ladrón de glándulas* en 1929), los intelectuales le dieron la espalda durante el franquismo. La dictadura se apropió del balón y, en los círculos sociales, se miraba con recelo a los escritores que acudían al estadio. No fue su caso. Wenceslao Fernández decidió ir durante una temporada a Chamartín y al Metropolitano para constatar que el fútbol se había convertido en el fenómeno social más importante. A pesar de que lo suyo eran los toros, cambió la plaza por los estadios. Pero cambiarse la camisa no sería tan fácil: «Es peor que el de los toros», escribió sobre el público la primera vez que pisó un estadio. «Es injusto, apasionado, esclavo de sus devociones, intransigente y propenso al insulto y hasta a la agresión», añadió.

Publicó sus disparatadas impresiones en una serie de artículos que después aparecieron reunidos en *De portería a portería*. Explicó el fútbol con la lucidez del que lo ve por primera vez, aunque, como él decía, comentarlo le sobrecargase el encéfalo. No soportaba que le echasen el humo del puro en la cara. No retenía los nombres de los futbolistas. Tampoco distinguía entre escudos o camisetas. Ni tan siquiera entendía la estúpida regla del fuera de juego. Pero tras un par de partidos, se dio cuenta de cuál era la verdadera esencia del juego: «El balón representa una riqueza».

Le enorgullecía haber recibido cartas de futbófilos ingleses que coleccionaban sus textos. Pero ni siquiera los halagos del público influyeron en sus opiniones: «La pasión futbolística es un acento colocado en alguna sílaba de la decadencia de nuestro siglo», aseguró. Con los partidos, Wenceslao Fernández llegó a la conclusión de que los hinchas no acudían al estadio para ver un espectáculo, sino porque necesitaban su ración semanal de goles. Y no solo los hinchas; también las grandes naciones del mundo los necesitaban como el trigo, el caucho, la gasolina o el algodón. Y los futbolistas, como productores de puntapiés, se habían incorporado a una nueva industria que revolucionaría la economía: la del gol.

Pero ¿por qué se pagaba a precio de oro algo «inmaterial o

inaprensible, que apenas consiste en la brusca entrada en la red de una pelota que ni siquiera va a permanecer allí»? Solamente una delgada línea separaba el acierto del error. Había jugadas calcadas que deberían acabar en las mallas, pero, por una azarosa razón que no lograba desentrañar, no subían al marcador. ¿Qué pasaba con los goles que no entraban? ¿Dónde acababan los que se estrellaban contra el travesaño?

La emoción no solo residía en el gol, también en la ocasión perdida, en el balón que salía lamiendo el poste cuando el público, con los brazos en alto y el corazón encendido, ya lo celebraba. Entonces surgían los ayes, se multiplicaban los suspiros, venían las lamentaciones por lo que no fue pero estuvo a escasos milímetros de ser. ¿Adónde iban a parar esos no goles? Wenceslao Fernández nunca encontró una respuesta, pero los bautizó como *vicegoles*: «Este fenómeno carece de denominación propia en el fútbol, y yo tengo un gran placer en condensarlo en una sola palabra, de la que hago regalo para contribuir al esplendor del deporte», escribió.

Wenceslao Fernández siempre prefirió los *vicegoles* a los goles: lo que pudo ser y no fue contenía más poesía que lo que simplemente fue. Los *vicegoles* pertenecían al mundo de la literatura. O quizá fue que se tomó el asunto de los goles con su habitual guasa. Como cuando le preguntaban por la posición que elegiría en un hipotético partido y él contestaba que de guardameta, únicamente por llevar la contraria a los que querían hacer goles.

Josefina Carabias: una mujer en el fútbol (1950)

El relato del fútbol es patriarcal. De la mano, el padre introduce al hijo en un mundo desconocido y lleno de olores inéditos: el césped recién segado, el humo de los puros, la peste a sudor. El niño se adentra en un espacio repleto de nuevas sensaciones: el rugido de la afición, el bochornoso abucheo al contrario, la incomparable sacudida eléctrica del gol. Es el bautismo, la iniciación. El hijo ha ingresado en una nueva etapa vital, pero siempre de la mano del padre. Un relato que, con los años, se ha convertido en uno de los más repetidos en la literatura de fútbol.

Las mujeres que acudían al campo no tuvieron voz hasta que la periodista Josefina Carabias publicó *La mujer en el fútbol*, en 1950, una recopilación de los artículos que había escrito para el periódico *Informaciones*. Además de abogada, locutora, escritora y corresponsal, Carabias era la primera mujer española que desempeñaba, en una redacción, las mismas funciones que sus compañeros masculinos. La primera periodista que vivió de su oficio.

Imitando a Wenceslao Fernández, Carabias también acudió aquella temporada a Chamartín y el Metropolitano. Y también escribió sobre su experiencia. Como a él, a Carabias tampoco le apasionaba demasiado lo que sucedía en el césped: «Si yo dispusiera de un sociólogo de confianza, le pediría que me explicase la razón de que el fútbol apasione tanto a las mujeres», escribió. Enseguida se dio cuenta de que ninguna de las virtudes socialmente atribuidas al género femenino, se encontraban en las gradas. Ni ternura, ni abnegación, ni sentido práctico o económico. Más bien, todo lo contrario: se oían insultos, todo eran egoísmos y la entrada costaba una fortuna. Tampoco había similitudes con los tendidos. A los toros las mujeres acudían con sus mejores galas para lucirse, mientras que al estadio hasta Carabias iba de «trapillo». Para qué arreglarse. Los campos de fútbol no eran lugar para el amor. Los hinchas habían entregado su fidelidad a unos colores, y esos votos eran más sagrados que los del matrimonio.

Aun así, muchas mujeres no resistían el impulso de endomingarse. «Los estadios son los lugares donde se ve un porcentaje mayor de mujeres guapas y distinguidas», anotó. A pesar de pieles y sombreros, aquellas mujeres emperifolladas iban a ver lo que sucedía en el césped, no a que las contemplasen. Llegaban elegantes como si fueran a una conferencia de Ortega y Gasset, pero, dentro del estadio, se transformaban en seres irracionales: «Las mujeres en el fútbol perdemos los estribos como en ningún otro sitio».

Carabias compartió localidad con todo tipo de mujeres y concluyó que todas se comportaban «como legionarios dispuestos a asaltar la trinchera enemiga». Las aficionadas incluso eran más radicales y peligrosas que sus congéneres; pero a la vez tan apasionadas que solían desmayarse en los momentos de tensión. En las gradas se decía que las mujeres habían comenzado a ir al fútbol para controlar a sus maridos, pero terminaron enganchadas a su opio. Ellas también se desahogaban de los problemas domésticos insultando al árbitro. También se desfogaban gritando a los jugadores. Bien mirado, reflexionó Carabias, «el fútbol ayuda mucho a soportar la vida conyugal». La casa podía convertirse en un infierno para sus amas; al regresar del estadio, lo hacían con ánimos renovados para enfrentar una nueva semana. Pero Carabias, con ironía, advertía a las aficionadas que tantos domingos debían conformarse con un insulso empate: «Las amas de casa no debemos añadir a nuestros habituales disgustos domésticos uno más».

Con los partidos, se dio cuenta de que las gradas no eran un sitio seguro. Recibió rodillazos, pisotones, empujones, miradas de odio, codazos a traición. Ni en Chamartín ni en el Metropolitano se fiaban de ella. Unos, porque habían reconocido su foto en la columna de *Informaciones*; otros, porque no creían que su equipo fuese el Arenas de San Pedro F. C. Aun así, Carabias acudió toda la temporada. Y pudo contarlo. Escribió: «Eso es precisamente lo simpático del fútbol, que nunca llega la sangre al río». O casi nunca.

No es necesario entender el fútbol para disfrutarlo como tampoco se precisa saber mucho de fútbol para describirlo bien. Carabias poseía un privilegiado oído que captó el sonido de la grada. Aunque al principio de la temporada había abandonado el estadio sin enterarse de nada, con cada nuevo partido aprendía algo nuevo. «Crea usted que yo sé mucho de fútbol, y todo lo he aprendido, no mirando a los jugadores, sino oyendo a mis vecinos de localidad, que son los que juegan como es debido», confesó.

A los artículos de Josefina Carabias, sin embargo, les faltó la garra que demostró a lo largo de toda su vida en un mundo de hombres. *La mujer en el fútbol* dio voz a las mujeres que poblaban las gradas, pero las caricaturizó en exceso. «En el fútbol me siento un poco Quijote», escribió. Y esa actitud, en el partido entre sexos, podría haberla convertido en la capitana de un equipo necesitado de goles para remontar un resultado muy adverso ya en los primeros minutos.

Un Macondo en las gradas (1950)

Cada uno construimos nuestro propio Macondo, ese lugar donde dar rienda suelta a una alegría incontenible o desatar la furia más destructiva. Y el estadio, en ocasiones, se convierte en el Macondo del hincha del fútbol. Tanto Wenceslao Fernández como Josefina Carabias se dieron cuenta de que, una vez en su interior, el hincha se transforma en otro. El perfume de la hierba, el aullido de la multitud o la luz de los focos lo transfiguran en un ser totalmente diferente. Unas veces, en una bestia que suelta espuma por la boca y vierte su odio entre las butacas. Otras, en un inofensivo soñador que se muerde las uñas buscando en el césped la épica que no encuentra en su triste existencia.

Invariablemente, el espectáculo del fútbol sucede para los hinchas. Los jugadores lo viven en primera persona, pero en realidad solo son marionetas que el destino mueve para deleite del aficionado. Sin embargo, durante doce largos años los aficionados no pudieron disfrutar del mayor espectáculo futbolístico: la Copa del Mundo. Tras el bombardeo alemán en la Segunda Guerra Mundial sobre la asamblea de la FIFA en Luxemburgo, se suspendió el fútbol internacional hasta que finalizase el conflicto. No solo en Europa. Muchos otros países cancelaron sus competiciones domésticas en solidaridad, como Brasil. Y precisamente los brasileños tuvieron la suerte de volver a vibrar con el mejor fútbol del planeta, pues su país fue sede del Mundial de 1950. Tras el horror que había asolado medio mundo, las puertas del Macondo del hincha volvieron a abrirse de par en par.

Ese año, Gabriel García Márquez entró a trabajar en un periódico local de Barranquilla. Y realizó el viaje que marcaría su destino. Con su madre, se desplazó a Aracataca para vender la casa donde había nacido y allí encontró las puertas a su mundo literario. Mientras por su imaginación comenzaban a desfilar los personajes que lo poblarían, García Márquez escribió un corto artículo titulado «El juramento» para el periódico *El Comercio* de Lima. Nunca había sido un gran seguidor del fútbol, pero aquella soleada tarde de junio lo habían invitado a ver un partido y a relatar su bautismo como comentarista balompédico.

En el estadio Romelio Martínez de Barranquilla, se enfrentaban Atlético Junior y Millonarios. Siendo un partido tan sonado, le citaron con antelación. «Confieso que nunca en mi vida he llegado tan temprano a ninguna parte y que de ninguna tampoco he salido tan agotado», arrancaba la crónica. En el césped correteaba Di Stéfano secundado por Pedernera, Aguilera y Rossi, la mejor delantera del fútbol colombiano. Pero aquella tarde apenas pudieron rebasar la medular, y García Márquez definió su juego como «pura retórica». En cambio, no le quitó ojo a un futbolista del equipo rival: «Si los jugadores del Junior no hubieran sido ciertamente jugadores sino escritores, me parece que el maestro Helenio habría sido un extraordinario autor de novelas policiacas», comentó.

El argumento del partido, no obstante, no fue lo que más interesó a Gabo. Al entrar en el estadio, enseguida se percató del cambio que, con una bufanda o una gorra, se operaba en los aficionados. En las gradas se reencontraban con una parte suya que afuera vivía arrinconada. Podían desprenderse del ridículo sin miedo. Ser ellos mismos. Y hasta él consiguió sacudirse el ridículo entre ellos: «No creo haber perdido nada con este irrevocable ingreso que hoy hago públicamente a la santa hermandad de los hinchas», escribió. «Lo único que deseo, ahora, es convertir a alguien», añadió.

No sabemos si, con los años, lo logró; pero sí que descubrió su propio Macondo con sus calles infestadas de gallinazos. García Márquez construyó todo un universo en apenas veinte casuchas. En Macondo, cabía toda la magia del mundo. El hielo y el fuego. Muchos decían que su nombre provenía de una antigua hacienda bananera. Otros, que era una palabra griega que había cruzado todos los mares. Algunos, que solo era el apelativo de un viejo juego de azar. Los locales contaban que, en realidad, aquel era el nombre de un antiguo tipo de árbol que desapareció por la codicia sin límites del hombre.

En sus memorias, *Vivir para contarla,* García Márquez señaló que con solo escuchar aquella palabra regresaba a su infancia, cuando correteaba por una hacienda cercana a su casa donde, en un letrero metálico de color azul, aparecía escrita en letras blancas: Macondo. Cerca, el pequeño Gabo jugaba al fútbol: «Empezamos a jugar con pelotas de trapo y alcancé a ser un buen portero, pero cuando pasamos a balón de reglamento sufrí un golpe en el estómago con un tiro tan potente que hasta allí llegaron mis ínfulas».

Antes del pelotazo, en las polvorientas callejas de Aracataca, mientras el balón no acechaba su portería, Gabo soñaba con jugar en el Atlético Junior. No podía imaginar que le esperaban cien años de soledad frente al papel en blanco. Su Macondo no se podía encerrar en el área. Ni tampoco cabía en el más grande de los estadios. El juramento de su vida lo haría con la literatura, no con una pelota de trapo.

Las botas de Zarra y los cojones de Pahíño (1950)

Dentro del estadio, el vestuario es un santuario para los futbolistas. Sus cuatro paredes custodian secretos que muchos domingos cambian el destino de un partido. Funciona a modo de cuartel: los soldados escuchan la táctica de su general para vencer en la batalla que se librará sobre el césped. Y también como trinchera: tras luchar frente a miles de espectadores, los jugadores encuentran en el vestuario un lugar donde dar rienda suelta a su alegría o esconder su triste desnudez en el impenetrable vaho de las duchas.

El general Gómez Zamalloa, sin embargo, abrió la puerta del vestuario de la selección española sin llamar. Dentro, los futbolistas se preparaban para la segunda mitad contra Suiza. Ganaban 1-2. Mientras un puñado de militares se apostaba en la puerta, el general Gómez Zamalloa se aclaró la garganta. Tenía un mensaje para los jugadores: había que dejar el pabellón patrio alto, defender el escudo con sangre si era necesario, recuperar el espíritu de la furia española. A medida que avanzaba en su discurso, más futbolistas agacharon la cabeza y se miraron las botas embarradas. «Y ahora, muchachos, huevalina y españolía, que el partido no se les puede escapar», finalizó. El general miró a su alrededor satisfecho. El mensaje había calado. Pero cuando se disponía a abandonar el vestuario, vio aquella sonrisa desafiante en la cara de Manuel Fernández Fernández, Pahíño, debutante aquel 20 de junio de 1948.

La frase pasó a la historia como «cojones y españolía», más acorde con la figura de un general dirigiéndose a unos futbolistas en la intimidad de un vestuario. Viendo el resultado final, no surtió el efecto deseado. La selección española perdió su ventaja y fue Pahíño, saliendo del banquillo, quien marcó el gol definitivo del empate a tres. Y no precisamente porque le hubiera impresionado la perorata del general. Siempre le había sobrado huevalina. Tres años antes había disputado un partido de ascenso a Primera División con el Celta. Tras marcar dos goles, una brutal entrada de González le partió el peroné en dos. Le vendaron en la banda. Cojeando, aguantó toda la segunda parte. Cuando le quitaron el vendaje, la tibia le llegaba hasta la planta del pie. «Así se juega: con dos cojones», le decían en Vigo.

También tenía cabeza. Y la usaba: leía. Siempre le acompañaba un libro en los largos desplazamientos en autobús por las maltrechas carreteras españolas. No le interesaban las partidas de cartas ni las bromas estúpidas o los chistes verdes. Pahíño leía, a pesar de las críticas de algunos cronistas que le reprochaban que se dejase de cuentos y usase la cabeza para lo que mejor se le daba: marcar goles. Él leía. Había que tenerlos bien puestos para leer siendo futbolista. Pero sobre todo para leer al rojo de Tolstói o al satánico Dostoievski.

En aquella concentración de junio de 1948, Pahíño volvió a disfrutar de unos minutos contra Bélgica. Y volvió a marcar. No era una sorpresa: esa temporada se había proclamado pichichi en la Liga. Lo sorprendente fue que solo volvería a vestir la roja una vez más, siete años después. Dicen que Gómez Zamalloa nunca le perdonó que tuviera cojones para sonreír con ironía tras su arenga en el vestuario. Sea como fuere, aunque el régimen intentase silenciar sus goles, el poeta Pedro de Miranda los consagró en su «Romance a Pahíño»: «Al balón le nacen alas / en las botas de Pahíño; / salen chispas de la hierba / y fuego del graderío. / Chamartín, puesto en pie, / vitorea con delirio, / y después en el café / o en la calle, en los corrillos / solo se habla de una cosa; / los remates de Pahíño».

En cafés y corrillos sorprendió que su nombre no apareciese en la lista de convocados para el Mundial de 1950 en Brasil. Durante días, la ausencia del goleador merengue fue la comidilla en periódicos, tascas y plazas. Pero el fútbol es desmemoriado y, cuando Telmo Zarra marcó el gol de la victoria contra los ingleses en la fase de clasificación, nadie se acordó de Pahíño. España había eliminado a los maestros en su primera participación mundialista. Una victoria que engendró otra frase para la historia: «Al mejor caudillo de España», atronó la voz de Armando Muñoz Calero, presidente de la Federación, en Radio Nacional: «¡Excelencia, hemos vencido a la pérfida Albión!».

En el partido anterior, la selección española había vencido a Chile en Maracaná. La revista *Estadio* publicó una foto de Telmo Zarra en el momento en que driblaba al portero chileno, Livingstone, para marcar el segundo tanto. No fue el más espectacular ni el más importante de aquel Mundial. Comparado con el que había eliminado a los ingleses, aquel gol solo mató un partido que agonizaba. Pero pasó a la historia, y no solo congelado en aquella foto en blanco y negro; el poeta Pedro de Miranda le dedicó el «Romance a las botas de Zarra en el España-Chile de Río de Janeiro», para celebrar todas las alegrías que aquellos botines habían dado a los españoles: «Botas de cordones blancos / y tacos color guitarra / en el ansia de balón quien / detenerlas pensara. / De pronto, cae el balón / muy cerca, a los pies de Zarra; / lo coge y busca de un salto / la portería contraria / encendiendo el graderío / en una queja angustiada».

Los goles de Mario Benedetti (1955)

No todos los goles valen lo mismo. Los hay que abren latas o que cierran partidos. Están los que pertenecen más al que regala el último pase que al que empuja el balón al fondo de la red. O los que salen de pura chiripa. Hay obras de arte que no valen nada y churros que valen más de tres puntos. Algunos han visto incluso goles fantasma. De hecho, existen goles imposibles que, de repente, como por arte de magia, se vuelven posibles. Hay goles que coronan al que los anota y que crucifican al que los recibe. Goles que se olvidan segundos después de festejarse y goles que nunca dejan de celebrarse. Todos únicos, pero con algo en común: vuelven liviano al que los anota y pesan como una losa sobre los hombros del que los recibe.

Mario Benedetti conocía el peso exacto de un gol. Lo aprendió siendo chiquito en los campitos uruguayos del Paso de los Toros, Tacuarembó. Allí eligió el número que marcaría su ventura, el uno, sin saber todavía que pesaba toneladas. Siempre había querido ser golero. No le asustaba la soledad de los confines del área. Sabía que, cuando él recibiera un gol o lo anotase su equipo, los viviría solo, encerrado entre sus líneas de cal. Sin embargo, solo allí era capaz de vencer al asma. El padre del Che le contó en una ocasión que su hijo también había jugado de portero y que dejaba el inhalador junto al palo para recuperar el aliento después de cada estirada. Benedetti sonreía. El asma no pudo marcarles un solo gol ni al poeta ni al guerrillero.

Antes que poeta, no obstante, Benedetti fue hincha de Nacional. En el Paisito, pronto aprendió que no se podía amar la tricolor y no odiar a Peñarol. Ni tampoco lo contrario. Así era la tierra de mate y fútbol donde definió la poesía como el alma del mundo. Sus mejores versos ayudaron a ensanchar las fronteras de su país; pero él se quitaba mérito: «Gracias al fútbol —solía decir—, a los uruguayos nos conocieron en el mundo».

Cuando tenía cuatro años, Uruguay había ganado su primer oro olímpico en París. Cuando cumplió ocho, el segundo en Ámsterdam. Hasta que no llegó a los treinta, no volvió a vivir otra gran victoria de los suyos. El Maracanazo revolucionó el país. Habían vencido al dragón más temible en su propia guarida. Pero Benedetti no se quitaba de la cabeza al arquero brasileño. Sabía que aquel gol había cargado a Moacir Barbosa con una cruz de por vida. Si Obdulio Varela salió a beber y a llorar con los brasileños tras aquella final, Benedetti se compadeció de su compañero de oficio bajo palos toda la vida. Aquel era el peso exacto de un gol.

Afirmaba Alejandro Apo que con Benedetti había arrancado la tradición del cuento de fútbol. Escribió dos, ambos sobre la misma obsesión: el gol. El primero, *Puntero izquierdo*, apareció en la revista *Número* en marzo de 1955. Su protagonista juega en la izquierda, no solo en el campo, también en la vida: es un obrero disconforme que se queja sin miedo al patrón. «Hay que estar en el pastito, allí te olvidás de todo —dice—. Te viene una cosa de adentro y tenés que llevar la redonda.» Sus goles son una forma de vengarse de las patadas que los mandamases le propinan en la fábrica. El final del relato demuestra que un gol no tiene precio, como tampoco lo tiene la libertad de un hombre o la de un escritor al elegir sus palabras. Quizás eso pensó Benedetti cuando recibió críticas por haber utilizado el fútbol como tema de su cuento.

Otros, en cambio, consideraron el monólogo de aquel obrero del gol como el nacimiento de la literatura balompédica latinoamericana. Aun así, Benedetti tardó más de tres décadas en publicar otro relato de fútbol. *El césped* apareció en los noventa. Tanto el autor como el fútbol habían cambiado mucho con respecto al cuento anterior, pero la obsesión por el gol seguía intacta. En este relato, un gol rompe el lazo de amistad que el fútbol había trenzado entre los dos protagonistas: Benja, un ocho letal, y el arquero Martín, que sueña con jugar en un club europeo grande. Sus destinos se dirimen sobre un césped liso, regular, aterciopelado. En las últimas líneas del cuento, la pregunta de Benja resuena en el estadio vacío: «¿Cómo podré entrar de nuevo en una cancha?».

Benedetti sabía que el fútbol ayudaba a los trabajadores a transferir la rabia de la semana en el árbitro, en una jugada polémica o en sus propios jugadores, y el lunes volver a la fábrica o la refinería o cualquier otro laburo con menos peso en la espalda. Aunque, en su opinión, aquella liberación no era un gol, sino más bien una ocasión desperdiciada: «Para decirlo en términos futboleros —resumió—, una violencia que tiene permiso para rozar el travesaño, pero que obligatoriamente debe salir desviada».

Dudaba de que el fútbol igualara socialmente. Cuando el árbitro señalaba el final del partido, el hincha abandonaba el estadio afónico y volvía a la injusta realidad sin voz para protestar donde de verdad era necesario. Por eso era tan importante entender que no todos los goles valían lo mismo. Dependiendo del estadio donde se marcaban, tenían un valor u otro. Un peso u otro.

El poético autogol de Rafael Fernández Shaw (1955)

No todo en el fútbol son grandes goles. Si uno ha visto los suficientes partidos, es fácil darse cuenta de que no todas las jugadas riman como los versos de un poema ni todos los pases llegan a las botas del compañero. Un ridículo resbalón puede tumbar al defensa más corpulento en el momento más inoportuno. O los guantes del portero, ante un disparo blando y centrado, derretirse incomprensiblemente como mantequilla caliente para que el balón se deslice hasta el fondo de las mallas. En esos casos, el destino de los futbolistas parecía haberse decidido antes de que el colegiado pitase el inicio del partido, muy lejos del césped.

El poeta Rafael Fernández Shaw lo sabía bien. Nunca olvidaría el primer gran tropezón del fútbol español. Aquel día entendió que los futbolistas solo eran hombres que saltaban al campo a dejarse el alma, a pesar de que, en muchos partidos, su destino, como el de los antiguos héroes griegos, parecía predeterminado. Así le había ocurrido a la selección española en los Juegos Olímpicos de París, en 1924. Partía como favorita tras la plata de Amberes. Bajo palos, contaba con el imbatible Ricardo Zamora. Y en el campo, con la incombustible furia roja. Del banquillo se encargaban Parages y Pentland. El rival en la ronda preliminar, Italia, no asustaba demasiado. Más de veinticinco mil espectadores abarrotaron el Estadio Olímpico de Colombes aquel 25 de mayo, esperando celebrar una victoria de los vigentes subcampeones olímpicos.

Durante la primera parte, los españoles dominaron el juego. Se llegó al descanso sin goles. Rafael Fernández Shaw quizá pensó que, a pesar de la ausencia de goles, Zamora apenas se había embarrado las rodilleras. Al poco de arrancar la segunda mitad, comenzó a llover con fuerza. La lluvia empapó las camisetas de los futbolistas y con el paso de los minutos convirtió el campo en un barrizal. Pero las malas noticias no vinieron de las nubes que encapotaban el cielo parisino, sino de las decisiones arbitrales del colegiado francés Slawick, que expulsó injustamente a Lazarra por un forcejeo.

En superioridad numérica, los italianos adelantaron líneas. Zamora se ajustó los guantes y dio instrucciones a sus defensas para que se preparasen para la tormenta de ocasiones que se avecinaba. Con varias intervenciones memorables, el portero español sostuvo el empate hasta escasos minutos del final. El milagro parecía cumplido cuando, en un contraataque, Baloncieri apuró la banda y lanzó un centro raso al área.

Rafael Vallana, aquel día capitán, desvió lo justo el balón, con tan mala fortuna que lo alojó en su propia portería.

Cuando el árbitro señaló el final, la selección española cayó eliminada con el primer autogol de su historia. Un gol en propia portería que, además de la eliminación, supuso el final de su adolescencia: Rafael Fernández Shaw tenía diecinueve años cuando su tocayo Vallana se lamentaba por su error sobre el barro de Colombes. Sin embargo, el fútbol, como la vida, siempre concede una ocasión para redimirse. El héroe siempre puede cambiar su destino, debió de pensar Rafael Fernández Shaw cuando, cuatro años después, vio a Vallana participando en los Juegos Olímpicos de Ámsterdam. Su tocayo se había convertido en el primer futbolista español que competía en tres ediciones consecutivas; pero ninguna de sus actuaciones pudo borrar aquel desastroso autogol de Colombes.

Todo error tiene su belleza. Ningún poeta hasta el momento parecía haber sabido leer la victoria que se esconde detrás de la derrota. Todos habían cantado a la épica de la jugada extraordinaria, al gol espectacular, a la parada imposible. Rafael Fernández Shaw, en cambio, le cantó a la cara más amarga del fútbol en el poema «Autogol de Vallana». Encerró sus seis versos entre paréntesis porque, de los goles en propia meta, los futbolistas hablan con miradas, gestos y lamentos; sin palabras: «(¡Ay! Qué amargura la derrota / cuando el gol fue culpa de él. / La amargura de Vallana / en tal trance, digna fue / del varón más engreído / que en el mundo pudo haber).»

El poema apareció en 1955 dentro de la recopilación titulada *Fútbol. Versos.* Quién sabe si Rafael Fernández Shaw lo publicó ese año para paliar con poesía el nuevo batacazo de la selección española. El año anterior, la furia española se había quedado fuera de un Mundial por primera vez en su historia. «En la tarde deportiva, / sobre el césped siempre verde /, la pasión por la victoria / pone un tinte bermellón», había escrito Rafael Fernández Shaw.

España no pondría su tinte bermellón en Suiza. Tras tres partidos de clasificación frente a Turquía, que acabaron con una victoria para cada uno y un empate, la FIFA organizó un sorteo para dilucidar qué selección se clasificaba. Franco Gemma, un niño italiano, fue designado como mano inocente.

Solo había dos papeles. Y la mano inocente no sacó el de España. Así eran las cosas del fútbol: en ocasiones, su destino se decidía lejísimos del césped.

Las cosas del fútbol de Cossío y Hernández Coronado (1955)

José María de Cossío diferenciaba entre ver fútbol y ver a su equipo. La edad le había enseñado a paladear el juego sin dejarse arrastrar por pasiones mundanas. Fue un hincha ecléctico. Desde pequeño, había sido socio del Racing de Santander. Siendo joven, había militado como seguidor del F. C. Barcelona por su estrecha amistad con Samitier. En plena madurez, se hizo socio del Real Madrid y del Atlético para asegurarse su dosis dominical de balón mientras residiese en la capital.

Tampoco eligió un bando cuando, en los cincuenta, el mundo del fútbol se polarizó. De una manga, le tironeaban los románticos defensores del deporte frente al negocio. De la otra, los que apoyaban sin reparos el rentabilísimo espectáculo de masas. Cossío hizo oídos sordos a ambos. Su experiencia le dictaba que, en este tipo de conflictos, lo sustancial se hallaba en las soluciones sanchopancescas: «En la disputa sobre si el yelmo de Mambrino era yelmo o bacía de barbero, [Sancho] optó por calificarle de baci-yelmo», solía ejemplificar. Y para mediar entre románticos y materialistas, él propuso una solución similar: el *depor-espectáculo*. Y todos contentos.

A pesar de sus decisiones eclécticas, a Cossío no le convenció la que adoptó la Dictadura en temas futbolísticos. Nunca congenió con el *nacional-futbolismo*. Le repelía el nacionalismo exacerbado con que los cronistas del franquismo narraban los partidos internacionales: «Quiere convencérsenos de que en tal puro juego se ventilan la superioridad de la raza y se compromete el porvenir físico de la juventud de la nación», escribió; pero, en su opinión, ni la nación se jugaba su honor en un simple partido ni un jugador podía representar el orgullo de la patria. En el césped, se jugaba a un juego serio que, «precisamente por serlo, requiere seriedad dentro de sus propias leyes». Punto pelota.

Su colega Pablo Hernández Coronado compartía su opinión. En 1955, le pidió que prologara su libro *Las cosas del fútbol.* Cossío habló del *depor-espectáculo* y se preguntó por el efecto que producirían sus quijotescas ideas en futuras generaciones: «Acaso se sonrían juzgando nuestra pasión mínima y nuestros cómicos arrebatos futbolísticos como leve sarampión que en su progreso habrá llegado tal vez a constituir un peligro para la salud pública», aventuró.

Hernández Coronado tenía ese conocimiento especial que solo poseen los que han clavado los tacos en la hierba. Había defendido la portería del Stadium y la de la Real Sociedad Gimnástica hasta que, en 1919, fichó por el Madrid F. C. Ese año, se proclamaron campeones regionales con él como capitán. Su nombre estuvo incluido en la preselección de Paco Bru para viajar a Amberes, pero Zamora y Eizaguirre le quitaron el sitio. Esa temporada, con veinticuatro años, colgó los guantes para dedicarse de lleno a sus estudios de Medicina. Cosas de aquel fútbol.

Pero no se alejó del balón. Ejerció de árbitro (y en Murcia agredió al público). Inventó el puesto de secretario técnico. Trabajó de periodista deportivo, de consejero, de directivo. Y hasta hizo de seleccionador nacional. Solía bromear con que, en su fugaz paso por el banquillo nacional, se había ganado el honor de ser el primero en perder contra Portugal. Tras toda una vida dedicada al fútbol, se sentía «como a uno de esos viejos empleados que conocen al hijo del dueño desde que nació —confesó—, que le han dado lapiceros y capones, y que cuando ya es mayor de edad no saben cómo tratarlo».

De todas las cosas del fútbol, solo la simpleza del balón resistía el paso de los años: «Mientras a los jugadores se les caía el bigote, a los campos les crecía la hierba, los palos de las porterías se redondeaban y las botas se volvían livianas —escribió Hernández Coronado—, el balón, impertérrito, sigue con su peso [...] y su circunferencia». Esa simpleza simbolizaba la tradición y la seriedad del juego. El origen y el final. Y seguía siendo el regalo más demandado a los Reyes Magos. «Apurando el símil, se puede señalar a la manzana como el primer balón y a Adán como el primer futbolista», afirmó.

Todo lo demás había cambiado. El fútbol ya no se podía resumir en la consigna de míster Pentland: «Tirad mucho, fuerte y lo más lejos del portero». Ya no se estilaba invitar al entrenamiento al peatón que devolvía los balones que volaban fuera del estadio. No quedaban presidentes como el de El Escudo, que colocaba una pelota bajo una lámpara y reunía a sus futbolistas el día previo al partido para que visualizasen la victoria en la esfera luminosa. Los jugadores ya no se cambiaban en la taberna más cercana ni se recuperaban de todas las lesiones a base de coñac.

El profesionalismo había enfriado el marcador, el único termómetro fiable para medir la pasión del fútbol. Pero ese debate tampoco le quitaba el sueño. El cambio era inevitable, y solo el tiempo juzgaría si era el correcto. En 1955, el fútbol conservaba «unos dogmas solo superados por la Iglesia romana» y Hernández Coronado se limitaba a verlo crecer como a un hijo, mientras envejecía disfrutando de un partido que ya no era el suyo.

Ya había hecho su trabajo. Como afirmó Cossío, cuando... se escribiera la historia del fútbol español, *Las cosas del fútbol* sería un documento imprescindible para entender su evolución. Los abuelos del fútbol al fin podían disfrutar de un merecido descanso.

Un futbolista, dos novelistas y tres atracadores (1955)

En ocasiones, la vida se compara con un círculo porque redondos son algunos destinos, aunque los caminos hasta alcanzarlos se retuerzan laberínticos. Dedicó el novelista Francisco Candel unas líneas a un abollado campo de fútbol que se formó en Can Tunis a fuerza de pisar la tierra. Contaba que las pelotas «rebotaban cual si fueran lanzadas con efecto, igual que en el billar, marcando tantos complicados, desconcertantes y geométricos». Tres adjetivos que, casualmente, describieron sus inicios como escritor. En 1956, tras años complicados, publicó su primera novela gracias a la desconcertante ayuda de un futbolista. Un año después publicó la segunda, y tuvo que refugiarse en casa de un escritor cuyo apellido tenía mucho de presagio geométrico.

Un círculo. La esfera perfecta. El viaje de la vida.

Candel había visto a Eduardo Manchón correr tras el balón en campos de tierra similares al de su novela. Compartían aula. Sabía que la familia Manchón había llegado a Can Tunis desde Lorca buscando trabajo. Como tantos otros, acabaron viviendo en una barraca en la falda de Montjuïc. Su padre encontró faena como barraquero del campo de Casa Antúnez, el club del barrio. Y a Eduardo, los vecinos lo bautizaron como *el noi del barraquer*. Manchón rompía la cintura de los laterales con el mismo descaro que bailaba con las mozas en la verbena. Y lo fichó el Barcelona. En 1950, frente al Valencia, saltó al campo desde el banquillo y marcó el gol de la victoria. En Can Tunis, todos los vecinos celebraron el glorioso debut con chiquitos y fandangos hasta el amanecer. *El noi del barraquer* había conquistado la pretenciosa ciudad que daba la espalda a las barracas del barrio.

Con los años y los regates, le cambiaron el mote por el Bicicleta, pero la fama no le cambió. Manchón se paseaba por Can Tunis como uno más, charlaba con los vecinos, invitaba a tragos a los viejos amigos. Y telefoneaba periódicamente a Candel. Nadie —ni Candel ni el propio Manchón— imaginaba que 1956 sería su última temporada en el F. C. Barcelona. Ni tampoco que marcaría su gol más literario. Una tarde, el escritor en ciernes y el futbolista consagrado se encontraron por casualidad en el barrio. Tras el apretón de manos, Manchón le preguntó si seguía dibujando: «No, ahora escribo, he acabado una novela», le informó Candel. «Qué dices», se sorprendió el futbolista. «¿Cuándo la publicas?». «¡Ay! Eso... —lamentó Candel—. Sabe Dios si lograré publicarla. No conozco a nadie». «Pues yo sí conozco a un editor —comentó Manchón—. Se llama Janés y a veces baja a vernos al vestuario y nos regala libros. Le hablaré de ti.»

Manchón cumplió su palabra y, en una visita al vestuario del poeta y editor barcelonés, le habló de su vecino escritor. Días después, el hermano de Manchón apareció en el felpudo de Candel. «Oye, que dice mi hermano que te editan la novela», le dijo. Candel corrió a buscar al futbolista a los cines Bohème, y Manchón le confirmó la noticia. Meses después, llegó a las librerías *Hay una juventud que aguarda*, con prólogo de Tomás Salvador. Pero el círculo aún no se había cerrado.

Tomás Salvador sabía mucho de ladrones. Había dedicado media vida a perseguirlos. La otra mitad, se la había entregado a la escritura. Y había aprendido que el escritor, aunque lo camufle con adjetivos, tiene mucho de ladrón de guante blanco:

para engendrar personajes vivos con palabras, debía aprender a robar sigilosamente pedacitos de vida a los demás. En 1955, publicó *Los atracadores,* su sexta novela. Los protagonistas —dos ladrones y un futbolista— forman la banda de Los Corteses: con el TRES, Vidal Ayuste, el Señorito, estudiante de Derecho de familia acomodada; con el DOS, el Compare Cachas, desclasado y repudiado que sobrevive en los bancos de las Glorias; y con el UNO, Chico Ramón, futbolista *amateur* y peón de fábrica.

Los Corteses merodean por los solares de Tierra Negra, detrás del Paralelo, entre maleantes, busconas, ladrones e invertidos. Asustan a vagabundos y viejas, propinan palizas, sorprenden a parejitas. Sus tácticas de ataque, a medida que obtienen victorias en atracos a cines y farmacias, se vuelven más violentas. Igual que el juego de Chico Ramón en el campo con la Asociación Deportiva Carranza de Segunda Regional. Chico Ramón tiene un sueño: que un patrón se fije en él y le fiche como le sucedió a Manchón. Su entrenador, Míster Penalty, sabe que muy pocos lo consiguen. «Hay algo más importante que ganar. Y es jugar. ¿No comprendes la tremenda importancia de esta palabra?», le dice.

De su frustración se aprovecha el Señorito para alejarle del balón y empujarle al mundo del crimen. Le dice que juega bien, pero que para los de su clase social es difícil encontrar un padrino. Que los años jugando en duros campos de tierra le han endurecido los músculos. Que la hierba no es para él. Que ya no tiene edad para adaptarse a los buenos campos.

En uno de tierra como el que describió Candel, se produce el fatídico desenlace que sacude la vida del barrio. Como sacudió Can Tunis la publicación de la segunda novela de Candel, *Donde la ciudad cambia de nombre*. Se formó tal revuelo que muchos vecinos aprendieron a leer solamente para enterarse de qué contaba el libro. Decían que Candel había desvelado los trapos sucios que jamás se airean en público. Sentían que un ladrón de guante blanco les había robado un pedazo de su intimidad.

Y trataron de recuperarla. Algunos esperaron a Candel en la puerta de su casa para zurrarlo. Otros lo insultaban por la calle. Entre unos cuantos incluso decidieron unirse y llevarlo a juicio. A Candel solo le quedó esconderse como un ladrón en la casa de su buen amigo —y policía— Tomás Salvador.

El círculo, al fin, se había cerrado. Aunque a Candel todavía le esperaba una dura batalla judicial para defender su literatura.

Un par de ricardas *en el graderío (1955)*

En fotos antiguas de graderíos, entre una nube de bombines, camisas o boinas, de repente, surge una larga melena, un moño o un recogido. Una flor entre el follaje. La excepción que confirma la regla: desde sus inicios, el estadio se había convertido en el territorio masculino por excelencia. Un coto privado donde solamente las mujeres más valientes se atrevieron a reclamar su espacio. Y las que lo hicieron, en muchos casos, tuvieron que soportar los comentarios despectivos por haber invadido un lugar que no les correspondía.

La famosa tenista Lilí Álvarez había prologado, en 1946, la traducción al español de *Le sport,* de Giraudoux. En el prólogo, titulado «Plenitud», había escrito: «El estadio o la cancha son las puertas por las que se sale al universo». Aunque Lilí Álvarez declaró que nunca había pisado un estadio, Josefina Carabias ya había documentado algunos casos de mujeres que, a principios de los cincuenta, comenzaban a frecuentar los campos de fútbol. La puerta para entrar al universo del balón comenzaba a entreabrirse.

En esa época, el poeta y editor Josep Janés solía bajar a los vestuarios del F. C. Barcelona después de los partidos y entregar libros a los jugadores. También se los llevaba a las concentraciones que hacían en Caldas. ¿Por qué no iban a leer los futbolistas?, se preguntaba el revolucionario editor. Muchas veces, les acompañaban sus hijas y le ayudaban a repartir los libros. Una de ellas, la poetisa Clara Janés, solía recordar que su padre las llevó al fútbol en multitud de ocasiones, no solo en España. Cuando por motivos de trabajo Janés viajaba al extranjero, le gustaba ir a ver un partido porque en el estadio se respiraba la cultura de un país.

Clara Janés, en aquel entonces, seguramente no fue consciente de lo excepcional de aquella situación. Aun así, años después de repartir aquellos libros, les regaló a los jugadores del F. C. Barcelona un poema: «Oración menor, Barça, año 1952»: «Se oyen los nombres / rompiendo el mármol del silencio. / Y aparecen los dioses uniformados, con aura de frescura. / Cuando se mueva el pie, / por planos transparentes, / el mundo entero se pondrá a girar».

Las hermanas Janés, por desgracia, fueron una excepción. Si una mujer comentaba los lances del partido, se exponía a las burlas de los hombres que tenía alrededor. La voz femenina no estaba autorizada en materia de fútbol. ¿Cuántos partidos había visto? ¿Había jugado alguna vez? ¿Qué sabía de la historia del club? Así les sucede a las protagonistas de la comedia *Los maridos engañan después del fútbol* que el dramaturgo Luis Maté estrenó el 2 de agosto de 1955 en el teatro Victoria Eugenia de San Sebastián, y que fue galardonada con el Premio Nacional de Teatro.

Esta aventura deportivo-matrimonial en tres actos transcurre durante la noche de un sábado, tras un derbi madrileño entre el Madrid y el Atlético. Decía Françoise Sagan que el fútbol le recordaba a viejos e intensos amores porque en ningún otro lugar como en el estadio se podía querer u odiar tanto a alguien. Una máxima que se ajusta a la perfección con los dos matrimonios protagonistas: los maridos son hinchas del Real Madrid, mientras que sus esposas son atléticas.

Los cuatro han visto el derbi en el estadio. Pero tras la victoria merengue, discuten y vuelven a casa por separado. Ana y Leonor llegan primero, sin esos «repugnantes merengues». Sus maridos tardan más. Están celebrando la victoria, y sus mujeres saben que seguirán con la fiesta toda la noche. Así es. Al poco llegan Mariano y Perico, eufóricos. Planean salir de fiesta y librarse así de sus cónyuges, que están «insoportables desde que pertenecen a la hinchada del equipo rival». Por supuesto, no toman en serio su afición sino que las consideran dos *ricardas* que no saben discernir lo que es la pelota».

Las *ricardas*, por su parte, quieren darles una lección «que les haga comprender que, aunque somos casadas intachables, somos socias también». Y Leonor aclara: «Rojiblancas, se entiende». Ana, sin embargo, no lo tiene tan claro: si el bruto de Perico se entera de que se ha ido de picos pardos sin su consentimiento, el partido acabará con una roja directa y algunos palos.

Los dos actos finales se enredan en una comedia de engaños y celos. La noche se tuerce, y los dos matrimonios terminan odiándose como vaticinaba Sagan. Pero, como en todo derbi, la sangre no llega al río y las hostilidades acaban con el pitido del árbitro. Al final, Leonor le dice a su marido: «Somos dos hinchas formidables de nuestro amor». A lo que Mariano añade, meloso: «Y nuestro amor es más importante que el Atlético». Leonor, por supuesto, contesta: «Y que el Real Madrid con sus miles de socios».

Decía el exfutbolista Peucelle que el fútbol no era deporte para divorciados, sino que se nutría del amor matrimonial: «La pelota, entre divorciados, se pierde y es difícil recuperarla». Y es que, por muy duro que sea el juego, lo que pasa en el campo en el campo se entierra. Al menos, hasta el próximo partido. Lo mismo sucede en el matrimonio. Al menos, hasta la próxima discusión.

Los muchachos de Álvaro Yunque (1957)

El fútbol siempre ha sido hermano de la miseria. No tiene padre ni madre. Solo hijos. El periodista argentino Dante Panzeri sostenía que los mejores futbolistas nacían en las barriadas más miserables y florecían en las condiciones más adversas. Si tenían que jugar descalzos, valoraban más sus primeras botas. Si el balón botaba en un campo irregular, mejor aprendían a leer los botes. La picaresca de la calle les aguzaba el ingenio para convertir el bordillo en su mejor aliado, y a los baches, en el mejor maestro.

Según Dante Panzeri, los futbolistas de baja extracción social con vidas desordenadas, una educación insuficiente y familias desestructuradas, cuando saltaban al campo tenían más capacidad de improvisar. Rompían los esquemas con facilidad. Nunca se fiaban de los cálculos exactos. No admitían las reglas. «El muchacho de la calle —afirmó— está en constante entrenamiento para el fútbol en su constante necesidad de esquivar los riesgos y las leyes de la vida propias del libertinaje callejero.»

Quedaba apenas un año para que la teoría de Panzeri se cumpliese con la irrupción del mejor futbolista del mundo hasta el momento; pero antes apareció uno más literario: Aldo, el protagonista de *Muchachos del sur*, novela que el argentino

Álvaro Yunque publicó en 1957. Nada más llegar al barrio de Siete Ombúes, a las afueras de Buenos Aires, el pequeño Aldo sale a la calle y ve «algo magnético, algo que le atrae: un campo de fútbol». En realidad, es un polvoriento potrero donde resuenan los botes de un balón desinflado, los chillidos de unos cuantos pibes y alguna patada a destiempo.

Juegan Racing de Siete Ombúes contra River Club Laureles. Los locales, con uno menos. En el descanso, Aldo les pide jugar con ellos; pero le dicen que no. Resignado, se sienta en la banda a ver el partido que, a los pocos minutos de reanudarse, termina a palos. Suspira. Y se queda mirando la olvidada pelota que, «tranquilamente, parece reírse de aquellos que tanto la han martirizado y que ahora toman sus cabezas por pelotas».

Cuando acaba la pelea, vuelve a acercarse. Les dice que han jugado mal porque ninguno defendía su posición. También que el capitán debe ser el que mejor juega. Y les recrimina haberse pegado: eso no es juego limpio. Tambor, el forzudo capitán, le planta cara. Los puños son su manera de solucionarlo todo. Pero Aldo lo tumba en dos golpes. Entonces, todos le prestan atención. Y se presentan: Flauta, Tarro, Cuatrojos, Facón, Gol, Patas Negras, Bocha, Sandía, Carozo, Grasa. Y María Garilari, la Chinche, «una machona», «la mascota del club».

Lo admiten en su equipo. Y ese día cambian el nombre del equipo: se llamarán Muchachos del Sur. Tienen doce años, pero aparentan el doble porque los han vivido en la calle, en un mundo de ladrones, borrachos, maltratadores. Algunos son huérfanos. Casi todos trabajan en lo que pueden. Todo es violencia y miedo a su alrededor. Los padres los amenazan si no cumplen con su faena. Las madres, si se portan mal. El profesor, si no se saben la lección. Solo el fútbol, «ese juego de gente baja», les enseña otros valores y mantiene vivo al niño que llevan dentro.

Tienen una regla sagrada: «No siempre se dispone de una pelota de fútbol, ni de una cancha; pero habiendo dos muchachos, cuando menos, es imprescindible jugar al fútbol». Una pelota desinflada, una calle, dos muchachos: el picado puede comenzar.

El viejo profesor ABC les explica que el fútbol, «como algunas danzas salvajes, constituye una guerra en pequeño». Ellos luchan en sus partidos. También en sus vidas. Crecer duele. Más cuanto más se crece. Por eso ABC alimenta el único sueño que aún les ilusiona cumplir: «Algún día tal vez se hable de Muchachos del Sur, el club de ustedes, como hoy se habla de Boca o Racing —les dice—. Todo lo grande nace humildemente».

Las desgracias de los pobres, sin embargo, nunca vienen solas. Se multiplican como pulgas. Y el partido que deben enfrentar los Muchachos del Sur se complica. Un accidente y una mudanza amenazan con desmantelar el equipo. Despedirse duele. Más, cuando puede que sea para siempre. Pero los Muchachos del Sur, gracias al fútbol, siguen soñando que «por esas calles y esos huecos patean pelotas de papel o de trapo los futuros campeones internacionales».

Un sueño que cumplió un futbolista elegido al año siguiente. Cuando Edson Arantes do Nascimiento llegó a este mundo, se hizo la luz en el estado de Minas Gerais. Sus padres lo bautizaron en honor del inventor de la bombilla. Todavía no sabían que aquel niño deslumbraría al mundo diecisiete años y doscientos treinta y nueve días después. Ya nadie le llamaría como aquel inventor, sino Pelé. Su gol en los cuartos de final del Mundial de Suecia ante Gales lo convirtió en el futbolista más joven de la historia en anotar en una Copa del Mundo. Era el 19 de junio de 1958.

El poeta Horacio Ferrer cantó: «La luna / era una vela en la favela. / Y él arrorró oscuro, / el coro/ de aquella hambruna, / donde se horneara el fútbol y los shoros / en estado puro». En todos los potreros, descampados, picados y campitos; en todas las callejas y plazas, niños como los Muchachos del Sur soñaron desde entonces con vestir una camiseta amarilla con el número diez que lucía Pelé en la espalda.

Albert Camus, el futbolista rebelde (1960)

El 4 de enero de 1960, el automóvil que conducía Albert Camus se estrelló contra un árbol a las afueras de París. Camus falleció en el acto. Entre los hierros retorcidos del coche, la policía encontró un maletín negro. Contenía varias cartas, su pasaporte, un pequeño diario y un manuscrito de ciento cuarenta y cuatro páginas escrito de su puño y letra. Era lo último que había escrito el premio Nobel de 1957.

El manuscrito se puso en manos de especialistas, pero las palabras se sucedían sin puntuación que las dominase ni párrafos que las ordenasen. Se mantuvo indescifrable hasta que, treinta y cuatro años después, su hija facilitó otro manuscrito inédito con el que los expertos pudieron preparar la edición de la novela póstuma, *El primer hombre*. El inesperado accidente solo había permitido a Camus recrear su infancia, aunque la estructura del texto dejaba entrever unas intenciones de mayor calado. Así lo había afirmado en una de sus últimas entrevistas: con el premio Nobel, aseguró, su carrera literaria solo acababa de comenzar.

En *El primer hombre*, el hombre rebelde volvió al niño para contarse: solo conociendo las raíces más profundas comprendería por qué se quebraban las ramas. Camus había sido un niño al que la Gran Guerra arrebató la figura paterna. Los pobres —escribió— no tienen historia; simplemente sobreviven entre guerras y revoluciones. La suya fue la de un niño sin dios en que creer. Vivió con su madre, muda y analfabeta, que cosía y fregaba primero para los demás y después para los suyos. Creció sin el calor de los libros, con el vergajo de la abuela como educación. Lo mismo que Jacques Cormery, su *alter ego* en la novela: un niño que hace de la calle su escuela, y del fútbol, su mejor amigo. Y que, como él, juega de portero.

En sus anteriores novelas, el fútbol había aparecido como un chispazo de luz en la oscuridad. En *La peste*, González evoca el olor del vestuario, las tribunas atestadas de hinchas y las coloridas camisetas mientras patea una piedra. Es un loco del balón: ve porterías en las alcantarillas o escupe las colillas hacia el zapato para patearlas. En *La caída*, Jean Bauptiste Clamence afirma en mitad de su desesperanzado monólogo: «No hay lugar en el mundo donde un hombre pueda sentirse más contento que en un estadio de fútbol».

Sin embargo, estas pinceladas no eran nada en comparación con el lienzo que Camus había planificado para *El primer hombre*. Desafortunadamente, el accidente interrumpió la narración justo cuando su *alter ego* encuentra su lugar en el campo: «Aquel adolescente flaco y musculoso, de pelo revuelto y mirada exaltada —escribió Camus—, acababa de ser designado portero titular del equipo del liceo». El fútbol le había enseñado mucho, y Camus quiso devolverle algo. Tras concedérsele el Nobel en 1957, publicó en la revista *France Football* una breve carta donde habló de los mimbres que trenzaban un equipo, de las noches sin dormir antes de los partidos, de las lágrimas de la derrota. Se sentía en deuda con el balón: «Después de muchos años en el mundo —confesó—, lo que más sé, a la larga, acerca de la moral y de las obligaciones del hombre, se lo debo al fútbol». La declaración de amor de Camus, como tantas otras de sus sentencias, dio la vuelta al mundo.

Cuando publicó aquella carta, seguramente ya había comenzado la redacción de *El primer hombre*. Jacques Cormery, como él, aprendió en la escuela a intuir por dónde vendrían las tarascadas del rival. El fútbol era el maestro en el patio, un segundo padre en la calle. Bajo la sombra del larguero, Camus encontró las bases donde edificar su filosofía: la importancia del «yo». En el vestuario, junto a los compañeros, comprendió la necesidad del «nosotros» para vencer al «ellos». Con los partidos, entendió que ese «nosotros» no se completaba sin «ellos». Sin el delantero que trataba de perforar su portería, no podía entenderse a sí mismo como portero. Camus había descubierto el mayor secreto del fútbol... y de la vida: el «yo» solo lograría victorias importantes contra «ellos» si aprendía a difuminarse en el «nosotros».

En *El primer hombre*, Camus desveló por qué se hizo portero. «En el patio de juegos, era el rey del fútbol —escribió—. Pero ese reino estaba vedado. Porque el patio era de cemento y las suelas se le gastaban con tanta rapidez que la abuela le había prohibido jugar.» Para evitar el vergajo, fijó clavos en las suelas. La pasión vencía al miedo. El fútbol le había coronado como rey del patio, y después le había convertido en el futbolista rebelde: la única manera de jugar en un mundo sin libertad era ser absolutamente libre, y que su existencia en sí misma fuese un acto de rebelión.

Lo que no pudo contar en *El primer hombre* es que, en 1930, el equipo júnior del Racing Universitario de Argel tenía como guardameta a un estudiante de bachillerato llamado Albert Camus. Meses después, aquel portero sufrió los primeros síntomas de una tuberculosis y tuvo que colgar los guantes. Pero nunca olvidó la portería donde había sido inocente. El estadio donde había sido feliz. «Si volviera a nacer y me dieran a elegir entre escritor y futbolista, elegiría lo segundo», dijo Camus poco antes del fatídico accidente.

El **fóbal** *de Ernesto Sabato (1961)*

El fútbol es una narración que ordena la vida. Es fácil recordar cuál fue el primer balón que se pateó, cómo se hizo el primer gol, dónde estaba uno cuando su club ganó la primera liga. A Ernesto Sabato le había atraído desde la infancia con la fuerza incontrolable de los delirios. Había llegado a jugar en Estudiantes de la Plata, aunque solía decir que aquello había sucedido muchísimo tiempo atrás, en una época en la que a él le gustaba llamarlo *fóbal* porque aquel deporte ya no era cosa de ingleses.

La narración de su *fóbal* comenzaba en los años treinta, cuando estudiaba Física en la Universidad de la Plata. Siempre que las clases se lo permitían, Sabato se acercaba a la cancha a ver los entrenamientos de Estudiantes. «Era una maravilla ver jugar a aquel equipo encabezado por Nolo Ferreira, que era el maestro, con esas camisetas blancas y rojas de seda que lucían preciosas», solía recordar.

Muchas veces pensó en aquellos años universitarios mientras escribía *Sobre héroes y tumbas*. Nunca se había considerado un escritor profesional. Le horrorizaba pensar en publicar una novela por año. Entendía su relación con la literatura como un soldado con su ejército: con pasión, con amor, con odio. Muchas noches, tras horas de febril escritura, quemaba todo lo escrito cuando despuntaba el sol. El manuscrito de *Sobre héroes y tumbas* también hubiera alimentado las llamas de no ser porque, en el último momento, su mujer le convenció para que no lo arrojase al fuego. Ella había leído fragmentos. El libro reflejaba con fidelidad el pasado y el presente de su país. A ella misma. Aquellas historias narraban la construcción de un país. Explicaban el carácter de un pueblo. No merecían convertirse en cenizas.

Sabato salvó el manuscrito de las llamas, y *Sobre héroes y tumbas* terminó publicándose en 1961. Entre los muchos capítulos, había uno dedicado al fútbol: «Fútbol del grande». El relato transcurre en un café donde tres amigos charlan sobre cómo ha cambiado el fútbol desde los románticos tiempos *amateurs*, cuando «no había medalla, solo hambre de gloria», hasta que la llegada del profesionalismo lo había cambiado todo. «¿Qué se podía esperar de jugadores que se compraban y se vendían?», pregunta uno.

Sabato sabía que el fútbol era una narración vital, pero también un espejo: lo mismo que sucedía en las canchas se reproducía fuera de ellas. Los oficios se habían mecanizado al mismo tiempo que se perdía la alegría de jugar. Las empresas, como los clubes, solo buscaban la efectividad. En la nueva sociedad solo tenían cabida los ganadores: «Ahora ya no hay *fóbal*», dice uno de los personajes. Y recuerda con nostalgia los gloriosos tiempos de Tesorieri, Calomino, Seoane. «Al final, pibe, se diga lo que se diga, lo que se persigue en el *fóbal* es el *escore*», sentencia. Así funcionaba el mundo: todo era cuestión de rentabilidad.

Sabato no solo hablaba de *fóbal*, sino de valores convertidos en negocio, de dos modalidades de juego enfrentadas: una virtuosa y bella que no miraba el marcador; otra utilitaria y efectista que solo buscaba un resultado. Uno de los personajes, para ilustrarlo, recuerda una anécdota entre Lalín y Seoane. En un partido —explica—, el primero le puso un gol en bandeja al segundo. Cuando Seoane fue hacia él con los brazos en alto para celebrarlo, Lalín, sin mucho entusiasmo, le dijo que muy bien, pero que no se estaba divirtiendo. «Ahí tenés, si se quiere, todo el problema del *fóbal* criollo», escribió Sabato. El problema de una sociedad construida sobre valores económicos.

Para Sabato, el *fóbal* tenía que ver con la pasión. En una entrevista concedida a *El Gráfico*, contó que, además de pasión, en el fútbol bien jugado se podía encontrar una suerte de belleza artística. Por eso lo disfrutaba. «Hay momentos en el fútbol que se asemejan a pasos de ballet —dijo—, por la armonía de sus movimientos, por la sensibilidad y por el ritmo.» Él había sido un bailarín torpe, de esos que pisan a su pareja, comentó entre risas en el programa radiofónico *Todo con todo afecto*, de Alejandro Apo. Un buen *back* derecho, bregador, incansable, que tuvo la suerte de tener como compañeros a grandes jugadores del club. «Jugué mucho al fútbol, pero fracasó mi carrera como futbolista», dijo.

No así la de novelista. Solamente publicó tres novelas, pero las tres se convirtieron en clásicos. No en vano, Sabato perteneció a ese selecto equipo de escritores para los que no solo contaban los goles, sino la manera de lograrlos.

Dos de sus últimas apariciones en público fueron en un estadio. La primera, a petición del escritor Roberto Fontanarrosa, en el estadio de Rosario Central. Sabato recibió la camiseta de Rosario y un retrato de su admirado Che Guevara. Era noviembre de 2004.

La segunda tuvo lugar en la tribuna de Estudiantes de La Plata. Sabato recibió la camiseta de rayas blancas y rojas que tanto había apreciado en sus años universitarios. Le dio la vuelta para mostrar el número diez de la espalda. Se la echó encima de su elegante chaqueta y saludó. Una cerrada ovación se adueñó del estadio. De repente, se quitó la chaqueta y se puso la camiseta sobre la camisa azul. Volvió a saludar y, ahora sí, el estadio rugió. Los cristales ahumados escondían sus ojos, pero no podían contener la emoción que reflejaba su rostro.

Poco pan y demasiado fútbol (1961)

De niño, Ángel Zúñiga abría un libro y el mundo alrededor desaparecía. Sus hermanos mayores se preguntaban qué aventura podía esconder en sus páginas un libro que fuera más emocionante que las que aguardaban en la calle. Cuando le invitaban a ir con ellos, siempre recibían la misma respuesta: «Ahora no, estoy leyendo». Hasta que, un día, le llevaron a un partido del Espanyol de Zamora, Bosch, Saprisa, Tena y Ventolrà. En sus memorias, Zúñiga contó que le impresionaron los reflejos felinos de Zamora, y aquel despeje con el codo que arrancaba los aplausos de la grada. Pero fue otro el detalle que convirtió al hombre en ídolo: la educación que demostraba cuando, terminado el partido, Zamora se quitaba la gorra y se comportaba como uno más.

Sus hermanos se dieron cuenta de que, en cuanto pisaba el estadio, Zúñiga rompía su aislamiento. Solo había que escucharle relatar los goles de Juan Tena como poemas griegos mientras volvían a casa. Los hermanos decidieron juntar sus ahorros para pagarle el carné de socio del Espanyol. La temporada de 1929,

Zúñiga viajó a Valencia para ver la final de Copa contra el Real Madrid. Nunca olvidaría aquel partido por las veinticinco mil almas que abarrotaban Mestalla, la tormenta que inundó el campo y porque en las torres de Valencia tenían preso al político Sánchez Guerra: la revolución republicana avanzaba.

Su afición por el fútbol, no obstante, no le empujó a abandonar su verdadera pasión. Incluso en las trincheras, donde pasó gran parte de la Guerra Civil, Zúñiga leía. En una librería de la calle Diputación donde llenaba el petate de literatura, solía encontrar a Machado despotricando sobre la poca civilización del ser humano. «¡Tanta tecnología para tan poca alma!», clamaba el poeta. Zúñiga pensaba: «Somos briznas que lleva el aire de un lado a otro, según las circunstancias». Lo que no sabía es que esa máxima marcaría su destino. Al acabar la guerra, logró escapar del ejército nacional, y *La Vanguardia Española* le contrató como corresponsal en Nueva York. El aire le llevaría de un lado a otro hasta completar dos vueltas al mundo.

Por muy lejos que viajase, nunca perdió de vista la situación de su país. Conversando con los españoles que le visitaban, se enteró de que en la posguerra faltaba pan, pero sobraba fútbol. Unos le contaban que se levantaban estadios sobre las ruinas aún humeantes. Otros, que las películas sobre futbolistas abarrotaban los cines. El pan y pelotón de Unamuno era una realidad, aunque tras la guerra hubiese más balones que hogazas. Y así, *Pan y fútbol*, tituló Ángel Zúñiga la novela que publicó en 1961.

Tres décadas después de Montalbán y Chiripi, saltó al campo Jaime Granell, que, como sus antecesores, alcanzó la gloria para después precipitarse en el abismo del olvido. Al igual que su autor, Granell creció en la República, se convirtió en hombre durante la Guerra Civil y vivió la dictadura en el privilegiado palco del futbolista profesional. Las dos mujeres que comparten su vida, Vicenta y Lola, representan las dos Españas que convivían: la de pueblo, pobre y sin estudios, donde solo quedan campos de arroz; y la de ciudad, moderna y adinerada, repleta de campos de fútbol.

Tras anotar cuatro goles a un tercera en su debut con el club del pueblo, Granell ficha por el Valencia. Lo primero que hace es comprarse unos botines por trescientas pesetas. Todavía no hay grandes sueños; solo ganar dinero para aumentar su hacienda de arrozales y casarse con Vicenta. Pero Granell consigue más. Después de una campaña brillante en Valencia, ficha por el Real Madrid. Su presentación crea gran expectación en la capital: «El choque con la realidad le daba continuos motivos para sentirse un héroe nacional».

Esa temporada, ganan todos los partidos. Su idilio extramatrimonial con Lola le motiva. El Madrid bohemio, la literatura, los intelectuales. «Millones de españoles vivían en la mediocridad, mientras unos cuantos triunfaban —escribió Zúñiga—. Él era uno de estos, y el caso era sentirse maestro de sus destinos.» Su carrera culmina con la llamada de la selección para dos amistosos: uno, en Francia, donde brilla; y otro en Roma, donde juega tocado por un golpe en la rodilla. Las ruinas del Coliseo le anticipan su futuro: «Parecía un dios antiguo olvidado entre otros dioses». La representación de *La vida es sueño* a la que acude con Lola lo confirma: «Sueños, los honores; sueños, la fama; sueños, los goces; sueños, la existencia misma». También su carrera, los goles, el dinero. Todo se ha esfumado, excepto los arrozales.

Ángel Zúñiga, con los años, también terminó desengañado del fútbol. Ni su buena amistad con Samitier ni las noches de fiesta con su ídolo de infancia, Ricardo Zamora, en Nueva York; ni tan siquiera los escudos de brillantes que el Espanyol y el F. C. Barcelona le regalaron consiguieron que olvidase la mediocridad de las masas, los partidismos políticos y la decadencia del espectáculo. En sus memorias, recordó una cena con Santiago Bernabéu en el restaurante neoyorquino Four Seasons. Habían pasado siglos desde aquella final de Copa de 1929 que los blancos perdieron con el Espanyol, pero el presidente merengue no había digerido la derrota. Ángel Zúñiga levantó su copa de vino y pidió un brindis por los goles de Padrón y Bosch que les dieron la victoria. La esencia del fútbol resistía en algún rincón del corazón de Zúñiga, como el poso de un buen vino.

Mucho vino y poco fútbol (1964)

En 1964, Luciano Castañón publicó su segunda novela, *Los días como pájaros,* totalmente dedicada al fútbol. La historia seguía el mismo guion que sus predecesoras: narraba la carrera de Ladis desde los primeros partidos en las playas de Gijón hasta alcanzar la Primera División, pero con un ingrediente nuevo: Luciano Castañón había vivido dentro de un vestuario de primera.

La humedad de las casetas. Las carreteras de España en autocar. La envidia de los suplentes. La ira del míster. Los engaños del presidente. Luciano Castañón había conocido de primera mano la intimidad de la profesión más codiciada, y quizá por eso no la idealizó: «No veía lógico que aplaudiesen a un futbolista mediano por una jugada de medio minuto —escribió—, y nada se hiciese al ver el plano estupendo que un delineante trazó en horas de esfuerzo».

Castañón se había hecho futbolista jugando en la playa de Las Arenas. En sus mareas bajas, le habían bautizado futbolísticamente: «¡*Chano*, aquí, aquí!». De la playa saltó al campo del Playino, pasó por el Ezcurdino y fichó por el Olimpia Sport, filial del Sporting, como interior zurdo. Con solo dieciocho años, debutó en Primera División, el 12 de noviembre de 1944, contra el Granada. Vencieron por 3-1 en El Molinón, y Castañón firmó uno de los tantos. Los mejores años de su carrera los vivió en el césped del estadio gijonés; pero las constantes lesiones terminaron alejándolo de la titularidad y borrándolo de la memoria de los aficionados.

En *Los días como pájaros*, Ladis protagoniza una carrera similar a la de Castañón. Y, sin pudor, abre las puertas del vestuario a los lectores. Aunque todos se llenaban la boca con el profesionalismo, los futbolistas fumaban como descosidos, bebían como esponjas o los detenían por disturbios como a cualquier maleante. Y, por supuesto, tenían cientos de mujeres a su alcance: «El sexo, lo sexual, imperaba en sus conversaciones», confiesa Ladis.

El oficio de futbolista tenía un tiempo limitado, y la mayoría solo pensaba en fichar por el equipo que ofreciera más dinero. Mercenarios, sí, pero no más que esos aficionados que solo estaban en los buenos momentos. Ni menos que los presidentes que solo aparecían en las victorias. Aquel mundo, en realidad, era un espejismo. La buena vida, las invitaciones en los bares, los halagos en los periódicos. Todo tenía la misma fecha de caducidad que sus piernas. Y al despertar del sueño comenzaba la pesadilla: «¿Dónde había un sueldo tan grande por tantas horas de vagancia?», se pregunta Ladis.

El gran negocio del fútbol había echado a rodar, pero muchos buitres sobrevolaban el balón. Enchufes en los puestos federativos. Trapicheos entre directivos. Amiguismo entre periodistas. «El fútbol con todo lo que viene detrás —se lamenta Ladis—, las amistades, las sonrisas y el dinero, esto sobre todo, esto que les daba mujeres, vino y ropa.» Había comenzado un partido económico que siempre ganaban los mismos, y que Castañón se negó a jugar. Nunca encajó en ese mundo de aplausos y honores. Tampoco como escritor. Durante su vida acumuló novelas y cuentos en los cajones de su escritorio que ni siquiera intentó publicar.

El 5 de agosto de 1980, Castañón se preparó para leer el pregón conmemorativo del septuagésimo quinto aniversario del Sporting de Gijón. Posiblemente, solo los asistentes de más edad sabían que aquel hombre visiblemente emocionado era Chano. Quizás alguno incluso hubiese jugado con él en la playa y recordó una frase que solía repetir: «¿Vinimos a jugar al fútbol o a matarnos?». Esa temporada, el Sporting había terminado subcampeón tras el Real Madrid, y precisamente contra los blancos disputarían el partido homenaje ante un número de socios sin precedentes: más de veintidós mil. Los que habían crecido con los goles de Quini seguramente no recordasen que, muchos años antes, Chano había defendido ese escudo durante cinco temporadas. Y mucho menos que después había recalado en el Avilés y el Cádiz, hasta que un problema renal había precipitado su retirada en 1953.

Entonces se había centrado en su otra pasión, la literatura. Con toda seguridad, ni un solo asistente al pregón podría haber recitado una única estrofa de los poemas que Castañón publicó en el *Diario de Cádiz* durante sus dos últimos años como futbolista: «Niños, / testarudos o sonrientes, jugáis / moviendo vuestras tiernas piernas de alambre». Poemas sencillos, breves y honestos como había sido su fútbol en la playa de Las Arenas y por la banda de El Molinón.

Hubo saludos, apretones de mano, reencuentros. Después del pregón, la vida siguió rodando como un balón. El Sporting nunca más volvió a estar tan alto en la tabla. Descendió drásticamente el número de socios. El fútbol, como escribiera Castañón, tenía mucho de espejismo. Siete años después del pregón, Castañón falleció. A sus cuatro hijos les llegaron muchas condolencias desde el mundo intelectual. Pocas del mundo del fútbol. El domingo siguiente, los jugadores del Sporting saltaron al campo con brazaletes negros. Jugaban contra el Murcia en El Molinón, el estadio donde Luciano Castañón más había disfrutado los domingos.

Una quiniela del domingo por la tarde (1962)

Un domingo sin quiniela es un domingo sin emoción. El 1 que parecía seguro, al final de la jornada, se ha convertido en un 2 inexplicable. O la X, que ya nadie esperaba, llega en el último minuto para trastocarlo todo. La quiniela contiene la ilusión de toda una semana. Y tiene música. Si se canta lentamente, suena como las antiguas alineaciones plagadas de delanteros que los niños recitaban como bardos de descampado antes de los partidos. Una quiniela contiene hasta destellos de poesía, como demostró Rogelio López Cuenca con un poema titulado así, «Quiniela»:

> Real Madrid – Athletic 1 2
> Racing de Santander – Málaga 1
> Real Betis Balompié – Espanyol 1
> Valladolid – Zaragoza 1 2
> Barcelona – Salamanca 1 2
> Atlético de Madrid – Celta 1
> Sporting de Gijón – Las Palmas 1
> Cartagena – Linares 1 2
> Palencia – Castellón 1 X 2
> Rayo Vallecano – Coruña X
> Tarragona – Erandio X 2
> Lérida – Logroñés 1 X 2
> Barcelona Atlético – Alavés X
> San Sebastián – Baracaldo X 2

Unos dicen que el nombre proviene del *quintus* latino; otros, que hace referencia a un antiguo juego de pelota romano de cinco jugadores. Hay quien afirma que las primeras se jugaron en la pelota vasca durante los partidos de remonte, que disputaban una pareja de pelotaris contra un trío: otro *quintus*. Lo único cierto es que los hermanos González Lavía, dueños del bar Casa Sota, inventaron la quiniela moderna, en Santander.

Con el estreno oficial de la Liga, Manolo, el mayor, preparó el primer boleto y redactó un reglamento para la regulación de premios. Aquello no sería una simple porra entre amigotes, y hasta precintó los boletos. El cómputo se realizaría mediante puntos otorgados por acertar los marcadores exactos o, en su defecto, los más aproximados. El que más obtenía al final de la jornada, ganaba el bote. Sencillo y emocionante, debió de pensar Manolo el 10 de febrero de 1929 mientras cerraba los sobres.

Los apostantes enseguida se dieron cuenta de que aquellos quintos de suerte condimentaban la jornada con una emoción especial. Muchos volvieron a jugar al domingo siguiente, y otros no dejaron de hacerlo en toda la vida. Como el protagonista del cuento *La guardia* que Juan Goytisolo publicó en 1960: un hincha del Málaga, conocido por Quinielas, que permanece encarcelado porque su ilusión de convertirse en millonario con la quiniela lo llevó a cometer varios robos.

El personaje de ficción recuerda a uno real, Julio López Guixot, conocido en los años sesenta como El Asesino de la Quiniela. Tras varios años en la cárcel, Julio descubrió un método para acertar sistemáticamente trece casillas de la quiniela y convenció a varios inversores para que lo avalasen. Arrastró a su amigo Segarra, banquero de profesión, y a sus inversores hasta la bancarrota. Pero Julio ideó un nuevo plan para financiarse: robar al transportista del banco de su amigo Segarra.

El robo se complicó y terminó asesinando al transportista. Mientras la Guardia Civil ataba cabos, Julio se casó con la hermana de Segarra y no paró de apostar, al ritmo de doscientas columnas semanales, hasta que por fin le sonrió la suerte con un premio de ciento veintisiete mil pesetas. Debía cobrarlo en la sede de Murcia o Cartagena. Recoger el premio suponía el arresto; pero, con su mujer del brazo, Julio se presentó en la delegación murciana. Le condenaron, junto con Segarra, a la pena de muerte. Solo él fue ajusticiado por garrote vil, el 22 de julio de 1958.

Este tipo de historias buscaba Ignacio Aldecoa durante los años que ejerció de editor de la colección de relatos de Taurus. Era un observador de lo cotidiano, y aquel sello había nacido con un objetivo: dejar testimonio de la realidad española de los últimos años a través del relato breve. Y la realidad, gustase más o menos, pasaba por el fútbol. Acertar una quiniela era el sueño de todo jornalero; convertirse en futbolista, el de cualquier niño. Aldecoa lo había plasmado en el cuento *Vísperas del silencio*: «A los viejos les sostenía ya solamente la afición y el prestigio de la barriada. A los jóvenes, el deseo de llegar algún día a figuras, ganar dinero y ser populares, con la efigie recortada de cualquier periódico, pegada en las paredes de los bares deportivos de España», escribió.

En 1962, Aldecoa eligió *El domingo por la tarde*, de Rafael García Serrano, como quinto título para la colección. Los doce cuentos narraban desde distintos ángulos las dos pasiones que se repartían las tardes domingueras: los toros y sobre todo el fútbol. A pesar de que Rafael García Serrano se había convertido en una de las plumas emblema del falangismo, Aldecoa buscaba cuentos que atestiguasen lo cotidiano del asueto dominguero, y los de *El domingo por la tarde* lo hacían. Rafael García Serrano, además, aportaba algo nuevo a la literatura deportiva: había recompuesto fielmente algunos de los momentos históricos del fútbol a través de la literatura.

Por sus cuentos desfilan dos jóvenes que acuden, en tiempos de Alfonso XIII, al despacho del ordenanza mayor a formalizar una sociedad deportiva de *football*. Su romanticismo contrasta con las reflexiones de un presidente para negociar traspasos: «No nos convienen hombres de honor, al menos con demasiado honor», le dice a una hermosa jovencita con la que come en un lujoso restaurante.

Los acompañan un aficionado cojo que, rodeado de niños, observa a los jugadores de la selección desde la verja del hotel de concentración; el joven periodista deportivo que, esa tarde, debuta «haciendo la caseta» junto con el mítico Benito, «el Píndaro de los once jugadores locales»; el delantero Toné, que, dependiendo del marcador del domingo, tiene o no bebidas pagadas los lunes; y Juan Domínguez, una vieja gloria que regenta una modesta tienda de deportes cuando todos sus goles se han esfumado, y al que «la tarde dominguera, tan de colorines, le ponía triste».

Algo así debió de sentir el poeta Luis García Montero cuando dedicó el poema «Domingo por la tarde» a todos esas tardes grises que solo el fútbol y la esperanza de acertar quince en la quiniela iluminaban: «No conviene que demos a estas cosas / un valor excesivo. / Son noventa minutos en un vaso de agua. / Pero a mí me han quitado muchas veces la sed».

Un Nobel y once cuentos de fútbol (1963)

«El intelectual debe interesarse por todo lo que está vivo, y el fútbol lo está», sentenció Camilo José Cela el 7 de diciembre de 1963 en la presentación de *Once cuentos de fútbol*. Y añadió, por las dudas: «El fútbol embrutece solo al que ya viene bruto de su casa». Después dio algunas pinceladas sobre los once cuentos que integraban su libro. Que ningún lector esperase un partido tradicional; para eso ya se llenaban decenas de estadios todos los domingos. En sus cuentos, los jugadores bebían ponches de jerez durante el descanso para atinar con más puntería en la segunda mitad. Algunos entristecían como sensibles poetas cuando jugaban lejos de casa. Y a otros les manteaban como a un perro por carnestolendas si fallaban un penalti. Unos y otros, como si de la Biblia se tratase, consultaban los avatares del partido en *La Hoja del Lunes*, «el pasto espiritual que ha de servirles de sustento durante toda la semana».

A todos los que quisiesen saber más sobre su particular visión de la tragicomedia del fútbol, Cela los invitó a leer su libro. En el primer cuento, aparecían los presidentes reunidos en la lonja. Como esclavistas, todos tratan de hacerse con los servicios del codiciado carnero de oro, ese jugador al que conviene cuidar de catarros y lesiones, además de embalsamar para que no se devalúe su precio. «Hay toros con casta, mucha casta, y futbolistas con clase, mucha clase —escribió Cela—. Otros, en cambio, son ganado morucho, carne de matadero, reses de saldo y liquidación.»

Entre los que pueblan sus cuentos, está el extremo izquierdo del Asilo F. C., Exuperancio Expósito, que además de tuerto tiene un garfio, y al que, cuando toca el balón, los árbitros le pitan mano. No en vano, «el de futbolista es un oficio azaroso, de premios y castigos inusuales», puntualizó Cela. Uno de esos castigos es ser un triunfador al que no se le perdona que triunfe porque «la gloria tiene sus exigencias, sus caprichos y sus duros portazgos». Los únicos que pueden alcanzar la gloria son los porteros del Waldertrudis Pucará F. C., Teógenes y Teogonio: uno representa la locura para arriesgar en las salidas, mientras el otro simboliza la sobriedad en el uno contra uno. Jugando a la vez, forman un muro infranqueable que ni el mismísimo Napoleón podría sobrepasar.

Su rocambolesco mundo del balón no solo se redujo a los jugadores. Cela caricaturizó al árbitro como un personaje al que persigue la desgracia. Minervino Caeymaex Cabrilla, alias Gazapo, pita un penalti al equipo de casa y paga su osadía a manos de «esa multitud que ruge, y patalea, y echa espuma por la boca, y pide (indefectiblemente) la cabeza de alguien (por regla general la del árbitro)». Entre esa multitud se mueve el brigadier Sargantanas, demonio que maneja la suerte del 1-X-2 como nadie y, «con su señuelo, recluta almas cándidas para celebrar la cruel hoguera que no cesa». Una de esas almas es la de Victuro Benicolet Cantueso, aficionado que falleció con una quiniela de catorce escondida en un bubón que, curiosamente, tenía las medidas de un balón de reglamento.

Aquellos estrambóticos cuentos no tardaron mucho en traducirse a varios idiomas, pero con los años quedaron relegados a un segundo plano en el conjunto de su vasta obra. En 1989, tras ganar el premio Nobel, Cela fue invitado al Manzanares para realizar el saque de honor. Se enfrentaban Atlético de Madrid y Athletic de Bilbao en el partido que conmemoraba el medio siglo de vida del Atlético Aviación. Cela tenía maña para las patadas desde los años en el colegio Jesuitas de Bellas Vistas de Vigo y en los Escolapios de Madrid. Su padre había fundado El Fortuna, club que se fusionó con el Vigo para crear el Celta. Cela siempre paseó con orgullo su escudo allá donde fue, como contó en su poema «Viaje a USA»: «¡Viva España y La Coruña, / y los pimientos de Padrón! / ¡Que viva el Celta de Vigo / y don Jorge Guasintón!».

Aquella jornada compartió palco con el príncipe Felipe y el presidente colchonero Jesús Gil. Mientras tomaban asiento, Cela bajó las escaleras que conducían al césped. En YouTube puede verse cómo un paracaídas con los colores patrios se abre en lo más alto del estadio y planea como una hoja seca hasta el césped. El aterrizaje se complica en el último momento, el paracaidista trastabilla y cae de morros como si un defensa leñero lo hubiera derribado. Cela contempla la función desde el centro del campo, junto a los dos capitanes, Futre y Garitano, y los tres colegiados.

Después del punterazo y de chocar la mano con los capitanes, se encamina al palco presidencial; pero el jovencísimo periodista Juan Carlos Rivero le aborda con su micrófono en la banda: «¿Qué siente uno cuando cambia la pluma por el balón?», le pregunta. Cela sonríe como un niño con pelota nueva: «Bueno, de una manera transitoria. Estoy muy contento». Juan Carlos Rivero insiste: «De todas formas, no se le suele ver mucho por el fútbol». Cela mira el micrófono y luego al periodista: «No, yo vivo en el campo —contesta—, no vengo mucho por la ciudad».

Mediados los noventa, Francisco Umbral transformó aquel momento en el cuento *El saque de Cela,* que Jorge Valdano recogió en la antología *Cuentos de fútbol 2.* Tanto los cuentos de Cela como las dos antologías de Jorge Valdano consolidaron el género del relato corto futbolero entre el público lector español.

Un novelista, un periodista y un entrenador (1964)

Gonzalo Suárez conocía como nadie a un personaje tan rocambolesco que podría haber protagonizado los surrealistas cuentos de Cela: Helenio Herrera. Tenía quince años cuando el mítico entrenador le llevó por primera vez al palco del Manzanares. El Atlético de Madrid desplegaba el mejor fútbol del país, pero Gonzalo no prestaba atención al juego. «Recuerdo el deslumbramiento de acompañar a un hombre famoso como Helenio», confesó años después. Aquella tarde, no podía imaginar que su nombre y el de Helenio quedarían unidos para siempre.

Herrera le tomó tanto cariño que, con los años, llegó a convertirlo en sus ojos encargándole que espiase las tácticas de los contrarios. No fue el único encargo que le hizo. Cuando los titulares adulaban a otro, Herrera le pedía que le entrevistara para mantener su fama en alza. Por supuesto, él mismo redactaba preguntas y respuestas. La primera vez que Gonzalo Suárez entregó una de aquellas entrevistas en la redacción, no la firmó para no levantar sospechas; pero le exigieron la rúbrica. Le parecía poco profesional hacerlo con su nombre, así que utilizó el apellido de su mujer: Girard. Y se acordó de un colega que, en una ocasión, le había dicho que Martín sonaba a periodista. «Firmé Martín Girard —confesó en *La suela de mis zapatos*—, sin pensar que iba a seguir.»

Pero siguió, y gran parte del camino lo realizó junto con Herrera. Le acompañó en su paso por los banquillos de Atlético, Málaga y Deportivo. Estuvo a su lado cuando le echaron del Sevilla por insultar a la directiva. También en los años dorados en el F. C. Barcelona. Y finalmente en Milán. En la aventura italiana, Suárez vivió en primera persona cómo la filosofía táctica de Herrera revolucionaba el mundo del fútbol. Aunque durante sus años en España había abanderado el juego de ataque, en Italia, Herrera tuvo que adaptarse a un nuevo fútbol. «En el país del *cattenaccio*, crear espacios era esencial», explicó Suárez.

Herrera, además, también le encargó que escribiera sus memorias: *Yo, Helenio*. Pero sin firmarlas. Dicen que Suárez también escribió la colección de cuentos de misterio firmados por el entrenador. Mientras, Martín Girard siguió con sus artículos para las revistas *Dicen* y *Lean*. Entrevistó a los futbolistas más mediáticos, y a todos les arrancó un titular. Pelé le confesó que tenía miedo a que la gente no le perdonase tanta riqueza. Eulogio Martínez, que abandonaba el Barça porque así lo había querido Kubala. Curiosamente, el que más se resistió fue con el que más confianza tuvo: «Los grandes jugadores solo hablan con los pies. De sobra saben que no se marcan goles con la lengua, salvo en propia portería», le dijo Luis Suárez.

Girard fue testigo privilegiado de la metamorfosis del fútbol. Vio cómo Italia se convertía en el primer país que separaba a los aficionados del césped con vallas metálicas. Vivió muy de cerca cómo Herrera apadrinaba una nueva estirpe de entrenadores *showman*. Y husmeó en el oscuro negocio que se jugaba lejos del césped y que tan poco tenía que ver con el auténtico fútbol. «Ni con el césped. Aunque, a veces, fuera verde el dinero», escribió. No solo cambiaba el fútbol, también la manera de entender la escritura, y Girard supo adaptarse con una nueva estética. Su ritual matutino (cruasán recién horneado y un humeante café con leche), con el que arrancaba los artículos reunidos en *La suela de mis zapatos,* dejó huella.

Su intensa andadura periodística, sin embargo, duró poco. Sus zapatos habían traspasado los límites del periodismo, y las suelas acabaron desgastadas. Aun así, muchos periodistas emprendieron el camino tras sus huellas. Él, en cambio, se adentró en uno nuevo. En 1964, publicó la novela *Los once y uno*. Aunque la firmó con su verdadero nombre, no abandonó al personaje que había marcado su vida hasta aquel momento. Una elección innovadora porque giró los focos hacia el entrenador que más los reclamaba: Helenio Herrera. Los futbolistas, hasta entonces héroes sin discusión, tenían que compartir su protagonismo con el maestro que los guiaba en su periplo hacia la gloria.

En la novela, a Hipólito Hernández le ofrecen tres millones de pesetas por dirigir al Club Bañosa —Atlético de Madrid—, cantidad no cobrada hasta entonces por ningún entrenador. En Barataria —España—, domina el señorial Club Central —Real Madrid—, y Hernández ha llegado para terminar con su reinado. Es un *showman* del banquillo, polémico, egocéntrico, manipulador y, al mismo tiempo, genial, inteligente, visionario. Incita a que se soborne a los árbitros, destituye a los médicos que le contradicen, obliga a sus jugadores a tomar estimulantes, se pelea con los aficionados que le increpan, menosprecia a los directivos, no le tiembla el pulso al sentar en el banquillo a Bronko —Kubala—, y hasta le rompe la escayola con una piedra a un jugador lesionado. Ni siquiera Di Paperoni —Di Stéfano— escapa a sus críticas: en su opinión, está gordo y acabado.

Helenio Herrera mandó sobre sus hombres como un despiadado caudillo, pero a la vez convirtió sus plantillas, con los *retiri,* en algo más que un equipo. «Y le apodaron el Mago —escribió Suárez—, y en todas partes le recibían con reverencias, y él se sentía cada vez más grande, y comprendía que había nacido para ser un gran hombre, como Alejandro Magno, Julio César o Napoleón.»

Háblame de fútbol, memoria (1966)

Vladimir Nabokov dirigía a sus defensas con mano de hierro. Fue un Napoleón de la portería. Un Alejandro Magno que conquistó todas las áreas donde clavó sus tacos. Un Julio César bajo palos que jamás dudó de sus decisiones al enfrentarse al delantero. Sin embargo, si vio la final del Mundial de 1966, seguramente lo hizo con el corazón dividido. Había vivido muchos años en Londres y también en Berlín. Había defendido una portería en cada país. Y en las dos había dejado imborrables recuerdos y paradas.

Cuando el derechazo del delantero inglés Geoff Hurst se estrelló contra el larguero de la portería del alemán Hans Tilkowski, botó sobre la línea y salió despedido hacia afuera, es difícil saber si Nabokov lo celebró o no. El inglés Robert Hunt sí que levantó los brazos. Era el más cercano a la portería, el único que había visto la trayectoria del balón de cara. Wembley rugió cuando el árbitro Gottfried Dienst dio por válido el tanto, pero los alemanes protestaron airadamente. Ante tanta queja, Dienst corrió hacia la banda para pedir opinión a su asistente. Tofik Bakharamov también lo dio por válido. Y Wembley volvió a rugir. Corría el minuto ciento uno, en la prórroga.

Aquel controvertido gol fantasma coronó a los maestros como reyes del mundo tras ocho campeonatos. Dejando a un lado los polémicos milímetros, Nabokov aseguraba que la existencia, tanto en el fútbol como en la vida, consistía en eso: un destello de luz entre dos eternidades tenebrosas. Un balón que bota en la línea de gol, sin saberse a ciencia cierta si entró o no. Con esa idea arrancaba el libro de memorias que publicó ese año: *Habla, memoria* era un intento por descubrir ese destello de luz recuperando a *mnemosina*, obligándola a hablar y exigiéndole los detalles que, de otro modo, morirían olvidados en sus rincones. De eso, al fin y al cabo, trataba el oficio de escritor: trasplantar recuerdos para que no se pudran y hacerlos florecer en la página en blanco.

Los dibujos de su madre, las reuniones políticas en el salón de casa de su padre, los pasillos de las enormes casas solariegas donde disfrutaba del verano con sus hermanos, el batallón de criados, nodrizas e institutrices que lo cuidaron, los perros de su padre. Una opulenta infancia lo había mantenido enclaustrado hasta que con once años ingresó en el colegio Tenishev de San Petersburgo. En su patio descubrió la que sería una de sus pasiones, y el lugar que ocuparía en el campo: la portería. «El director de la escuela, que apenas sabía nada de deportes, aunque aprobaba con vehemencia su capacidad de fomentar la sociabilidad, desconfiaba de mi empeño de jugar al fútbol siempre de portero, en lugar de correr detrás de los jugadores», escribió.

No podría ser de otra manera: dime cómo juegas y te diré cómo eres. La soledad del área parecía predestinada para él, pero no fue hasta sus años universitarios en Cambridge, exiliado de Rusia, cuando convirtió sus paradas en poesía. «No sé si habrá algún día alguien que vaya a Cambridge en busca de las huellas que los tacos de mis botas de fútbol dejaron en el negro barro que rodea cierta enorme portería», escribió. Nunca es fácil seguir las huellas de una huida. En la de Nabokov, escribir se convirtió en la única manera de poder volver atrás en el camino.

Los bolcheviques privaron a su familia de su riqueza; pero al joven Vladimir le robaron algo más importante que todo lo material: disfrutar del final de la infancia. Una vez en Londres, ingresó en el Trinity College. Allí comenzó a defender la portería del equipo universitario. Desde pequeño había disfrutado de aficiones solitarias: cazar mariposas, leer, montar en bicicleta. En la universidad, la soledad del escritor y la del portero nunca le abandonaron. Dime cómo eres y te diré cómo escribes.

Con un grito, los defensas le obedecían como a un mariscal. Su excéntrica personalidad encajaba a la perfección entre las líneas del área. La armadura del portero le encajaba como hecha a medida. El sobrio jersey de cuello de cisne, la gorra de visera, las sufridas rodilleras, los guantes asomando por el bolsillo de los pantalones cortos. Se definió como el águila solitaria, el hombre misterioso, el último defensor. El portero al que buscaban todos los fotógrafos cuando volaba hasta la cepa del poste para desviar un disparo ajustado. «Yo no era tanto el guardián de una portería —afirmó—, como el guardián de un secreto.»

La única manera de seguir la estela de un poeta es rastrear sus huellas en su poesía. En *Habla, memoria,* Nabokov contó que los años universitarios fueron muy prolíficos en versos. En algunos dejó constancia de su pasión por el fútbol, como en un poema de 1920 titulado «*Foot-ball*»: «El balón saltaba sin que tú supieras / que uno de los jugadores descuidados, / creaba al atardecer en el silencio / la anatomía de los tiempos olvidados».

También confesó que ni un solo poema lo escribió en la biblioteca. Se jactaba de ni siquiera haberla pisado una sola vez. No necesitaba rodearse de libros para encontrar la armonía. El área encerraba su propia poética. Cuando el partido se jugaba lejos, Nabokov se sentaba contra el poste izquierdo, cerraba los ojos y escuchaba esa poesía mezclada con los sonidos del partido y el intenso olor a césped.

Tras terminar la universidad, se trasladó a Berlín. Allí defendió la portería del Russian Sport Club hasta que, en 1932, al intentar detener un balón, sufrió un aparatoso choque que lo dejó inconsciente. Su mujer, Vera, le convenció de que ya tenía edad para colgar los guantes. Aquella fue su última parada. Por suerte, muchas otras habían quedado retratadas en su memoria como destellos de luz entre dos eternidades tenebrosas.

El inesperado fútbol de Dante Panzeri (1967)

El periodista argentino Dante Panzeri no creía en las etiquetas. Ni existía el fútbol antiguo ni el tan alabado fútbol moderno. Solo había dos tipos de fútbol: el que se jugaba bien y el que se jugaba mal. Y no existía libro ni manual que enseñase a hacerlo bien. Ni siquiera el suyo. «Si el fútbol se pudiera enseñar, las canchas de todo el mundo estarían llenas de jugadores —escribió—. Y bien sabemos que la realidad es muy diferente: están llenas de planes, palabras, publicidad y casi vacías de jugadores.»

Tampoco creía en dietistas, médicos especializados, ayudantes técnicos, espías. Ni mucho menos en esos entrenadores que, como el mitificado Helenio Herrera, se llenaban la boca en las salas de prensa, pero apenas tenían incidencia real en el verdadero juego. Sus tácticas no aportaban nada a la más antigua y efectiva: mover el balón rápido y al primer toque. El resto era dialéctica de visionarios, palabrería barata de periodistas especializados en vender humo, discurso vacío del monstruoso negocio que se había montado alrededor del balón. Desde el primer partido, el juego surgía del choque de los jugadores de un equipo y el rival. Y así seguía: un equipo, el rival y el balón por medio. De mezclar los tres con el azar, resultaba el fútbol.

Panzeri explicó su teoría en el libro *Fútbol. Dinámica de lo inesperado*, publicado en 1967. En esa década, el Inter de Milán de Helenio Herrera dominaba el fútbol europeo con el antifútbol: en vez de crear juego, lo destruía. Panzeri no soportaba sus mesiánicos discursos tácticos alabando un fútbol más moderno, basado en el orden táctico y el físico de los jugadores. Tipos como él eran los peores enemigos del juego. Su palabrería lo castraba. Él tenía una concepción totalmente opuesta: «El fútbol es el más hermoso juego que haya concebido el hombre, y como concepción de juego, es la más perfecta introducción al hombre en la lección humana de la vida cooperativa», escribió.

El excesivo dinero y la seriedad asesinaban la hermosura del juego: lo inesperado, la picardía, el ingenio, la alegría de jugar. Los jugadores saltaban al campo con las piernas agarrotadas de responsabilidades. Cada vez gambeteaban menos. Por culpa de los resultadistas, los partidos se habían convertido en una sucesión de pases de seguridad y movimientos predecibles. Las tácticas encorsetaban la imaginación. No se permitían versos libres en las pizarras. Ya no se jugaba, se trabajaba. Y más, cuantos más billetes forraban el cuero del balón. Por eso los mejores futbolistas procedían de potreros olvidados, polvorientos descampados, partidillos y callejones. Ningún entrenador les enseñaba cómo jugar. Tenían el mejor maestro: el balón que les habían regalado sus madres.

El fútbol no era una ciencia que se pudiera enseñar. Algunos libros ayudaban a mirarlo desde otra perspectiva, pero nada más. Se poseía o no. Lo imprevisto destruía las tácticas, echaba por tierra todos los argumentos, vaciaba de significado las pizarras. Eso era el fútbol: improvisar, ser más pícaro que el rival, tener la suficiente imaginación para ver un hueco donde antes no había nada y la suficiente técnica para poner ahí el balón. «El fútbol se juega con la aceptada ley del derecho del despojo de la herramienta básica del juego», escribió Panzeri. Y había que ser más listo que el rival para despojar y no ser despojado.

El verdadero fútbol no podía mecanizarse. Tampoco se podía normalizar la alegría de jugar. Eso pertenecía al discurso comercial defendido por las garrapatas incrustadas en las piernas de los futbolistas, que querían adaptar el fútbol al progreso de la humanidad convirtiéndolo en un producto manufacturado en cadena, en un espectáculo absurdo, en un *show* carente de significado, «amparado por una prédica periodística de muchos gimnastas de la intelectualización encargados de literaturizar el fútbol».

Panzeri, al contrario, habló con la sencillez del primer toque. Profesionalizando el juego, habían convertido el fútbol en un negocio. Robándole su parte lúdica, lo habían transformado en algo tan serio, científico y profesional que le restaba autenticidad. Lo mismo que la industria, el asfalto y la tecnología habían hecho con la poesía. «El fútbol que quiere ser serio se ha olvidado de que el negocio serio de un juego alegre no puede subsistir donde el juego sea suplido por la angustia del negocio», escribió Panzeri.

El futbolista corría más y la pelota menos cuando en realidad la velocidad del fútbol dependía de la mente y no de los músculos. Se enseñaba a no pensar, a moverse mecánicamente. ¿No sucedía lo mismo en las escuelas? ¿No era la sociedad cada vez más individualista? ¿No había cada vez menos potreros para que los pibes dejasen volar su imaginación?

En *Dinámica de lo inesperado*, Panzeri incluyó una serie de nueve fotografías que ilustraban un momento de la concentración de River Plate en la isla Tigre, en los años cincuenta. En la primera instantánea, el futbolista Óscar Mas, rodeado de varios niños, aparece tumbado en el suelo mirando cómo sus compañeros juegan un partidillo de voleibol. Unas fotos después, Óscar Mas y la panda de niños se han aburrido de mirar y juegan un partidillo. Aquellas fotos ilustraban la esencia del fútbol: las ganas de jugar a todas horas, donde sea y con quien sea, que no se perdían por muy jugador profesional que se fuera.

Los intelectuales que no «veían» el fútbol (1967)

Muchos intelectuales no han amado el fútbol. Algunos han pateado el balón con palabras lo más lejos que han podido. Otros simplemente pasaron por su lado y lo miraron con total indiferencia, como si aquel desalmado pedazo de cuero solo estuviera hinchado con aire. Y unos pocos incluso intentaron pincharlo.

A William Shakespeare le molestaba que aquel juego brutal conocido como *mob football* le obligase a tener que refugiarse en una taberna o en un zaguán cuando aparecía la turba enloquecida corriendo detrás del balón. Un escritor, sin embargo, no tiene más remedio que mostrar las pasiones que dominan su tiempo. Y él lo hizo. En *La comedia de las equivocaciones*, Dromio se quejaba así a su amo: «¿Por hablar sin tantas vueltas me patea como si fuera un balón de fútbol?». El criado se quejaba con razón: unos le ordenaban una cosa, y los otros, la contraria. El bueno de Dromio solo veía una solución: «Si sigo sirviéndolos, me tendrán que forrar de cuero».

Shakespeare deseaba pasearse por las calles de Stratford-upon-Avon y meditar sobre las pasiones que encendían la vida, pero aquellos hombres y mujeres que se lanzaban violentos codazos, traicioneras zancadillas y brutales patadas amenazaban con arrollarlo a su paso si se despistaba. Y en *El rey Lear*, cargó contra todos ellos: «¡Ni que te echen la zancadilla, vil jugador de fútbol!». No satisfecho con un solo adjetivo, lo calificó con algunos más: impostor, bastardo, animal, esclavo y calzonazos.

En 1907, el premio Nobel Rudyard Kipling no se cortó al afirmar que los aficionados al fútbol tenían «almas pequeñas que podían ser saciadas por los embarrados idiotas que lo jugaban». En la misma línea, Oscar Wilde dedicó una de sus afiladas sentencias a esos que se vanagloriaban de practicarlo: «El fútbol es un deporte de lo más apropiado para niñas rudas, pero no apto para jóvenes delicados». Anthony Burgess creía que la cultura occidental fallaba cuando se concedía tan desmesurada importancia a veintidós hombres pateando una pelota. La religión del balón había enraizado peligrosamente en el pueblo de una manera secular: «Cinco días son para trabajar, como dice la Biblia. El séptimo día es para el Señor. El sexto día es para el fútbol», afirmó.

George Orwell había vivido la guerra desde primera línea de fuego y comparó el partido con una batalla; pero una batalla mediocre y trivial, prescindible: «Hay ya bastantes causas reales de conflictos para que además las incrementemos incitando a los jóvenes a darse patadas en las tibias en medio del rugido de los espectadores enfurecidos», escribió. Al hilo de una visita del Dinamo de Moscú a Inglaterra, en 1945, publicó en *The Sporting Spirit* un artículo donde afirmó que en un partido no solo los jugadores terminaban lesionados. El fútbol se jugaba a otros niveles más sutiles como el nacional, donde los valores deportivos quedaban relegados a la sombra de otros no tan limpios: «Está ligado con el odio, los celos, la jactancia y el placer sádico de presenciar la violencia —afirmó Orwell—. En otras palabras, es como la guerra pero sin tiros».

Muchos intelectuales han clamado contra el rol del juego en la sociedad o contra las desatadas pasiones que levanta entre el pueblo llano. «Al poder le complace trasladar al fútbol ciertas cargas, incluso la diabólica responsabilidad de entontecer a las masas», dijo Jean Baudrillard. Borges, por su parte, no culpaba al fútbol de entontecer; la estupidez ya estaba ahí antes que el balón. La sociedad no funcionaba correctamente desde que los futbolistas habían sustituido a los peones de ajedrez. Borges nunca consideró el fútbol como un símbolo de su patria a la altura del tango o del dulce de leche; pero aclaró un punto importante: no lo odiaba, sino que no podía verlo debido a su ceguera.

Hay voces que aseguran que esa ceguera se produjo en un accidente mientras jugaba al fútbol. Contaba el escritor Joaquín DHoldan en *Genios del fútbol* que, en una ocasión, Borges acudió al estadio Centenario acompañado del escritor uruguayo Enrique Amorín para ver un Uruguay-Argentina. Tan poco les interesaba el duelo a los dos escritores que la primera mitad voló en una intensa charla literaria. Durante el descanso, mientras abandonaban la grada, un hincha los avisó de que todavía quedaba la segunda mitad. Los dos escritores se miraron. ¿Segunda mitad? No, nada de eso. Decidieron irse. A decir verdad, a ninguno de los dos les importaba el resultado: Borges quería que venciesen los uruguayos para que su colega se sintiera feliz, y lo mismo le sucedía a Amorín.

Con otro buen amigo, Adolfo Bioy Casares, Borges escribió en 1967 el cuento *Esse est percipi,* como encargo para una antología de relatos de fútbol. El argumento vaticinaba un fútbol que ya no se disfrutaba en directo, sino como un producto manufacturado más. Ni siquiera el estadio de River seguía en pie. Indagando en el asunto, el narrador decide entrevistar a Tulio Savastano, presidente de Abastos Junior, que se sorprende ante sus inocentes preguntas: «¿Usted cree todavía en la afición y los ídolos?», le espeta. En ese momento, un futbolista irrumpe en el despacho y pide las consignas para el siguiente partido. «En la fecha próxima pierde Abasto, por dos a uno —le informa el presidente—. Hay juego recio, pero no vaya a recaer, acuérdese bien, en el pase de Musante a Renovales, que la gente sabe de memoria.»

Borges y Casares anunciaron la llegada de un fútbol amañado. El final de los marcadores. La muerte de la épica a manos de remontadas teatralizadas. Un espectáculo científico para un nuevo modelo de ser humano que se asomaba al mundo a través de la pantalla del televisor. Fagocitado por las marcas, el balón se había convertido en un producto de consumo masivo, manejado por soviéticos y yanquis: «Un género dramático a cargo de un solo hombre en una cabina o de actores con camiseta ante el *cameraman*», escribieron Borges y Bioy Casares.

Al descubrir tamaño secreto, el narrador promete ser una tumba para salvaguardar el honor del club. El presidente chasca la lengua: ¿quién iba a creerse semejante patraña? Ya lo había dicho el propio Borges: «La literatura no es más que un sueño dirigido». Y lo mismo sucedería con el fútbol. O no, quién sabe.

El vergonzoso destape del fútbol femenino (1967)

Pasaban los años y las temporadas, los mundiales y los torneos domésticos, los días y los goles. Y seguían sin aparecer textos firmados por mujeres sobre fútbol. El cuento titulado *Recibir al campeón* que publicó la uruguaya Sylvia Lago en 1967 fue una *rara avis.* Y, de nuevo, volvió a reflejar el lugar secundario que ocupaba la mujer cuando se internaba en el mundo del fútbol.

Una de las protagonistas es Inesita, esposa de Jaime, un

forofo de Peñarol. El cuento transcurre el día de la final de Copa Internacional de 1966, que ganaron los *manyas*. Tras el partido, Inesita quiere desplegar una enorme bandera con el lema «Bienvenidos, campeones» para recibir a los jugadores cuando pasen por debajo de su balcón exhibiendo el trofeo a la afición. Y quiere adornarlo con flores, aunque duda cuáles poner. Así que llama por teléfono a su marido a la sede para consultarle. En esa llamada, afloran las discrepancias conyugales cuando Inesita le dice a su marido que quiere ir a la sede a celebrar la victoria con él. Jaime se niega. Ella debe esperarlo en casa. No la considera lo suficientemente hincha. Horas después, Jaime aparece en casa borracho. «Ni en un acontecimiento como este, cuando gana tu cuadro en el extranjero, me llevás a compartir tu alegría —le reprocha Inesita—. ¿Cómo que no soy hincha?»

En España, la situación era similar a la que relató Sylvia Lago. Y empeoraba cuando las mujeres se arrancaban el delantal y se calzaban las botas de tacos. El deporte continuaba en manos de la Sección Femenina, comandada por Pilar Primo de Rivera. De las mujeres, se esperaba solo una cosa: que tuviesen hijos y los educasen en la fe cristiana. Querían esposas leales, compañeras fieles, amantes sumisas, madres sacrificadas. El deporte no aparecía entre las prioridades del modelo de mujer franquista. No gustaban las marimachos. Pero, al mismo tiempo, no se permitía ni una insinuación a las mujeres deportistas. La anatomía femenina debía enterrarse bajo pololos, largas faldas por debajo de las rodillas y gruesas medias.

Las propias mujeres se convirtieron en sus peores censoras. «Podemos lucir nuestra habilidad deportiva, pero no que estas habilidades sirvan para que hagamos exhibiciones indecentes», recomendaban las redactoras de la revista *Medina*. «Tampoco tenemos que tomar el deporte como pretexto para independizarnos de la familia, ni para ninguna libertad contraria a las buenas costumbres.» En su lugar, desde la Sección Femenina se recomendaba anudarse el socorrido delantal para ejercitar las piernas con la escoba. Se podía ganar mucha elasticidad quitando el polvo con el plumero. Los bíceps se fortalecían restregando el estropajo. Y las piernas, accionando el pedal de la máquina de coser.

Sin embargo, a finales de los sesenta algo comenzó a cambiar. Por mucho que se tratase de encorsetar a la mujer, cada vez más extranjeras veraneaban en las soleadas costas españolas. Floridos bikinis, faldas más cortas. Nuevos peinados, perfumes, maquillajes. Las extranjeras no sentían pudor de mostrarse femeninas. Y como si ese destape se hubiese contagiado a las futbolistas, de repente, un día comenzaron a jugar al fútbol en las instalaciones de las universidades, en las fiestas de los pueblos o en campañas benéficas para recaudar fondos.

Arrancó la conquista del deporte masculino por excelencia. Un partido que buscaba la igualdad en el marcador entre sexos; pero que, en muchas ocasiones, acabó empañado por los y las trogloditas que poblaban las gradas y trataban a las futbolistas de marimachos. Ningún insulto amilanó a las pioneras. Hicieron oídos sordos a los comentarios machistas y encontraron la fuerza en la unión del equipo. Se formaron el Sizam Paloma en Madrid, el Racing en Valencia, la Peña Femenina en Barcelona o el Polideportivo de Fuengirola. Y, a principios de 1971, disputaron el primer campeonato femenino español, sin ningún apoyo oficial.

Este inicio semiclandestino contrastó con dos partidos femeninos de los que todo el mundo habló. Contó Alfredo Relaño que, en 1971, se enfrentaron las Folclóricas contra las Finolis en Vallecas y el Sánchez Pijuán. El *show* lo organizó Pedro Ruiz, presidente del Rayo Vallecano. Por veinte mil pesetas, fichó a lo más granado de la farándula nacional. En el plantel de las Folclóricas, capitaneado por Lola Flores, destacaban su hermana Carmen, Rocío Jurado o Marujita Díaz, que vistieron la camiseta del Betis. Entre las Finolis, que saltaron al césped con el uniforme del Rayo, jugaban Encarnita Polo o Luciana Wolff.

Ese mismo año se estrenó en la gran pantalla *Las Ibéricas,* película dirigida por Pedro Masó. Las actrices Rosanna Yanni, María Kosty, Tina Sáinz o Ingrid Garbo aparecían embutidas en prietas camisetas con despampanantes escotes. Lucían sus interminables piernas con unos diminutos pantalones cortos. Y las medias les lamían sugerentemente las rodillas.

Aquella lamentable imagen de la futbolista supuso una ofensa a las mujeres que, cada vez que saltaban al césped, se jugaban el tipo por defender su lugar en el campo. El verdadero partido no tenía argumento de película cómica.

La camiseta del Athletic de Luis de Castresana (1967)

Los niños sonríen en la vieja fotografía en blanco y negro. Todos posan con los brazos cruzados. Todos lucen el mismo peinado con la raya a un lado. No se distingue el color de las camisetas. Pero sí se intuye un orden, una jerarquía. Los más altos están de pie. Sentados en sillas de madera, los más bajitos. El más corpulento sostiene el balón. En uno de sus gajos, se lee: Basque Boys A. F. C. en letras blancas. Ese equipo, formado por niños vascos exiliados durante la Guerra Civil, dominó el fútbol juvenil en el sur de Gales entre 1938 y 1939. Muchas asociaciones deportivas locales organizaron partidos benéficos solidarizándose con todos los niños que sufrían por la guerra. Niños que volvieron a sonreír, en gran medida, gracias a un balón.

Una historia similar vivió el escritor Luis de Castresana en Alsemberg, Bélgica. Exiliado forzosamente por la guerra, Castresana convivió durante meses con una familia de acogida para después reunirse con otros niños españoles en el colegio Fleury. También, gracias a un balón, los españolitos de Alsemberg mantuvieron la sonrisa. Muchos años después, Castresana lo relató en la novela *El otro árbol de Guernica,* con la que obtuvo, en 1967, el premio Nacional de Literatura Miguel de Cervantes.

Aunque en las guerras luchan los adultos, Santi, el protagonista, afirma lo contrario: en las guerras luchan niños y mujeres por muy lejos que esté el frente. Pero aún le queda un largo viaje para aprenderlo cuando, en el tren hacia el puerto de Bermeo, contempla por la ventanilla el campo de Lasesarre donde juega el Baracaldo F. C., su equipo. «No lo podía evitar —dice Santi—, quería que los baracaldeses ganasen, aunque fuese dando un poco de leña, o agarrando por la camiseta al delantero contrario que parecía que iba a marcar un gol.» El hincha no solo se despide de su estadio; también del vínculo que más le une al padre, de su comunidad, de su sitio en el mundo.

Para que no se olvide del club, esa misma mañana su padre

le ha regalado un cinturón amarillo y negro, con el escudo en la hebilla. Aunque su juego favorito siempre ha sido la pelota vasca, a Santi le apasiona el fútbol desde que, un día, se topó por la calle con Bata y Gorostiza. La realidad de la guerra, sin embargo, le saca de golpe de sus recuerdos. En el puerto de Bermeo, un barco lo separa, junto con su hermana Bego, de sus padres, su pueblo, su equipo, sus amigos. Arranca el viaje que lo convertirá en adulto. Un largo recorrido en el que los recuerdos serán su única unión con la patria perdida. Y el balón, la única manera de comprenderse a sí mismo.

El viaje, la soledad, crecer. Entender que de repente el tiesto es demasiado pequeño para las raíces. Santi se siente como una planta a la que han arrancado de su maceta para trasplantarla en una tierra extraña. En Bélgica, además, le separan de su hermana. No consigue sentir la casa de acogida como un hogar. A pesar de los trajes, los cromos, la bicicleta, el cariño del matrimonio de acogida, Santi nota que no está en su maceta. No olvida sus raíces: calzarse la boina, las tardes jugando a la pelota en el frontón, el calor de la mano de su padre al bajar a Lasesarre, sus cromos: «Para llenar aquel álbum sí que había que tener talento porque casi todos te salían repes, y había alguno, como el de Mundo, que era jugador del Valencia, que de ese no tenía el cromo ningún chico del barrio», recuerda.

Tampoco logra apasionarse con las clases. En el patio del Fleury, crece un roble que los niños españoles bautizan con el título de la novela: el otro árbol de Guernica. Bajo su sombra, recuperan sus raíces bailando bilbainadas. Alrededor de su tronco, leen en voz alta las cartas que llegan de España. Las noticias, buenas o malas, afectan a todos por igual, lo mismo que el error de un compañero en un partido se asume como propio por el resto.

Ya son un equipo, solo les falta un paso: Santi convence a un profesor para que les compre una camiseta del Athletic. Solo una. Como todos son bilbaínos, el equipo se llamará El Bilbao. El primer partido lo juegan contra los belgas: «Los once españoles se fueron vistiendo por turnos la camiseta del Athletic y jugaron como verdaderos leones, con pases largos y una combatividad que daba gloria verlos», escribió Castresana.

Con el paso de los meses, llegan al Fleury niños de otras regiones de España que también son admitidos en el equipo. Algunos se niegan a ponerse la camiseta del Athletic. Santi decide cambiarle el nombre al equipo por El España, más integrador. La guerra había convertido a los hombres en bestias, pero había humanizado a los niños. Los de El España aprendieron a soportar la añoranza en equipo. «¿No aprenderán los hombres?, ¿no dejarán nunca de odiarse y destruir casas y ciudades y de matarse unos a otros?, ¿no dejarán nunca de asustar a los niños y de hacer sufrir a las mujeres?», escribió Castresana.

Preguntas similares a las que posiblemente se hicieron los integrantes del Basque Boys A. F. C. o a las que se haría cualquier niño en una guerra.

Kapuściński en la guerra del fútbol (1969)

Desde sus orígenes, el lenguaje del fútbol ha sido bélico. La línea divisoria funciona como frontera. La guerra comienza cuando un ejército penetra en territorio enemigo. Ambos buscan el mismo botín: perforar las líneas rivales en busca del gol. Se pueden desgarrar las líneas defensivas, apuñalar a los rivales por la banda o romper cinturas en el mediocampo. Sin embargo, nadie sufre el asedio como el último soldado que custodia el gol. El portero recibe en sus guantes toda la violencia del fútbol: bombardeos con balones aéreos, cañonazos, disparos lejanos que vuelan como obuses, remates a quemarropa, voleas a bocajarro que lo fusilan.

El fútbol ha estado presente en todas las guerras, pero en una especialmente: la que, en 1969, Ryszard Kapuściński bautizó como «La guerra del fútbol». El reportero polaco había jugado de portero en el equipo de la escuela de Pinsk y, más tarde, había militado en los juveniles del Legia de Varsovia. Antes de conquistar el mapa del mundo, Kapuściński pasó muchas tardes encerrado entre las líneas del área. «En el colegio no me fascinaba sino una sola cosa: el fútbol —escribió en *El mundo de hoy*—. Aquello era un arrebato, un delirio, mi vocación más apasionada.»

Un poema le arrancó de la portería. Lo envió a la redacción del periódico local y, para su sorpresa, lo aceptaron. Cambió de oficio para siempre. Hizo del mundo su oficina. Y del viaje, su forma de vida. Su máquina de escribir atravesó todas las fronteras y teclearla se convirtió en la única manera de dar sentido a su existencia. Se mezcló con todas las razas. Sabía que un buen reportero no podía temer ni a la mosca *tse-tse* ni a los escorpiones ni a las enfermedades. Tampoco a las bombas o las metralletas. Solo cargaba con dos mandamientos en su maleta. El primero: ser una buena persona para no ser un mal periodista. Y el segundo: llegar el primero a la noticia. Cumplió los dos en el reportaje *La guerra del fútbol*. Un conflicto que venía cocinándose desde tiempo atrás, pero que estalló después de tres partidos de fútbol clasificatorios para el Mundial de México. El primer partido se disputó en Tegucigalpa, el 8 de junio, entre las selecciones de Honduras y El Salvador.

«En América Latina, la frontera entre el fútbol y la política es tan tenue que resulta casi imperceptible —escribió Kapuściński—. El que va a un campo de fútbol puede perder la vida.» Kapuściński vivió en primera persona el asedio de los hinchas hondureños a sus rivales lanzando todo tipo de objetos contra la fachada del hotel de concentración. Al día siguiente, los ojerosos jugadores de El Salvador perdieron por la mínima en el último minuto. El gol del hondureño José *la Coneja* Cardona no solo mató el partido, sino que provocó que esa noche Amelia Bolaños, salvadoreña de dieciocho años, se suicidara de un tiro en el corazón.

El partido de vuelta se jugó el 15 de junio, en el estadio Flor Blanca. Los hinchas locales, con el recuerdo de Amelia Bolaños aún vivo, pagaron con la misma moneda a los visitantes. Pero lo hicieron con muchísima más saña. Una tormenta de objetos, insultos y odio acompañó a los futbolistas hondureños desde que cruzaron la frontera. La furia fue tan desmesurada que, de camino al estadio, tuvieron que ser escoltados por carros blindados del ejército. La derrota por tres goles a cero fue casi una victoria. «Menos mal que hemos perdido el partido», afirmó Mario Griffin, seleccionador de Honduras.

El billete mundialista se decidiría en un partido de desempate. Un día antes del trascendental choque, el gobierno de El

Salvador rompió las relaciones diplomáticas con su vecino, por lo que se decidió que se jugase en el estadio Azteca, terreno neutral, el 27 de junio. Kapuściński contó que cinco mil policías mexicanos separaron a los hinchas de cada país en las gradas. El partido acabó con empate a dos. Cuando el salvadoreño Pipo Rodríguez marcó el gol del desempate en la prórroga, nadie imaginaba lo que se escondía detrás. Diecisiete días después, las camisetas de fútbol se cambiaron por las guerreras, las botas de tacos por las de militar, los balones por bombas. Había estallado «la guerra del fútbol».

Kapuściński fue hasta la primera línea de fuego. En poco más de cuatro días murieron seis mil personas y más de veinte mil resultaron heridas en una absurda lucha entre vecinos. Tan absurda que ambos ejércitos utilizaban el mismo uniforme, idénticas armas y hablaban la misma lengua. Se dijo que el fútbol fue la causa del conflicto, pero, en realidad, aquellos tres partidos solo fueron el detonante de una rencilla que se venía fraguando tiempo atrás por el dominio de la tierra. «El fútbol ayudó a enardecer aún más los ánimos de chovinismo y de histeria seudopatriótica —escribió Kapuściński—, tan necesarios para desencadenar la guerra y fortalecer así el poder de las oligarquías en los dos países.»

Mientras él se jugaba la vida por informar en la frontera entre Honduras y El Salvador, el resto del mundo, ojiplático, miraba al cielo por el lanzamiento del Apolo XI. El hombre alcanzaba universos inexplorados cuando todavía no sabía convivir en paz en el suyo. Ni siquiera había aprendido a disputarse limpiamente un balón.

El desafortunado partido de B. S. Johnson (1969)

Brian Stanley Johnson anhelaba lograr con las palabras algo similar a lo que hacía George Best con un balón. Quería saltarse los límites que imponía el canon literario. Destrozar los clichés a base de adjetivos y regates. Estrujar el lenguaje. Quedarse solo con la esencia. Y así lo hizo. En 1969, publicó *Los desafortunados*, su cuarta novela. Para sorpresa de todos, la presentó dentro de una caja. Sin tapas ni hilo que hilvanase las páginas, la componían veintisiete pliegos independientes que, a excepción del primero y último, podían leerse en cualquier orden. No lo hacía por una cuestión estética. Su intención era que el lector, en el viaje de la lectura, viviera lo más realísticamente posible el flujo y reflujo de la mente, el caos de la memoria, los fusibles que se encienden y se apagan en la imaginación.

La mayoría de los recuerdos, pensaba B. S. Johnson, son retazos de imágenes y sensaciones inconexas. Como afirma el narrador de su novela, lo verdaderamente importante es que cualquier cosa puede llenarse de significado si uno le impone un sentido propio. «Lo que en sí mismo es un sinsentido, la imposición», escribió. Pero ahí radicaba el valor de la novela: tratar de encontrar sentido al sinsentido de la muerte. Y para lograrlo, se valió del fútbol. El narrador —del que nunca se sabe el nombre— se gana la vida escribiendo crónicas deportivas. B. S. Johnson añadía un nuevo personaje para protagonizar una novela de fútbol: el cronista que se pregunta acerca de su papel en el partido al mismo tiempo que se cuestiona sobre la función del lenguaje.

En concreto, el protagonista viaja a Nottingham para cubrir el duelo entre el United y el City. Es la temporada 1965-66. Ha acudido a tantos estadios en tantas ciudades diferentes que se orienta por la ciudad de manera incierta y azarosa. Y del mismo modo, errática y caprichosamente, navega su pensamiento entre los recuerdos mientras llega la hora del partido. Una vez en el estadio, se camufla entre los hinchas. Como un niño que pisa la grada por primera vez, siente la expectativa de que aquel «vaya a ser EL PARTIDO, [...] en donde ocurre lo extraordinario, el partido que uno recuerda y comenta después de años enteros, toda la vida».

B. S. Johnson conocía muy bien ese mecanismo que regeneraba la fe del aficionado cada domingo. Era lo que enganchaba: agarrarse a un fino hilo cuando abajo amenazaba la boca negra del abismo. En un partido, el hincha se adentraba en un mundo cíclico, pero al mismo tiempo único. Cada partido era una repetición única de la esencia del fútbol, disputada en un lugar incierto entre la subjetividad y la objetividad. El mismo lugar donde el protagonista juega un desafortunado partido contra la muerte de su amigo.

Mientras reflexiona sobre esto, toma notas para la crónica

del partido. Su trabajo, independientemente del marcador, consiste en adjetivarlo aunque no merezca adjetivos. Darle brillo a noventa tristes minutos: «Aunque el partido sea espantoso, te dicen, tú escribe tu crónica como si fuese épico». Ese insulso partido sin adjetivos refleja su vida: una larga espera de lo extraordinario mientras vive una existencia mezquina. Nada destacable sucede en el campo. Los lances del juego se mezclan con correcciones mentales, recuerdos y gritos de aficionados. «¿Afecta en alguna medida esta jodida crónica, destruye incluso, mi interés por el lenguaje?», se pregunta.

Aunque le motiva tener que escribir bajo la presión de la hora de cierre, en extensiones cerradas y rigurosas, siente que la escritura mecánica, el uso indiscriminado de adjetivos épicos, asesina el lenguaje. El periodismo —reflexiona— ha evolucionado al mismo ritmo que el fútbol: la calidad no importa, solo embellecer lo absurdo con adjetivos. Tras el pitido final, al abandonar el estadio vuelve a mezclarse entre marea de aficionados que, como él, acuden al fútbol en busca de su milagro semanal. Es uno más entre la multitud. Su vida, como la de la mayoría, es un desafortunado partido al que ya no dan brillo los adjetivos.

A B. S. Johnson ni el fútbol ni la escritura pudieron salvarle. Perdió la esperanza en la remontada, la fe en que llegase EL PARTIDO. Dejó de creer en el fútbol y en las palabras. La fría tarde del 13 de noviembre de 1973 decidió acabar con su vida cortándose las venas. Tenía cuarenta años. Estaba cansado de atacar sin encontrar el premio del gol. Por más que sus escritos habían roto con las convenciones o innovado en lo técnico, no había encontrado el reconocimiento del gran público.

Gozaba, eso sí, de la admiración de muchos colegas de profesión. Samuel Beckett incluso le ayudó económicamente cuando, en 1969, ganó el Nobel de literatura. Beckett repartió el dinero del premio entre varios escritores de segunda línea que, en su opinión, merecían un empujón en su carrera literaria. Con aquel dinero, B. S. Johnson aceleró su carrera, pero no precisamente la literaria: se agenció un flamante descapotable rojo.

Al fin y al cabo, B. S. Johnson hizo como muchos futbolistas de calidad: malgastar la oportunidad que tanto había reclamado. Tampoco George Best supo exprimir al máximo la suya, aunque afirmase que había gastado mucho dinero en mujeres, coches y alcohol, antes de malgastar el resto. Y es que para jugar, como para escribir, son tan importantes las piernas como la cabeza.

Una deslumbrante estrella de quince años (1970)

En los setenta, el fútbol seguía siendo cosa de hombres. Lo mismo sucedía en la literatura del balón: ellas apenas tomaban la palabra. Sin embargo, los escasos textos ayudan a explicar su mirada sobre el juego o, mejor dicho, cómo las habían enseñado a acercarse a él: la mayoría de las mujeres apenas tenían derecho a enamorarse de los futbolistas. Así le sucedió a la escritora nicaragüense Gioconda Belli: «Mi pasión por el fútbol es estática y muy casquivana —confesó en *Un balón envenenado*—. Me enamoro de los futbolistas más guapos o más habilidosos.» Y en su poema titulado «Fútbol» lo reflejó: «Pienso en los dioses / en las canchas de hierba verde del Olimpo / ¿para qué dioses / si aquí tenemos a estos muchachos / con sus zapatos y jerseys de colores? / ¿Qué otra religión cabe sino esta?».

Con idéntico título, la escritora peruana Blanca Valera dedicó un poema al balón que embelesaba a su hijo, al que en el último verso termina comparando con Atila: «juega con la tierra / como una pelota, / báilala, / estréllala, / revientala, / no es sino eso la tierra, / tú en el jardín». A la edad del protagonista, la escritora Ángeles Mora entró en el mundo del fútbol gracias al padre de una amiga, forofo incondicional del Real Madrid: «Tan forofo que su entusiasmo futbolero fue una riada que irremediablemente nos arrastró a las dos», relató en *Un balón envenenado*. En su casa, su hermano era del Barça, y su padre, del Athletic de Bilbao. La rivalidad se servía caliente a la hora de la cena. «Y así hasta hoy —escribió Ángeles Mora—, porque esta es una fiebre que no se acaba nunca». Entre sus poemas, le dedicó «Se va mi sombra pero yo me quedo» al que fue uno de sus héroes de su infancia: Juanito: «Mientras un siete por la banda ruede / y la pelota suba al graderío / y de agua milagrosa surja un río / que gargantas y piernas desenrede».

Quizá, las escritoras dedicaban sus poemas a los futbolistas porque todavía no había aparecido una jugadora que crease el mito femenino. No existía una heroína del balón a la altura de los semidioses masculinos. Una futbolista que, con el balón en sus pies, se ganase un lugar propio en el campo y cuyo juego arrancase adjetivos de los cronistas deportivos. Algo que, por suerte, estaba a punto de cambiar.

Conchi Sánchez Freire había nacido destinada a convertirse en esa mujer, en esa futbolista, en esa heroína. Contaba Alfredo Relaño que las viejas que la veían jugar en la plaza del Dos de Mayo no se explicaban que, con apenas cinco años, regatease a los chicos con esa insultante facilidad. Como a todas las niñas de su edad, a la pequeña Conchi le gustaba el ajedrez, los Pop-Tops, las canciones de Raphael y los vestidos bonitos; pero sobre todo le apasionaba dar patadas a un balón. Y no desistió hasta que la fichó el Sizam Paloma.

Rafael Muga, presidente del Mercacredit, no necesitó más que unos minutos viéndola jugar para darse cuenta de que había nacido una estrella. Cuando supo su edad, apenas doce años, no lo dudó: sería la más deslumbrante. Por aquel entonces, Muga editaba una revista que trataba de popularizar el fútbol femenino. Contactó con el locutor José María García. Llamó al diario *As*. Quería organizar un partido entre el Mercacredit y el Sizam. Quería que todo el mundo viera jugar a aquella niña.

Su deseo se cumplió el 8 de diciembre de 1970. Ocho mil personas abarrotaron el Boetticher de Villaverde. Venció el Sizam por cinco tantos a uno. Los cinco, obra de Conchi Sánchez. La manita de goles convirtió a la niña en estrella, y la riada de adjetivos bautizó a la futbolista como *Conchiamancio*. Había nacido el primer gran mito femenino, que consiguió que por todos los rincones aparecieran muchachas dándole patadas a un balón, sin vergüenza ni miedo a las críticas. Pero todavía quedaban partidos por jugar.

Rafael Muga formó el Olímpico de Villaverde, escribió a Samaranch y recibió equipaciones para las futbolistas. Poco después, apareció el Racing bajo las órdenes de Francisco Jiménez Velasco. En Barcelona, Inmaculada Cabecerán —pareja del exjugador culé Pablo García Castany— organizó un partido entre el Centelles y una selección de Barcelona. Para reclutar futbolistas, puso un anuncio en la prensa. El partido fue un éxito y, ante la disposición de las chicas para continuar, Cabeceran puso otro anuncio en *Tele/eXprés*. Lo tituló «Once muchachas en busca de entrenador». Al cabo de solo dos días, encontró uno de lujo: Ramallets.

A pesar del *boom*, muchas futbolistas continuaban ocultando a padres y hermanos que jugaban al fútbol. Pero los rivales que tenían en casa no eran tan peligrosos como las que se encontraron fuera. La Sección Femenina redactó cartas a todas sus delegaciones provinciales y locales con un mensaje muy claro: la práctica del fútbol amenazaba la feminidad y debía castigarse con severidad. La delegada del Valdemoro —al igual que muchas otras— hizo oídos sordos a aquella carta. Fue automáticamente despedida.

Una tarjeta roja, sin embargo, nunca es suficiente para doblegar a un equipo que juega unido. Tampoco un árbitro comprado. Ya nada podía parar a las futbolistas. A partir de entonces, el título de la película que Ignacio F. Iquino estrenó en 1972 se convirtió en una profecía: *La Liga no es cosa de hombres*.

El poético fútbol de Pasolini (1971)

Pier Paolo Pasolini nunca temió el destino físico que escondía una ideología. Siempre defendió la suya con la misma pasión con la que hinchaba por el Bolonia. Tenía alma de *tifoso*. «En Italia, el fútbol no ha tenido todavía el honor de captar una atención inteligente», dijo. En su opinión, los deportistas estaban poco cultivados mientras que los intelectuales tenían poco de atletas. Él era la excepción. Un escritor y futbolista comprometido.

En sus libros, Pasolini mostró los desgarrones más profundos de Italia. «El Tercer Mundo comienza en los suburbios de Roma», dijo. Y en esos abúlicos descampados, ambientó su primera novela. Como protagonistas, eligió a unos niños andrajosos que patean el balón, descalzos. Los *Chavales del arroyo* saben que «la vida es dura para quien tiene los pies blandos». Son muchos, pero uno solo: la pandilla, el equipo. Si uno tiene hambre, el otro le consigue una porción de pizza; si uno necesita unas liras para jugárselas a las cartas, el otro le fía. El fútbol es el último fleco que les une a la infancia. Lejos del balón, acechan los navajazos, la tuberculosis, la cárcel. No todos sobreviven a los días. Los que tienen suerte se echan pareja y consiguen el peor de los trabajos, como contó Pasolini en su segunda novela, *Una vida violenta*.

Su infancia había sido muy diferente, aunque, con catorce años, él también se enamoró perdidamente del fútbol, ese «mundo solo de machos» o «de machos solos». Su infancia coincidió con los años más brillantes del Bolonia, y creció viendo cómo sus capitanes levantaban un *scudetto* tras otro en la década de los treinta. Desde entonces, padeció la *febbre del calcio*. Pero no solo fue hincha. Pasolini, ante todo, se consideraba futbolista. En la universidad lucía el brazalete *di capo*. Jugaba en la izquierda. Lo llamaban *Stukas*, por cómo enfilaba la banda.

Con el balón en los pies, demostraba el mismo carácter que al empuñar la pluma. Nunca desclavaba los tacos de la hierba: «Tampoco querría parecer un defensor inconsciente del fútbol —escribió—, porque sé perfectamente que es una evasión.» También sabía que el perfume narcótico que desprendía el fútbol podía tener beneficios terapéuticos para el pueblo. El estadio tenía un sentido liberador. No había nada comparable a la tragedia o el milagro en los coliseos: «El fútbol vuelve a ser un espectáculo en el que el mundo real, de carne, en las gradas del estadio, se mide con los protagonistas reales, los atletas en el campo», escribió.

Le interesaba la limpieza deportiva como reverso del juego sucio que se practicaba socialmente. Sabía que las cosas a su alrededor no estaban para evadirse. Había que mirar y atreverse a contarlo. Y lo hizo. Pasolini sabía qué quería exactamente de la literatura, y no le importó que muchos intelectuales denostaran el balón.

Todos sus artículos deportivos escritos entre 1957 y 1971 aparecerían reunidos en *Sobre el deporte*. Los traumas de los futbolistas, el sufrimiento o la alegría que flotaba en las barberías cada lunes, el dolor por las derrotas del Bolonia o el *cattenaccio* de Helenio Herrera fueron algunos de los temas que trató con su habitual lucidez. También recordó los partidos en los prados de Capara como los momentos más hermosos de su vida. Y confesó que había tenido un sueño: arrancar en campo propio con el balón soldado a la bota, regatear a todos los contrarios que le salieran al paso y marcar el gol de su vida. «Cada gol es siempre una invención, es siempre una perturbación del código —escribió—, todo gol es fulguración, estupor, irreversibilidad.»

Dejó muchas sentencias para la eternidad, «El máximo goleador es siempre el mejor poeta del año», pero sobre todo Pasolini legó una teoría: el fútbol como lenguaje. El 3 de enero de 1971 publicó en el diario *Il Giorno* un artículo titulado «El fútbol es lenguaje con sus poetas y sus prosistas», donde analizó el juego desplegado en la final del Mundial de México. Brasil se había impuesto por un contundente 4-1 a Italia, y Pasolini sentenció que la prosa electrizante de los suyos había sido goleada por la poesía brasileña.

Un futbolista solo tenía una oportunidad para escribir su jugada. El balón era su palabra. Los regates, sus adjetivos. Con un pase ponía un punto final a su jugada; con una pared, un punto y coma. El futbolista, al contrario que el novelista, debía redactar de un tirón, de nada le valían los sinónimos si el adjetivo no era el correcto. Solo escogiendo bien cada palabra, escucharía el murmullo de la red: la expresión máxima de su poesía.

«Puede haber un fútbol como lenguaje fundamentalmente prosístico —dijo Pasolini—, y un fútbol como lenguaje fundamentalmente poético.» Los futbolistas, por tanto, se dividían en dos equipos: los que jugaban en prosa y los que lo hacían en verso. «Un hombre que utiliza los pies para chutar un balón, tal es la unidad mínima, tal es un *podema*», explicó. Los *podemas* funcionaban como los pases en un partido o las palabras en un texto. La narración del fútbol no era diferente a la de un libro: entre el andamiaje narrativo debía surgir la chispa que iluminase el escondrijo del gol. «El fútbol que expresa más goles es el fútbol más poético», sentenció.

El arte tenía mucho de juego, del mismo modo que el juego tenía una parte artística. Y, como todo arte, el del balón tenía sus propios bardos: los literarios y los periodistas. Pasolini consideraba el lenguaje deportivo como una segunda división narrativa de «la única representación sagrada de nuestro tiempo». Sabía que el dinero estaba acabando con su parte más sacra, y nunca dejó de preguntarse por las manos que amontonaban los enormes beneficios que el fútbol generaba cada domingo. Por eso, siempre defendió el deporte *amateur* frente al espectáculo. Soñaba con equipar a todos por igual para que el partido fuese más justo. Para que los chavales del arroyo tuvieran las mismas opciones de victoria en el partido de la vida tan violenta que les había tocado jugar.

En una de sus últimas entrevistas, un periodista le preguntó qué le gustaría haber sido de no haberse dedicado al cine o la literatura. «Un valiente jugador de fútbol», contestó Pasolini. Como escritor, sin duda, lo fue.

La literatura de la pelota de Santoro (1971)

Al otro lado del mundo, un poeta compartía el ideario social de Pasolini. Y la misma pasión por el fútbol y la literatura. O más: Roberto Jorge Santoro dedicó varios años de su vida a buscar textos literarios que mostrasen la poesía del fútbol. Rastreó en librerías de viejo. Husmeó en las estanterías más olvidadas de muchas bibliotecas. Rebuscó en hemerotecas. Revisó incontables periódicos amarillentos, centenares de revistas ajadas y decenas de polvorientos archivos. Pateó calles, barrios, pueblos enteros. Derrochó horas buscando un teléfono en la guía. Un dato, una pista, un hilo del que tirar. Y se recorrió todas las tribunas: allí se componían poemas cada jornada. Durante años, cada día dedicó una media de quince horas a su búsqueda titánica. A su pasión desmedida. A su locura.

En 1971, Roberto Jorge Santoro se autopublicó *Literatura de la pelota* en su propio sello editorial, Papeles de Buenos Aires. Quería demostrar que existía una larga tradición de escritores que le habían cantado al balón. Le alentaba la esperanza de que su recopilación funcionase como el saque inicial de un largo partido. Al principio, solamente recopiló los textos más representativos; pero en el camino se tropezó con fragmentos de novelas, obras de teatro, hermosos cuentos, centenares de artículos, y comprendió que el libro se enriquecía con ellos. Al fin y al cabo, en un partido no solo contaban las ocasiones de gol; había detalles que pasaban desapercibidos, pero que, en realidad, tenían un valor incalculable.

«Se podrá decir, quizá, que faltan algunos, que sobran otros —escribió Santoro en el prólogo—, pero ya es sabido que siempre se pueden decir muchas cosas.» Él demostró que se había escrito muchísimo sobre fútbol y aseguró que lo mejor estaba por venir. Para cerrar su homérica recopilación, decidió colocar su poema «Fútbol»: «La pelota y el ballet / que en avance / con un pique / le dice que se le achique / la guarda / que en el zapato / del otro que ni la ven / se da vuelta / y no la tiene / está saltando / en el aire /le dice con la cabeza / que va el otro / que la deja / que la espera en otro pie».

Como Pasolini, Santoro creía que tanto el fútbol como la poesía debían servir para cambiar las cosas. Dos años después de publicar *Literatura de la pelota*, así se definió en la revista *Rescate*: «Rechazo ser travesti del sistema, esa podrida máquina social que hace que un hombre deje de ser un hombre, obligándolo a tener un despertador en el culo, un infarto en el *cuore*, una boleta de Prode en la cabeza y un candado en la boca».

De familia obrera, Santoro había aprendido a buscarse la vida como aquellos *wings* solitarios que esperaban sobre la línea una oportunidad para apuñalar al lateral. Había trabajado como pintor —de brocha gorda—, de vendedor ambulante y de tipógrafo; pero su verdadero oficio fue ser un militante poético con conciencia de clase, un obrero del verso que trabajaba sus poemas con pico y pala para enterrar la falsa retórica, los ripios rimbombantes y las palabras inútiles. Solía recitarlos como un locutor deportivo con el gol en la garganta. Los llamaba «cosas». Y afirmaba que, si no servían para cambiarlas, no servían para nada. «Como soy un tipo sin tácticas ni estrategias —confesó—, no escribo para los que escriben, sino que trato de escribir para los que hablan.»

Un poeta sin necesidad no era poeta. Su estética debía ser su ética. Santoro vivió como escribió y escribió como vivió: en equipo. Quiso llevar la cultura a los barrios, acercar los versos a la barra del bar, colorear las fachadas grises con cuadros luminosos, recitar en el corazón de las plazas. No le valía con escribir. Necesitaba formar parte de todo el proceso. Aprendió el oficio de la impresión para dar a luz el libro con sus propias manos. Y desde su sello editorial lanzó poemas como pedradas contra su patria, el sistema, los militares y los jueces. También cantó a las pasiones populares: el tango, la pizza, la noche porteña y, por supuesto, al partido de fútbol bien jugado. «El fútbol, el *fóbal* o la pelota es algo que pertenece a cada uno de nosotros porque se impone a todos por pura presencia», dijo.

Hinchando a Racing aprendió que el fútbol no solo era un juego, sino una emoción latente en los ciudadanos. En 1977, especialmente, porque apenas faltaba un año para que Argentina, su país, organizase la Copa del Mundo. Un torneo del que no pudo disfrutar. El 1 de junio, tres jóvenes armados entraron en la Escuela Nacional de Educación Técnica donde trabajaba y lo sacaron a punta de pistola. Nunca más se volvió a saber nada de él. Poco antes, el general Ibérico Manuel Saint-Jean, gobernador militar de Buenos Aires, había declarado que primero eliminarían a los subversivos, a sus cómplices y a sus simpatizantes; y después se encargarían de los indiferentes y de los tibios. Roberto Jorge Santoro se encontraba en el primer grupo.

Dos décadas después de su desaparición, le homenajearon bautizando como Poeta Roberto Santoro una plazoleta en el bonaerense barrio de Chacarita donde había nacido. Quizá que unos niños corran libremente detrás de una pelota en su plaza sea el mejor homenaje para Santoro. Al fin y al cabo, así había cantado el poeta la poesía del fútbol: con la pasión encendida de un niño.

Memorias en blanco y negro de la selección clandestina (1971)

Contaba Alfredo Relaño en *Memorias en blanco y negro*, libro donde reunió decenas de historias sobre el deporte en los controvertidos tiempos del No-Do, cómo la situación de la mujer en el mundo del fútbol mejoró, aunque muy lentamente, a principios de los setenta. Los goles, en aquel entonces, todavía se celebraban con cuentagotas.

El 11 de diciembre de 1971, el actor Cassen (protagonista de la película *La Liga no es cosa de hombres*) realizó, en la Nova Creu Alta de Sabadell, el saque de honor del primer partido mixto disputado en España. Las futbolistas más destacadas del Campeonato de Cataluña se enfrentaron a figuras de la canción, locutores de radio y famosos exjugadores profesionales. Sin embargo, a pesar de que ese mismo año se disputó la Copa Fuengirola Costa del Sol, el fútbol femenino, en palabras de *Conchiamancio*, no terminaba de cuajar: «A los españoles les molesta que juguemos tan bien o mejor que los hombres —afirmó—. No tenemos tanta propaganda como ellos, pero hacemos más goles.»

Faltaba filtrar un último pase que desembocase en un gol decisivo. Por más vueltas que le daba, Rafael Muga siempre llegaba a la misma conclusión: España necesitaba una selección que no temiera las patadas y zancadillas que les llovían desde la Sección Femenina. Y decidió formarla él mismo. Eligió a las mejores jugadoras y organizó un partido. El 21 de febrero de 1971, la selección comandada por Rafael Muga se enfrentó a Portugal. Tres mil personas se acercaron a La Condomina.

Por supuesto, la Sección Femenina se opuso al partido, igual que el Colegio de Árbitros de Murcia. De hecho, el árbitro Sánchez Ramos dirigió el partido en chándal, en lugar de con la vestimenta oficial. Al aire de farsa que quiso imprimirle la Sección Femenina se unió el retraso de más de veinte minutos en el inicio. Cuando todo estaba listo para el saque inicial, surgieron diferencias con el caché de las lusas. Pero, finalmente, el partido se disputó. Kubalita, Virginia II, García, Herrero, Feijoó, Angelines, Vázquez, Virginia I, Cruz, *Conchiamancio* y Laura formaron aquella primera selección clandestina.

Tras aquel primer empate a tres, vinieron más partidos. Aunque llenaron Las Margaritas, La Rosaleda o La Romareda, las internacionales jugaron sin apoyo federativo; pero se ganaron uno más importante: el del pueblo. En todas las ciudades, las recibieron con música y ramos de flores para contrarrestar los habituales comentarios machistas. Ese mismo año traspasaron la frontera de los Pirineos. En julio, viajaron a Turín para jugar en el Comunale, ante más de cuarenta mil espectadores, contra las subcampeonas del mundo. A pesar del escenario, las jugadoras españolas no pudieron lucir el escudo en la camiseta. La federación no las autorizó. No las reconocían como equipo nacional.

Aquel gesto despectivo no fue el último de los mandamases del fútbol. Ese mismo año se había disputado el segundo Mundial femenino, en México. Allí se propuso a España como organizador de la siguiente edición, pero José Luis Pérez Payá, presidente de la federación, además de exjugador del Atlético y del Real Madrid, se negó. Afirmó que no estaba en contra del fútbol femenino, pero confesó que tampoco era de su agrado: no lo veía del todo femenino desde el punto de vista estético. «La mujer en camiseta y pantalón corto no está muy favorecida. Cualquier traje regional le sentaría mejor», aseguró en *Marca*.

La mentalidad cambiaba, pero con exasperante lentitud. En 1973, el doctor Echevarren (médico de la Real Sociedad) afirmó en el artículo «Deportes para la mujer»: «En primer lugar quiero dejar bien sentado que "eso" que juegan las mujeres con un balón no es fútbol. Es una parodia o una representación bufa, pero nunca el deporte por todos conocido», afirmó. Una opinión compartida por muchos hombres y algunas mujeres, a pesar de que las futbolistas españolas, con sus brillantes actuaciones en el campo, habían demostrado que el balón también era asunto suyo.

A muchos y muchas, con toda seguridad, les hubiera convenido leer el poema «Meditación mientras se juega un partido de fútbol», de la poeta Mercedes Saorí, publicado en 1967 en el primer *Cuaderno de poesía al deporte*, para entender la trascendental importancia del partido que se estaba disputando:

La vida es siempre un desigual partido
que jugamos a ciegas diariamente.
Ya sabemos quién va a jugar enfrente
y el corazón lo damos por perdido.
A tientas,
con furor enloquecido,
buscamos el balón ansiosamente
intentando lograr ese potente chut
que nos dé el trofeo prometido.
Y el trofeo es vivir.
Unos a otros empujados.
A bulto.

Entre nosotros cometiéndonos faltas.
Juego duro.
Pobres ciegos jugando entre desiertos
ante un trágico público de muertos
y solo Dios por árbitro seguro.

La eliminatoria de Ramón Solís (1971)

El 7 de enero de 1971, Ramón Solís copaba las páginas de la sección «Mirador Literario» del periódico *Abc*. En la foto, el novelista aparecía recostado en un sofá, vestido con un elegante traje negro, camisa blanca y corbata oscura. El pelo, perfectamente engominado hacia atrás. El bigote, recortado al milímetro. Por el bolsillo de la americana, asomaba un pañuelo blanco. Ramón Solís tenía cuarenta y siete años. Estaba en la plenitud de su vida, y también en lo más alto de su carrera literaria: acababa de ser galardonado con el Premio Nacional de Literatura Miguel de Cervantes por su octava novela, *La eliminatoria*.

El periodista Julio Trenas describió el despacho donde acostumbraba a escribir Ramón Solís. Contó que había muchos libros, además de algunos cuadros de Ortega Muñoz y algún dibujo de Francisco Hernández. Después, arrancó la entrevista con varias preguntas sobre *La eliminatoria*. Toda la acción, los múltiples y variados personajes, además del tiempo narrativo, giraban alrededor de un decisivo partido de fútbol donde la Gimnástica, el club local, y el Deportivo, se jugaban una plaza en Primera División. La vida de la modesta capital de provincias donde transcurría la novela se veía sacudida por la trascendencia del encuentro. Para bien y para mal: «Conquista el hombre la Luna y no le damos importancia —aseguró Ramón Solís hacia el final de la entrevista—. Y ocurre que lo importante puede ser un partido de fútbol.»

Si la conquista de la Luna no conseguía apartar la atención de la muchedumbre del césped de un estadio, mucho menos lo lograría la poesía. Ese es uno de los temas de *La eliminatoria*: el contraste entre fútbol y literatura. Dos días antes del partido, se ha organizado una conferencia del prestigioso poeta Álvaro de la Mesa. Su cicerone en la ciudad es un joven poeta en ciernes, Pepito Reguera, al que no le interesa el fútbol. De hecho, lo considera decadente y pernicioso: «Para él, es por el fútbol, y no por otro motivo, por lo que cada vez existe menos interés en lo literario», escribió Ramón Solís.

Pepito Reguera le comenta al poeta invitado, mientras le enseña la ciudad, que el fútbol provoca que la vida cultural se marchite. Apenas acude público a los conciertos o a las conferencias y charlas literarias, mientras que el estadio está cada vez más lleno. Álvaro de la Mesa se lo toma con más filosofía. No cree que el fútbol y la literatura jueguen en la misma liga: «Las masas tienen aficiones distintas a las minorías», le dice a su cicerone. La realidad, sin embargo, se impone: a su conferencia apenas acuden dos docenas de personas; las entradas para ver el partido de ascenso se han agotado hace días.

No piensa como ellos el periodista deportivo Donogan. «El fútbol tiene su literatura, una literatura especial, más directa, más dinámica», dice. Desde hace años, Donogan escribe las crónicas del equipo local, la Gimnástica, y el ascenso del club puede suponer también un salto cualitativo en su carrera: al fin cobrará por escribir sobre deportes y podrá dejar de hacerlo acerca de otros temas que no le interesan. «Algún día los críticos literarios le darán valor a las crónicas deportivas y buscarán en las colecciones de periódicos las de los partidos más señalados. Al fin y al cabo, así se hace la historia de los pueblos», dice.

Así sucede en la novela. El sino del partido puede cambiar el destino de toda la ciudad. Y de todos los personajes que la habitan. Es decisivo para Juanjo Ramírez, el entrenador de la Gimnástica, antiguo jugador internacional que ahora se conforma con el papel secundario de entrenador. «El fútbol es así —dice—: da mucho, pero por poco tiempo.» El fútbol, de hecho, ha cambiado la vida de su mujer, Mely: «Por culpa del fútbol, vivo en esta ciudad en la que no conozco a nadie, y he de tratar con gente insulsa y absurda que solo piensa en el fútbol», dice. A Maribel, por el contrario, ese partido le ha cambiado la vida a mejor. Trabaja como telefonista en el hotel donde se alojan los jugadores del Deportivo, y su estrella, el internacional Paqui, se enamora de ella. En sus brazos, Maribel sueña con abandonar su gris existencia al lado de su marido:

«Avelino significa la realidad de su vida, y el jugador de fútbol es como esos hombres que salen en las películas: algo fugaz casi como una ilusión fantástica».

Aparte de ilusiones, en el partido se juegan muchos intereses económicos. El alcalde ha prometido ayudas, además de un nuevo estadio, si los locales ascienden. La promesa provoca críticas en el periódico local: su director opina que hay temas sociales más acuciantes que ayudar al club. También hay otros intereses menos honorables. Cárdenas, un hombre de negocios, se reúne con el alcalde y con Menéndez, el presidente de la Gimnástica. «El Deportivo no puede bajar así como así a Segunda», les dice dando una chupada al puro. «Hay una serie de intereses creados, hay un estadio, con sus accionistas, hay muchos miles de socios... y, sobre todo, hay una fuerte suma presupuestada.»

La eliminatoria, de Ramón Solís, creó un mundo alrededor de un partido de fútbol sin describir ni una sola jugada; el verdadero partido se jugaba lejos del estadio. Así son las buenas novelas de fútbol: las que cuentan cómo el resultado del partido cambia a los hombres y mujeres que lo viven.

La **futbolitis** *de Evaristo Acevedo (1973)*

A principios de los años setenta, en España se flexibilizaron ciertos tabúes. Se podía hablar de política sin esconderse. Charlar abiertamente de sexo. Debatir sobre cine alternativo sin bajar la voz. Tararear en público letras de canciones reivindicativas. Se podía incluso recomendar libros que, durante años, habían copado la lista de lecturas prohibidas. La censura parecía haberse quedado sin tinta roja al mismo tiempo que el raquítico bigote del dictador blanqueaba.

En ese decisivo momento, apareció la Colección Cartas Abiertas, de Ediciones 99: largas misivas que escritores de renombre enviaban a ciertos personajes de la sociedad. Francisco Umbral le mandó una a las chicas progres. Miguel Veyrat, al monárquico de siempre. Manuel Vázquez Montalbán, al ultra. Amando de Miguel, a la chica universitaria. María Aurelia Campany, al machito ibérico. Recibieron su carta los tecnócratas, TVE, la censura, el Gobierno, un par de curas y la mayoría silenciosa. También tuvo la suya un destinatario que se había multiplicado durante el franquismo: el hincha de fútbol. La firmó Evaristo Acevedo.

El fútbol nunca había sido tema de su devoción; pero Acevedo lo había utilizado para escribir en diversos medios por ser el tema que más fácilmente escapaba al férreo marcaje de la censura. Escribiendo de fútbol, con un poco de tino, se podía hablar de muchas otras cosas. Y escribiendo de fútbol, Acevedo diagnosticó la amenaza que suponía para las generaciones futuras. En su opinión, el país incubaba una peligrosa enfermedad que podía degenerar en psicosis colectiva: la *futbolitis*.

La *futbolitis* envenenaba la salud de la ciudadanía desde que, en la década de los cuarenta, el fútbol había sustituido a la ideología. Aislados políticamente del resto de Europa, el balón se había convertido en el mejor embajador de la raza española al otro lado de los Pirineos. Y a esta parte, en un manido tema con que los periódicos llenaban unos editoriales cada vez más vacíos de política. Gracias a los partidos internacionales se había recuperado la castiza españolía, aunque la selección solo hubiese logrado un solitario éxito, la Eurocopa de 1964. Y, además, con la polémica zamarra en la final contra los rusos.

Aun así, desde hacía décadas, el fútbol acaparaba la cultura. Asustaba la proliferación de periódicos que se dedicaban exclusivamente a contarlo. La radio atronaba a todas horas con magistrales jugadas. Las revistas llenaban páginas y más páginas con noticias insulsas sobre los aún más insulsos ídolos. Y la televisión retransmitía cada vez más partidos. Los medios de comunicación, en vez de apostar por la educación, lo hacían por el nuevo hijo predilecto de la sociedad: el balón. Y nadie parecía darse cuenta de la magnitud de la tragedia. «Por culpa del fútbol, Dalí tiene que retratarse con un pan en la cabeza y Cela tirarse vestido a un estanque —aunque es académico— para conseguir un poco de espacio junto a Di Stéfano, Kubala o Pirri», se lamentaba Acevedo.

Mezclando al *Gordo* Reyes, «un patriota de sus colores», con las connotaciones de la palabra *tifoso*, Acevedo concluyó que ser hincha consistía en una miscelánea de enfermedad, fiebre, fanatismo y patriotismo. «Estas ventajas que el deporte rey tiene para apasionar a las masas, comenzaron a ser utilizadas», explicaba. «A la fiebre patriótica iba a sucederle la fiebre futbolística.» Como efecto secundario, el hincha adquiría sin darse cuenta un complejo de inferioridad frente al ídolo que terminaba provocando corrupción social. El síntoma principal se veía en el espectacular auge de la quiniela, nueva obsesión nacional que premiaba a los más ignorantes. Pero había otros: rebrotes de violencia, machismo, falta de moral, comportamientos antideportivos.

Su diagnóstico era claro: la *futbolitis* había desprovisto de conciencia política al ciudadano. El fútbol se había convertido en la subideología sobre la que se cimentaba un nuevo imperio del balón. Un ejército de cronistas, con Matías Prats a la cabeza, se había ocupado de evangelizar a las masas con su desbocada retórica. *Marca* se leía más que la Biblia. La *futbolitis* se expandía afectando a la educación cívica o al bien común en detrimento de los intereses del club, además de provocando fanatismo, orgullo, soberbia, ansias de victoria y un triunfalismo ciego.

Ni siquiera la reciente *pastillitis* que aquejaba al país, potenciada por las exigencias de la sociedad de consumo para obtener el ansiado bienestar —pareja, trabajo, piso amueblado, coche y pisito de veraneo en la costa— parecía detener los devastadores efectos de la *futbolitis*. Aun así, Evaristo Acevedo vaticinaba un final próximo. Los primeros hinchas preferían el sofá al estadio. Y sus mujeres estaban más que hartas de quedarse solas en casa todos los domingos.

Además, otro mal roía el cuero del balón: la *discotitis*. Los cantantes comenzaban a sustituir a los futbolistas como ídolos de una renovada juventud. La verdadera diversión se encontraba en las pistas de las discotecas, no en el césped del estadio. «El imperio que habíamos forjado a base de patadas, se derrumba», sentenció. El país, según Acevedo, se desfutbolitizaba. La fiebre amainaba. Pero quedaba por ver cómo evolucionaban los millones de enfermos de *futbolitis*.

García Hortelano, el espectador vergonzante (1975)

La pandemia de *futbolitis*, a pesar del diagnóstico de Evaristo Acevedo, no se detuvo. Todo lo contrario: con el final del franquismo, incluso los pacientes más afectados pudieron enorgullecerse en público de los síntomas más esperpénticos de su enfermedad. Y escribir sobre ellos, como ilustró el poema de Daniel Rodríguez Moya: «A menudo se escapan del Parnaso, / y llegan al estadio, a los partidos, / a chillar a los árbitros fulleros. / Son hinchas entusiastas, letraheridos / que prefieren un gol a Garcilaso, / mis amigos poetas futboleros».

Uno de esos poetas futboleros fue García Hortelano. En la colección de cuentos *Apólogos y milesios*, publicada en 1975, incluyó un relato que narraba un inverosímil partido. Lo tituló «Concierto sobre la hierba». En apenas dos páginas, Hortelano le imprimió música al desgastado lenguaje deportivo. Y se cargó todos los clichés: los futbolistas entregan flores al árbitro, los aficionados ondean las banderas de ambas selecciones y se guarda un minuto de silencio por los sabios fallecidos recientemente. Durante el descanso, aparecen diapositivas de cuadros en el luminoso, se toma caviar y champán, y por los altavoces suenan poemas simbolistas. Incluso los vendedores de libros que pululan por las gradas se quedan sin existencias.

Seguramente, Hortelano nunca disfrutó de tantos lujos cuando acudía al Metropolitano primero y al Calderón después. Tampoco en el Santiago Bernabéu. Aunque se dejó ver en el estadio merengue, siempre lo hizo con sus colores por delante: «Soy del Atlético de Madrid porque es el equipo que más se acerca a la realidad, a la vida —solía decir—. Blanco, ni las sábanas».

En el relato «¿Cuáles son los míos?», un hombre de apellido García rememora olvidados disparos a puerta en la terraza de un bar, mientras las mujeres critican a una vecina. «Me alivia recordar las horas inútiles que le he dedicado al fútbol», les dice. Pepa le recuerda que era malísimo, y les cuenta a las mujeres un momento memorable: un gol inolvidable como los insultos que le dedicaron a García por haberlo metido en propia portería: «No he podido olvidar aquella expresión de ira, orgullo y desconcierto, mientras gritas: ¡Pero ¿cuáles son los míos?!», dice entre risas.

Contaba Javier Marías que Hortelano solía preguntar por el mejor extremo de la historia para saber si su interlocutor sabía de fútbol: «Si no dice Gento, es que no sabe», concluía Hortelano. En *Salvajes y sentimentales*, Marías relató un curioso encuentro en Chamartín contra la Real Sociedad. Camuflados para que no se les reconociera, coincidieron Querejeta, Hortelano, Benet y Javier Pradera. Tras las palmaditas en el hombro, afloraron las excusas: Querejeta dijo que había jugado en la Real; Pradera, que era de Donosti; Benet, que vivía ahí al lado. «Lo contaba Hortelano, el único que no renegaba de su pasión», dijo Marías.

Sobre ese tema, Hortelano reflexionó en el prólogo de *El fútbol sin ley*, de su amigo Julián García Candau. Presentó el libro en Madrid, el 2 de diciembre de 1980. Los dos escritores charlaron sobre un fútbol cada vez menos subversivo, sin rastro de la clandestinidad de décadas anteriores. Los intelectuales se atrevían a hablar en público de la pasión que narcotizaba al pueblo. Nadie se avergonzaba de una afición que hasta hacía poco había sido considerada de derechas. Franco había cambiado el rojo por el azul de la camiseta nacional, y los jugadores de la selección habían saludado con el brazo en alto hasta el Mundial de Brasil. De ahí el odio de los progresistas en los años cincuenta.

Hortelano nunca había escondido su pasión, pero en ciertas ocasiones se había sentido avergonzado de mostrarla públicamente. No era fácil distinguir cuáles eran los suyos. A este tipo de hincha, lo bautizó como «espectador vergonzante». Tras muchas tardes agazapado en su localidad, con la mirada escondida bajo el vuelo del sombrero y el cuello de la gabardina alzado, Hortelano supo que había llegado la democracia con la libertad de confesar en público su pasión. «Por fin, el espectador vergonzante que yo fui podía asistir al partido», confesó. «Y entusiasmarme (que no se puede mucho, porque nunca gana) cada vez que ganase el Atlético.»

Se acabó mirar hacia otro lado cuando alguien citaba la última diablura de Gento o se mentaba a la Cultural Leonesa. Se acabó celebrar los goles por lo bajo. Aunque el trauma, para curarse del todo, exigía más tiempo. El franquismo los había convertido en hinchas avergonzados de su pasión y, «de estas deformaciones del vicio solitario —reflexionaba Hortelano—, será difícil que un exespectador vergonzante pueda aliviarse». Del mismo modo, era aventurado proclamar que, con el final del franquismo, el ciudadano fuera a disfrutar de una verdadera democracia.

Durante años, Hortelano había aprendido a deleitarse plenamente de su vicio en solitario, con palabras. En la página en blanco, no necesitaba fingir ni mirar para otro lado cuando escuchaba botar un balón. Con la pluma podía responder, sin vergüenza, a la pregunta qué él mismo se hacía: «¿Qué es el fútbol, sino una recurrencia a la eterna fuente de la infancia, a las rodillas raspadas por la tierra, al gozo de ignorar obstáculos?».

El fútbol comprometido de Antonio Skármeta (1975)

Antonio Skármeta tenía diez años cuando vio a Braulio Musso, capitán del Universidad de Chile, en la portada de la revista *Estadio*. Con pinta de seductor de telenovela, el mediocampista mostraba una tímida sonrisa a la cámara, mientras sujetaba una bota reluciente entre las manos. Ese día, Skármeta supo que llevaría la U roja sobre el corazón, aunque todos sus amigos apoyasen al Colo-Colo. Lo que no sabía es que no solo su trayectoria vital quedaría ligada al club, también la literaria. En 1959, cuando Universidad ganó el campeonato, él comenzó a escribir: «Frente a la máquina de escribir sentía el mismo torbellino que en las graderías de los estadios».

Tres años después, en el Mundial disputado en su país, la selección chilena formó con un once que mantenía el esqueleto de Universidad. Y Skármeta publicó *El entusiasmo*, su primera colección de cuentos. Con motivo del Mundial, la relación entre poesía y patadas se estrechó en su país. Días antes del comienzo, el poeta Julio Barrenechea publicó «Homenaje al Mundial»: «Selección de la patria, adelante / hasta el arco contrario abatir; /todo Chile es un pecho anhelante / ¡gol chileno!, queremos oír».

Los chilenos pudieron celebrar varios goles, que terminaron aupándolos al tercer puesto. Nicanor Parra lo celebró a su manera en «Noticiero 57»: «El equipo chileno juega bien / pero la mala suerte lo persigue», escribió. El paso del tiempo, sin embargo, puso la brillante actuación de los anfitriones donde merecía; pero también juzgó el papel de muchos escritores durante aquellos días. Así lo narró Ángel Cuevas, dos décadas después, con un poema sobre aquellas jornadas luminosas: «Nosotros los muchachos del 62 / qué perdidos estuvimos entre la gente / el día del jolgorio. / Las motos aullaban guitarrista / y los instrumentos / llenaban el cielo de rugidos y lágrimas».

Skármeta fue uno de aquellos muchachos perdidos del 62 que, con los años, se transformó en un intelectual de izquierdas comprometido. Su militancia en el Movimiento de Acción Popular y Unitaria le costó el exilio cuando, el 11 de septiembre de 1973, el golpe militar de Pinochet derrocó al Gobierno de Allende. Skármeta tuvo que huir a Argentina, pero nunca perdió de vista los avatares de su país ni tampoco los del Universidad, como demostró cuando, en 1975, publicó su primera novela, *Soñé que la nieve ardía*.

Arturito, el protagonista, encarnaba a la perfección los versos de Nicanor Parra en «Los profesores»: «A nuestros ojos el mundo se reducía / al tamaño de una pelota de fútbol / y patearla era nuestro delirio, / nuestra razón de ser adolescentes». La novela arrancaba con Arturito abandonando su pueblo con el sueño de convertirse en futbolista profesional en Santiago de Chile. Es joven, egoísta, vital. Solo piensa en el ataque individualista en lugar del bien colectivo. Sin embargo, en la pensión de Don Manuel se topará con jóvenes sindicalistas que lo introducirán en el complejo universo político de su país.

«Ser futbolista es un lujo que tiene su vía crucis. Un campeón es un hombre de acero», le advierte su entrenador. Arturito se cree de acero. Ficha por un mediocre equipo de barrio. Y hasta entrena con la camiseta de la selección: «Así me acuerdo adónde voy para no perderme», contesta a los compañeros que se mofan. Tiene un plan: despuntar como goleador y negociar un fichaje millonario con un club grande. Aunque sus compañeros le piden que les enseñe a mejorar su juego, él se niega: «Con uno como yo en el campo, basta. Cuando hay uno solo, ese es el más caro», les dice.

Fuera del campo, también se niega a acompañar a sus compañeros de pensión a realizar tareas sociales. Su individualismo es feroz. Todavía no entiende la lección más valiosa del fútbol... y de la vida: un verdadero equipo se cimenta en el «nosotros». El partido más importante, no obstante, se acerca. La gran marcha del 4 de septiembre para celebrar los tres años de elección de Allende se oscurece por la alargada sombra de los milicos. Se suceden las palizas en las calles, las revueltas contra los sindicatos.

La caída de la democracia simbolizará la de Arturito: en el partido decisivo, el árbitro no le pita dos clarísimos penaltis y termina golpeándolo. En la radio, se lamentan: «Una nueva fiebre provocada en las divisiones inferiores por un *crack* que, permitiéndome la metáfora, hace *¡crack!*». Fuera del campo, también se queda solo. Algunos de sus compañeros mueren asesinados, otros huyen tras recibir palizas y amenazas. Muchos abandonan la ciudad donde la nieve ha ardido. A Arturito solo le queda volver al pueblo, derrotado. Ha sido demasiado individualista.

Tras el asesinato de Allende, el estadio Nacional se habilitó como campo de concentración. Pero las barbaridades cometidas en su hierba por los milicos no asustaron a Skármeta. A finales de los setenta, escribió *La composición* para la radio. El relato arrancaba con unos niños jugando en la calle. Pedro estrena una pelota que le han regalado por su cumpleaños. Su amigo Juan marca un golazo con ella. «No hay nada más importante para un niño que marcar un gol delante de sus amigos», escribió Skármeta; pero ninguno de los niños lo celebra porque están rodeados de militares.

Sin embargo, el final del cuento demostró que lo más importante era afrontar los partidos más duros con espíritu de equipo. El pueblo unido jamás sería vencido. Años después, *Le Monde* recuperó este cuento y el mensaje del fútbol cooperativo de Skármeta dio la vuelta al mundo.

El fútbol comunista de Hans-Jørgen Nielsen (1977)

Antonio Skármeta había demostrado que el balón podía utilizarse como herramienta para combatir la dictadura, pero ¿podía un verdadero comunista apasionarse con el fútbol? Esa pregunta trató de responder el novelista danés Hans-Jørgen Nielsen en 1977, con su novela *El ángel del fútbol*.

No cabía duda de que el fútbol compartía profundas raíces con el socialismo: era el juego individual más colectivo que existía. No importaba cuánta calidad atesorase un solo jugador; en un equipo, todos ganaban y todos perdían. Pero el capitalismo amenazaba ese socialismo. Los clubes se habían transformado en empresas multimillonarias con despachos burgueses donde se negociaba con los jugadores como mercancía al peso. La lucha de clases de Karl Marx florecía en el césped: los propietarios de los clubes frente a sus trabajadores, los futbolistas.

El lejano 6 de julio de 1939, en la plaza Roja, Stalin había disfrutado viendo un partido. Los deportistas del Spartak de Moscú habían tejido una alfombra de diez mil metros cuadrados que simulaba el césped, con la que cubrieron la plaza. El partido se había coreografiado al minuto para entretener a Stalin. Hubo goles de cabeza, de disparo lejano, de jugada colectiva, de falta. Si el mandatario mostraba síntomas de aburrimiento, un pañuelo blanco ondearía en el palco. Pero sucedió todo lo contrario: los jugadores tuvieron que improvisar durante trece largos minutos.

Aquel fútbol, sin embargo, estaba a años luz del moderno negocio de finales de los setenta. ¿Podía el actual convertirse en metáfora de la lucha de clases? ¿Cuánto había de realidad en el sueño del niño pobre que termina como futbolista profesional?, se pregunta el narrador de *El ángel del fútbol*. Mientras busca una respuesta, se dedica a escribir la novela donde reconstruye su pasado: los partidos en el patio, la pandilla, los primeros cigarrillos y polvos, el vestuario del Fremad Amager, la universidad, el comunismo, el matrimonio, la precariedad del trabajo, el embarazo y su hijo, al que, todavía muy pequeño para entenderla, le cuenta su historia.

También la de Franke, su mejor amigo, que ha llegado a convertirse en jugador profesional. Franke es el ángel al que alude el título. En la habitación del narrador hay un póster de su debut con la selección danesa: Franke aparece elevándose en el cielo de Wembley para marcar el gol de la victoria en un soberbio cabezazo. Ese póster no solo ha desencadenado las preguntas que mueven la novela, también la discusión definitiva con su mujer que ha provocado el divorcio. Ella se había acercado a posturas más feministas y políticas, mientras él se alejaba decepcionado de los vacíos discursos políticos: «Empiezo a pensar sobre política del mismo modo que los malos entrenadores piensan sobre el fútbol: quieren atar a su equipo de antemano», dice.

Tras la separación, ha vuelto a pensar en el fútbol. Lo había abandonado en la universidad, después de pasar por los juveniles del Fremad Amager, el club de su barrio. Pero, a través de los recuerdos de esos años, entiende qué ha significado en su identidad actual.

Franke y él habían crecido en un barrio obrero. Habían compartido aula, patio y vestuario, «una sutil red de lealtad del grupo y de la colectividad». Franke destacaba sobre el resto. No jugaba, sino que dejaba que el juego lo jugase a él. Era un poeta del juego. Pertenecía a la categoría más especial de futbolistas, «los que crean un nuevo espacio donde no debería haber habido ningún espacio». Siempre habían tenido una conexión especial dentro y fuera del campo. No necesitaban mirarse para entenderse. «No es algo muy distinto a lo que hace falta para efectuar un buen contraataque en fútbol —asegura—, en el arte de nuestro fútbol cristalizan todas nuestras costumbres.»

Aparte de la novela, el narrador también arrastra una tesina inacabada donde estudia los orígenes del fútbol obrero a través del Fremad Amager. Tras los partidos medievales, el fútbol se había transformado con el paso de los siglos en un *sport* de *gentlemen*. La burguesía se había adueñado del balón hasta que los obreros, mediante la lucha de clases, dieron la vuelta al marcador con jornadas laborales más cortas. Por fin, tuvieron tiempo para recuperar el balón que siempre les había pertenecido. «Una nota del autor en la descripción de la historia de la clase obrera en *El capital*, de Marx —reflexiona Hans-Jørgen Nielsen—, puede tratar de aquel día de 1883, cuando un equipo puramente de obreros triunfa por primera vez sobre los señores caballeros de Eton en el final de la Copa.»

En los setenta, el profesionalismo ofrecía una inmejorable oportunidad de ascenso social a esos obreros. El ejemplo es Franke: un chico de barrio sin estudios que se convierte en profesional, se casa con la chica más guapa y obtiene dinero y fama. Pero el sueño se convierte en pesadilla cuando sus rodillas ceden por el sobresfuerzo al que le somete el club. Franke simboliza al proletario exprimido en el césped. Los burgueses habían pasado de controlar el juego desde dentro a hacerlo desde sus despachos.

El capitalismo le había hecho un gol por la escuadra al socialismo. «Franke no se quedó colgado allí, en vuelo alto sobre el césped —escribió Hans-Jørgen Nielsen—, al final cayó sin alas, él era de este mundo, de esta sociedad.»

El miedo de Peter Handke ante el penalti (1979)

Los futbolistas son héroes demasiado humanos. Tienen miedos, aunque se desprendan de ellos cada vez que saltan al campo. Les asaltan dudas, por mucho que parezca que tienen claro el destino de cada pase. Un solo fallo, muchas veces, los condena. Y el momento donde más afloran esos miedos es el penalti. Dos rivales enfrentados cara a cara. Un duelo a vida o muerte entre dos pistoleros.

Cuando el árbitro lo señala, el uno del portero se transforma en un dorsal tremendamente pesado. Y la portería, en un universo inabarcable. Sin embargo, es el lanzador quien tiene más que perder, por mucho que, en 1979, el escritor Peter Handke titulase su novela *El miedo del portero ante el penalty*. Al portero se le da por muerto cuando el lanzador toma carrerilla. Si no acierta la dirección del disparo, no importa: es el único lance en el que tiene permitido y perdonado el error. Su única misión consiste en levantarse después del disparo, desenredar el balón de las mallas y entregárselo a un compañero para que reanude el juego. Morir para resucitar.

Sin embargo, la lógica y las estadísticas, en el fútbol, se rompen a golpe de milagros. Y el penalti es el momento idóneo para hacerlo. Parando uno, el portero puede transformarse en héroe o inscribir su nombre en el santoral del club. El lanzador lo sabe. Lo ve en los ojos de su rival. El miedo al penalti atenaza sus piernas. Es fácil imaginárselo como un Hamlet —sudado y en pantalón corto— que le pregunta al balón, mientras lo coloca en el punto de cal: «¿Acertar o fallar, ser o no ser?». A él solo le vale una respuesta. No habrá perdón si no acierta. En sus botas recae la responsabilidad de ese momento fatídico. En los guantes del portero, en cambio, espera el milagro de lo inesperado.

Vladimir Nabokov definió al portero como distante, solitario, impasible, misterioso. Adjetivos que definen a la perfección al personaje de Josef Bloch, el arquero que protagoniza *El miedo del portero ante el penalty*. Bloch jugó al fútbol en una época en que los porteros estaban desprotegidos cada vez que abandonaban el cobijo del larguero. A lo largo de su carrera, sufrió varias lesiones en manos, costillas y tobillos. En un despeje —cuenta—, chocó brutalmente con un lateral de la portería y se partió la lengua por la mitad.

Ese lance simboliza su incapacidad para comunicarse. No en vano, los porteros viven encerrados en los confines del área, alejados de todo, atados a la portería por una cadena invisible. «Desde una turné por Sudamérica, donde su equipo de fútbol tenía que mandar tarjetas postales desde la ciudad con la firma de todos los jugadores —explica Handke—, Bloch se había acostumbrado a escribir tarjetas cuando estaba de viaje.» Esas tarjetas, junto con las esporádicas llamadas telefónicas a su exmujer, que siempre acaban mal, ilustran su aislamiento.

Bloch vive en una angustiosa espera ante el penalti que se alarga en el tiempo sin que se escuche el silbatazo del árbitro. Mientras, vaga por las callejas de Viena. Se mete en peleas. Bebe. Mira algún partido de fútbol. Todo en silencio: «Un buen juego se desarrolla con mucha tranquilidad», dice. Tampoco ayuda la situación que vive una vez retirado. Desde que le despiden del taller mecánico, deambula errático por un mundo que solo aprehende de manera fragmentaria. Es la paradoja del portero: cuando al fin tiene la libertad para abandonar los confines del área, más se encierra en sí mismo.

Solo le quedan recuerdos de sus años en activo. «Había sido un mal portero a la luz de los focos», dice Handke. Pero solo la evocación de la portería le permite reconciliarse consigo mismo. El fútbol, además, se convierte en su único sustento. Empeña sus trofeos —sus victorias pasadas— y sus botas —su modo de andar por el mundo— para conseguir algo de dinero. Avanza por el mundo con «la sensación de que tenía en la cabeza una pelota muy pesada, mojada por la lluvia». Un mundo donde aquel número uno que había cargado a la espalda ya no existe: «Desde hacía poco, había observado en sí mismo la costumbre de empezar a contar por el número dos», escribió Handke.

El mayor miedo del portero no es el penalti, sino el error. Bloch cometió uno, y carga con él: «Sorprendido por el tiro, dejó que la pelota le rodara entre las piernas», cuenta Handke. El penalti, en realidad, sigue sin lanzarse. El balón está colocado en el punto de castigo, pero la espera se eterniza. El silbido del árbitro significará la tragedia para uno y la gloria para el otro. El destino tomará forma de gol o de parada. Pero ¿qué pasaría si el árbitro no pitase? ¿Qué ocurriría si esos segundos de angustia se alargasen en el tiempo? ¿Cómo podrían portero y lanzador vivir con esa incertidumbre constante?

Así vive Bloch. Pensando: ¿derecha o izquierda? ¿El bien o el mal? Preguntándose: «¿Qué ocurre si el jugador continúa reflexionando también, y decide dirigir el tiro a la esquina acostumbrada?». Hamlet mira fijamente el balón. La tragedia se condensa en una única jugada. El punto de penalti. La pena máxima. Como dice Bloch, detenerlo es «como si el portero intentara abrir una puerta con una brizna de paja».

La pasión más desordenada del maestro Delibes (1982)

Miguel Delibes conocía la tragedia del penalti. No solo la angustia del portero, también los miedos del delantero cuando colocaba el balón en el punto de cal. Hasta los treinta y cinco años, el maestro jugó de delantero centro goleador; el resto de su carrera, que se alargó hasta bien entrados los cuarenta, lo pasó bajo la alargada sombra del larguero.

A Delibes le aburrían muchísimo las visitas al otorrino, y solía hablar de fútbol. Su otorrino estaba felizmente casado con la hija de Ildefonso Sañudo, uno de los delanteros más letales que había pisado Zorrilla. Ese verano de 1982, posiblemente recordaron la historia del fatídico choque entre Sañudo y Eduardo Chillida. Delibes no olvidaba la fecha. Chillida se había lesionado en el viejo Zorrilla un 14 de febrero de 1943. Delantero y portero habían saltado a por un balón que volaba desde el córner, y sus rodillas chocaron. Para promocionar el

Mundial de España, Chillida había diseñado un cartel. En el centro, aparecía un puño titánico, de un portero colosal, a punto de despejar un enorme balón bordado con palabras. Quizás ese balón provenía de aquel lejano saque de esquina donde había terminado su carrera como futbolista.

Un año después de aquella lesión, Delibes había jugado su último partido como delantero. En 1944, varios periodistas habían improvisado un once para enfrentarse a los artistas del Circo Feijóo, aprovechando que el espectáculo de los hermanos Tonetti hacía escala en Valladolid. Aquella tarde de septiembre, desde la tribuna lo observaba Ángeles, una preciosa mujer de rojo sobre fondo gris. Delibes, todavía espigado y nervudo, saltó al campo decidido a dedicarle un gol, o dos si sonreía la suerte. Sin embargo, en su primera carrera, después de haber driblado al mayor de los Tonetti, un malabarista chino le propinó tal empujón que salió volando por los aires. Aquella fue su última jugada. Dos semanas después, mientras celebraba los treinta y cinco, todavía le dolían todos los músculos del cuerpo.

Ese día decidió que, a partir de entonces, su lugar estaría bajo palos. Hasta los cuarenta y cinco, defendió la portería del Sedano F. C. En la aldea burgalesa no solo compuso sus mejores novelas, también disfrutó de sus últimas paradas. En 1965, una foto inmortalizó al equipo con el que jugaría uno de sus últimos partidos, un clásico solteros contra casados. Delibes aparecía en una esquina, como acostumbran los porteros, enfundado en un buzo azul de faena y con la gorra bien calada.

La afición le venía de lejos. Desde pequeño, su padre lo llevaba de morralero al monte, a la playa o a montar en bicicleta; pero nada de él con la fuerza del fútbol: «Yo creo que mi primera afición deportiva, asumida como pasión, como auténtica pasión desordenada, fue el fútbol —escribió—. Estaba en todas partes, lo impregnaba todo, era casi como un dios: una presencia constante». Tenía botones para jugar a escondidas en el pupitre de clase, canicas para continuar el partido en el patio, pelotas de trapo o de goma para jugar en los andenes del Campo Grande, y el balón ensebado para los campos del colegio. Con ocho años, recitaba alineaciones, memorizaba resultados y clasificaciones. En el colegio de Lourdes ideó la Ley Delibes: si el equipo visitante venía de perder en casa, y el local de ganar fuera, lo habitual era que el segundo sumase los dos puntos o, a muy malas, arrancase un empate.

Convertido en reputado cronista de *El Norte de Castilla*, continuó mencionando su ley al realizar los pronósticos ligueros. Solía recordar con una sonrisa que su primera colaboración en aquel periódico había sido un dibujo: un «mono futbolístico», como solía llamarlos, para ilustrar la crónica de un partido entre el C. D. Delicias de Valladolid y el Ciudad Lineal de Madrid. Tras toda una carrera como novelista, en 1982, con motivo del Mundial, Delibes reunió sus artículos futboleros bajo el título *El otro fútbol*. Entre otras historias, recordaba las palizas que les endosaban los huérfanos del colegio Santiago, ese otro fútbol de balones coriáceos que se jugaba con alpargatas en campos de tierra.

También su historia como hincha, que había comenzado en 1929. «Yo fui hincha antes que aficionado —confesó—. Anteponía al espectáculo el triunfo de mi equipo, el Real Valladolid Deportivo.» Delibes convenció a su padre para que le hiciera socio a cambio de la paga. Así se costeó los seis reales de la cuota anual. No faltó a un solo partido hasta que, en 1978, el club levantó las vallas metálicas que separaban el césped de la grada. Cambió su localidad por el mullido sofá de casa. «El par de veces que me he acercado después a un estadio no me enterado de nada —escribió—, en la pradera hay demasiada gente, se mueven todos a la vez, los goles me pillan de sorpresa, y cuando espero la repetición y esta no llega, me pongo de mal humor.»

Espectador de lujo de la evolución del fútbol, Delibes se lamentaba de que el profesionalismo desmesurado hubiese convertido la Liga en cosa de dos. Los dos clubes más ricos se la repartían, mientras el resto se conformaba con evitar el descenso. Pero lo que realmente le preocupaba era un asunto más serio: «Hoy, antes que jugar más, se procura que el contrincante juegue menos —escribió—. Interesa, más que jugar, no dejar jugar, destruir que crear». Como solía comentar con su otorrino, por suerte cada vez se escribía más sobre fútbol. Y *El otro fútbol* era un ejemplo clarísimo: por ninguna de sus anteriores y aclamadas novelas había recibido tantas cartas de los lectores como por aquel libro de fútbol.

El mejor gol de Roberto Fontanarrosa (1982)

Decía el *Negro* Roberto Fontanarrosa que siempre había tenido dos graves problemas para marcar goles: por un lado la pierna izquierda, y por el otro, la derecha. Seguramente exageraba. Y si no, la poesía con que trató a la pelota en sus textos le redimió de todas las patadas mal dadas. También solía decir que si tuviera que ponerle una banda sonora a su vida, esta sería la retransmisión de un partido. La voz de los relatores le relajaba. Menos cuando jugaba su Rosario Central. Entonces se ponía tan nervioso que terminaba apagando el aparato. «No sé si sufro ahora más con Central que cuando era chico, y me pregunto ¿cómo puedo ser tan pelotudo?», se preguntaba. Pero no tardaba en hallar la respuesta: «Creo que si no se entiende que esto es una pasión, y las pasiones son bastante inexplicables, no se entiende nada de lo que pasa en el fútbol.»

Fontanarrosa se hizo de Rosario Central pateando las calles de su ciudad. Aprendió a defender sus colores en polvorientos potreros con sus compinches. Mamó su historia escuchando a los viejos en la barra del bar o con una oreja pegada al aparato de radio. Años después, escribió un magnífico cuento donde plasmó con maestría el cordón umbilical que le unía con el club. Lo tituló *19 de diciembre de 1971*. Narraba la historia del secuestro del viejo Casale —nunca Rosario perdió cuando él acudió al estadio, pero ya no puede ver fútbol por prescripción médica— para llevarle a toda costa a la histórica semifinal contra Newell's, que pasaría a los anales por la inolvidable palomita de Poy. Su cuento, como la parada, también pasó a formar parte de la historia del club.

«Posiblemente, todas las horas que dediqué a ver fútbol o ir a la cancha, los intelectuales más serios las ocuparon leyendo —dijo Fontanarrosa en una entrevista—. Ellos elegían a Tolstói, mientras yo leía *El Gráfico*.» Sus lecturas de formación imbuyeron su pluma con un estilo especial para narrar el fútbol. Por su campito literario desfilaron los recuerdos de un *wing* acabado, un goleador que no marcaba para no matar a su padre de la emoción y hasta un portero obeso que desafiaba la ley de la gravedad en sus estiradas. Y los hinchas. Estaban los que, como él, no soportaban los nervios de un clásico contra

Newell's. O los pibes que mataban las tardes de la infancia en potreros con pelotas tan desinfladas que terminaban quitándoles hasta el último aliento de los pulmones.

Aquel era el fútbol que el Negro había mamado en las calles de su ciudad. El que lo había formado como futbolista. Fontanarrosa jugó religiosamente una vez por semana hasta que la esclerosis lateral amiotrófica lo sentó en una silla de ruedas. Solía recordar aquellos estoicos partidos con los muchachos como una descarga: unas horas de intensa felicidad que disfrutaba a pesar de haber perdido velocidad y fuerza, y tener que resignarse a ver cómo los contrarios le rebasaban sin que apenas pudiera hacer nada. «El fútbol es el fútbol. El fútbol. La única verdad», escribió.

Como Best Seller, el protagonista de sus dos novelas de fútbol, Fontanarrosa siempre fue un enamorado de la pelota: «No hay nada más lindo que una pelota nueva», puso en boca de Seller. En 1981, Fontanarrosa publicó *Best Seller*, novela en la que el sirio Seller, ya retirado del fútbol, se ve envuelto en una turbia historia de tráfico de armas. Un año después, coincidiendo con el Mundial de España, apareció en Argentina *El área 18*. De nuevo, Seller. De nuevo, mucho fútbol.

La historia comenzaba con la desorbitada propuesta de un misterioso periodista para que Seller vuelva a los terrenos de juego: trescientos mil dólares por un solo partido, y doscientos mil más si lo gana. El rival, la selección de Congodia, un pequeño principado entre Kenia y Somalia que basa su riqueza en los diamantes y el fútbol. Congodia ha ganado su independencia en un partido contra los árabes. Gracias a un balón, un país pequeño ha conseguido grandes objetivos. El fútbol, no en vano, es «el fenómeno social más grande y formidable de nuestro tiempo que más ha conmovido al mundo entero en los últimos años —escribió Fontanarrosa—. Fenómeno que no sabe de religiones ni de idiomas, de fronteras ni de ideologías».

En Congodia, el fútbol ha unido a todas las tribus, ha unificado los numerosos dialectos y ha limado asperezas entre religiones. Y, sobre todo, ha generado mucha riqueza. Al principio, jugaron contra países vecinos por rebaños de cabras o sacos de cereal. Después, ganaron la salida al mar a

Kenia. Hasta el momento, ningún equipo visitante ha logrado vencer en su estadio, el infernal Bombasí. Por eso necesitan a Seller como capitán. Como entrenador cuentan con Muller, un estratega alemán que impone entrenamientos militares a sus jugadores: carreras bajo la calima a través de la jungla, atravesar áreas pantanosas para potenciar las piernas, trepar palmeras, chutar cocos para fortalecer el empeine. Quiere convertirlos en un ejército porque les espera un partido ciclópeo, de colosos, demoniaco, brutal.

«No aspiro al Nobel de Literatura —dijo en más de una ocasión Fontanarrosa—. Yo me doy por muy bien pagado cuando alguien se me acerca y me dice: Me cagué de risa con tu libro.» Fontanarrosa conocía el secreto: no hay mejor gol para un escritor que la carcajada sincera de un lector.

¡A ti el pelotón, Patxo Unzueta! (1983)

Coincidiendo con el Mundial de España, el periodista Patxo Unzueta arrancó su andadura como cronista oficial del Athletic de Bilbao. Un año después, publicó *A mí el pelotón,* libro donde reunió sus artículos escritos para *El País* durante los años ochenta. Contaba en el texto que abre el libro que sus primeras palabras ya se las dedicó a su héroe. Con una pelota bajo el brazo, Patxo Unzueta dijo: «Yo *ero* Gaínza». Tenía poco más de dos años. Todavía tendría que aprender a pulir los tiempos verbales, pero ya había empezado a narrar el primer capítulo de una historia que se prolongaría toda la vida.

Unzueta podría haber contado la trayectoria de su club con la frialdad de los datos, pero la filtró con la calidez de los sentimientos. Un hincha, al fin y al cabo, no es solo las victorias y las derrotas de su club; no puede narrarse sin su estadio, los jugadores que han marcado su vida o la gente con la que ha compartido butaca. «Hablar de fútbol es hacerlo de la vida, y viceversa. Tal descubrimiento fue decisivo en mi posterior decisión de convertirme en cronista futbolístico», escribió Unzueta. Sin saberlo, también se convirtió en el padre de todos los *hooligans* ilustrados que escribirían sobre la relación entre el aficionado y su club.

La suya había comenzado una tarde de 1953 que su padre

le llevó a la Catedral. El fuego del fútbol, irremisiblemente, prendió en él. Le impresionó la solemnidad con que los hombres miraban el busto de Pichichi. Las ovaciones a los jugadores. La camaradería. Los cánticos. El estruendo del gol. El Athletic, aquella tarde, venció por 6-1 al eterno rival, la Real Sociedad. Rugieron las gradas de San Mamés con cada gol; pero el grito de Rompecascos, aquel *Athleeeeeeetic* que alarga la *e* hasta quedarse sin aire en los pulmones, le sobrecogió.

Con catorce años, ya era socio infantil. Pasaba las tardes de domingo con los amigos detrás de la portería. Todos esperaban el gol de Zarra o la palomita de Cedrún; pero Unzueta se volvía hacia la solitaria línea de cal donde Piru Gaínza regalaba sus últimas gambetas a la grada. En aquella banda, el partido de su infancia llegó a su fin con la retirada del ídolo: «Yo creía que los héroes duraban para siempre —escribió Unzueta—, y me costó acostumbrarme a la idea de que alguien pudiera usurpar la posición de Gaínza.»

Había entendido el ciclo del fútbol… y de la vida. Solo el balón, aquella «forma esferoidal» que escapaba a toda lógica, resistía el paso de los años. Por muchas tácticas que modificasen el fútbol, por muchos jugadores que ocupasen la banda de Gaínza, él siempre protagonizaría el juego: «A la hora de la verdad, todo depende de que la bola elástica, voluble por definición, decida circular unos centímetros arriba o abajo, derecha o izquierda, del espacio acotado de la portería», escribió Unzueta.

Había contado su paisano Jacinto Miquelarena que, cuando los ingleses divisaron las verdes praderas de Vizcaya desde sus buques, gritaron: «*Football!*». Unzueta añadió a la historia del fútbol vasco que, el 3 de mayo de 1894, se había disputado el primer partido en Bilbao. En la Campa de Santa Engracia, un grupo de *sportmen* vascos se acercó para ver a qué jugaban los marineros británicos. Poco tardaron los caballerosos ingleses en desafiarlos. Y aún menos los vascos en aceptar el duelo, que terminó con una derrota aplastante de los visitantes. Aquellos primeros *footbollistas* no podían imaginar cómo crecería aquel deporte gracias, en gran medida, a la furia de Amberes y al mítico grito de Belauste al que aludía Unzueta en el título de su libro.

«La historia ha ido forjando una identificación tan profunda entre el juego llegado del Reino Unido y el pueblo de Bilbao que su equipo representativo —fundado en 1901— conserva hoy en su nombre oficial la grafía británica original», escribió. Unzueta explicó que la denominación de «leones» provenía de una talla de escayola de San Mamés que se encontró en la capilla sobre la que se edificó la Catedral. En 1929, un periodista local escribió en *El Liberal* un artículo titulado «Volvió a rugir el león de San Mamés». Desde entonces, muchos leones habían rugido en la Catedral.

Unzueta entrevistó a algunos. A Zarra le preguntó por el legendario gol de Maracaná, en la tienda de deportes que regentó tras retirarse: «Es como la vida: lo más importante no siempre es lo de más mérito. Además, ya no sé si lo metí yo o Matías Prats», le contestó. Panizo le confesó que le ataba las botas al mítico delantero antes de los partidos: «¿Cómo íbamos a ir en plan figura si todo el mundo sabía que, de no ser por el fútbol, estaríamos con el buzo en la fábrica o sacando patatas en la huerta?».

Desde la grada de San Mamés, Unzueta vio cómo se extinguían las delanteras de cinco atacantes y, más tarde, cómo se sustituía la magia del extremo por el sacrificio del interior. Vio cómo el fútbol perdía el vértigo del pase de la muerte para dejar su lugar al *pressing*. «El fútbol no es una matemática, sino una de las bellas artes, y no cabe informatizarla», se lamentaba. Al fin y al cabo, ninguna pasión podía reducirse a números. Y Patxo Unzueta no podía evitar emocionarse cuando veía la gabarra grande amarrada en la dársena de Axpe esperando un nuevo rugido del león.

El **Beti güeno** *de Antonio Hernández (1987)*

Pertenecer a un club libera, pero al mismo tiempo esclaviza. Una vez elegido un escudo, el destino del hincha queda ligado a él en la salud y en la enfermedad hasta que la muerte los separe. El escritor Antonio Hernández conoce estas miserias: «El *manque pierda* es una filosofía y una esclavitud —escribió—, y por eso mismo Séneca, que era bético preexistente, nos dejó este legado como una herencia estoica:

"Sé esclavo de la filosofía si quieres ser verdaderamente libre".» O lo que es lo mismo: sé esclavo de unos colores para disfrutar verdaderamente del fútbol.

Del mismo fuego del fútbol que había prendido en Patxo Unzueta se dieron rebrotes en el barrio sevillano de Heliópolis. Y como todo lo demás, en Sevilla se lo tomaron con *muso* arte y *musa* guasa, sin tremendismos. Desde la infancia, Antonio Hernández había vivido encadenado a su *Beti güeno*, tiranizado por su escudo, preso de sus franjas verdiblancas. Y en 1987, publicó un magnífico monólogo donde literaturizó esa esclavitud. Lo tituló *El Betis: la Marcha Verde*.

El título hacía referencia a una histórica movilización de más de dos mil aficionados béticos que, el domingo 25 de enero de 1953, habían viajado hasta Utrera. Se llenaron trenes, autobuses, coches, camiones, carros tirados por burras. Hubo aficionados que se desplazaron en bicicleta, haciendo dedo, andando. La carretera se pobló de pancartas de ánimo que ni la persistente lluvia de aquel domingo pudo doblegar. Los jugadores respondieron al acto de fe de su hinchada ganando el partido y consolidando sus opciones de ascenso a Segunda. Desde entonces, las procesiones verdiblancas se han continuado repitiendo por toda la geografía española.

Solía contar Antonio Hernández que, los días de partido, mientras firmaba ejemplares del libro en una feria recóndita o en una librería olvidada, su pensamiento en realidad estaba con aquella marea verdiblanca. Físicamente, él estaba sentado frente a un apasionado lector que le pedía su rúbrica. Siempre había soñado con esa situación. Sin embargo, cuando al fin vio cumplido el sueño de cualquier plumilla, deseaba todo lo contrario: estar en la butaca del Benito Villamarín donde tantos domingos se había perjurado que no volvería a poner sus posaderas. Libertad y esclavitud.

La afición le venía de lejos. Su abuelo le había repetido mil veces que la profesión de futbolista sería la mejor pagada del futuro. Y para que sus nietos entrenasen, levantó un *stadium*: «Mi infancia es la memoria de un campo de fútbol en el que florecen los balones y se rompen las redes de las porterías», escribió Hernández. Su abuelo compró camisetas amarillas y pantalones rojos para el equipo que bautizó como Filma

Benítez Club, el nombre de los cines que regentaba. Su hermano, un par de primos y varios empleados formaban la peculiar plantilla. Hernández jugaba de portero o hacía de mascota. Incluso el cura del pueblo les bendijo antes de debutar: «Los caminos para llegar a Dios son múltiples —dijo en el sermón de ese domingo—. El fútbol, aunque lo inventaran en la pérfida Albión, es uno de ellos».

Gracias al apoyo divino ganaron los tres primeros partidos. Al cuarto, el equipo se disolvió. Cuando su abuelo falleció, la familia vendió el cine y el *stadium*. «Anduvimos huérfanos, mortales —contó Hernández—, sin el sueño que era golpear el balón hacia una portería tras la que estaba la gloria.» Por suerte, poco después encontraron un campo abandonado con una higuera en el centro, que terminó convirtiéndose en un compañero más al que llamaban Kubala por lo bien que devolvía la pared al primer toque con su tronco. Hernández, cuando se aburría, chutaba contra la copa para que un puñado de pájaros volase en todas direcciones. Y a la sombra de aquella higuera, terminó su infancia.

Pero no su esclavitud con el *Beti güeno*, que incluía, por supuesto, el odio al vecino: «A mí me gusta que el Sevilla pierda hasta cuando no juega», escribió. Para Hernández, el *Beti* es el primer club de Sevilla en todo: el primero que ascendió a primera; el primero en tener opción de fichar a Maradona (no lo hicieron porque no hubieran sabido a quién quitar); el primero que ganó una Copa de su Majestad el Rey y el que organizó una gran marcha; el primero de Andalucía en escuchar el himno de la Champions en su estadio. Y en algunas etapas de su historia, también el más literario: «Nosotros empezamos con Cervantes, el portero, y terminamos con Calderón, el extremo izquierda —escribió—. No será de la Barca, pero es Calderón».

Hernández sabe, no obstante, que sin el eterno rival ellos no estarían completos. Abel necesita de Caín lo mismo que Caín necesita de Abel. Pero en Heliópolis, esta rivalidad entre hermanos se vive sin derramar sangre en el césped. Así la entiende Antonio Hernández: como la salsa que pone un toque de picante al insulso transcurrir cotidiano. «Nada hay peor que andar por ahí sin distracciones, sin pasiones, como una mosquita muerta. Y si alguna de las pasiones puede ser dañina, la del fútbol no», escribió.

Al fin y al cabo, el fútbol solo es «un juego que quiere sustituir el afán más dañino que al hombre le hierve dentro para humillar al hombre». Y quizá lo mejor sea tomarse esta enfermedad del fútbol como Hernández: con *musa* guasa y *muso* arte. «Soy un bético que sueña con ganar la Copa de Europa antes que el premio Nobel», solía decir. ¡Olé!.

El delantero centro asesinado al atardecer (1988)

Los futbolistas se habían convertido en dioses codiciados no solo por los clubes. Y comenzaron los secuestros. Uno de los más recordados sucedió en 1963. Las portadas de todo el mundo, aquel 24 de agosto, amanecieron con el anuncio del secuestro de Alfredo di Stéfano en Caracas, Venezuela, donde el Real Madrid disputaba un torneo internacional veraniego. De madrugada, dos hombres se personaron en el hotel Potomac. Dijeron ser policías, y subieron a la habitación de Di Stéfano. Le despertaron y le ordenaron que los acompañase. El somnoliento astro argentino obedeció. No sabía que acababa de caer en manos de un grupo guerrillero de izquierdas que, con su secuestro, quería mostrar su disconformidad con el gobierno de Rómulo Betancourt.

Di Stéfano tuvo suerte. Aunque solo le dieron perritos calientes para comer, tres días después lo liberaron cerca de la embajada española. Un rocambolesco secuestro que el poeta José María Pemán condensó en «Romance del rapto blanco»: «Alfredo estaba en Caracas. / ¡Caraca con la ciudad! —Señor Alfredo di Stéfano. / ¡Ya es hora de despertar! / —Es temprano todavía, / ¿dónde me quieren llevar? / Dos tipos se lo llevaban. / Más blanco su rostro está / que su blanca camiseta / amerengada y real».

A principios de los ochenta, otro secuestro, esta vez de un delantero azulgrana, dejó en vilo a medio mundo. El 1 de marzo de 1981, Enrique Castro, Quini, desapareció tras un partido contra el Hércules disputado en el Camp Nou. Horas después, una carta escrita de su puño y letra apareció en una cabina de L'Hospitalet. Decía que sus captores exigían setenta millones de pesetas por su libertad. Su calvario se alargó veinticuatro largos días, que el delantero culé pasó encerrado en un zulo de Zaragoza.

La editorial Planeta quiso aprovechar el tirón mediático con la publicación del libro *Quini: del secuestro a la libertad*. Pidieron a Manuel Vázquez Montalbán, escritor de novela negra barcelonesa y culé confeso, que lo prologara. Cuando la editorial le comunicó a Quini la noticia, el futbolista puso una condición: «Que no se meta demasiado con los secuestradores», dijo. Y añadió: «No eran mala gente». Quini retiró la acusación de diez años de cárcel y cinco millones de pesetas que pesaba sobre sus captores. «Eran gentes sencillas, sin grandes posibilidades —relató en varias entrevistas—. Me alimentaban con bocadillos, no daban para más.»

Aquella experiencia seguramente inspiró la trama de la novela que Vázquez Montalbán publicó unos años después, en 1988. En *El delantero centro fue asesinado al atardecer*, en vez del manido secuestro, Vázquez Montalbán quiso analizar qué otros métodos de chantaje podrían haber movido a los extorsionadores. ¿Qué pasaría si se amenazase de muerte a un futbolista con anónimos enviados a su club, esgrimiendo la excesiva afición futbolística que ha llevado a ensalzar a falsos dioses?, se preguntó. Detrás de tan filosófica amenaza, ¿habría un simple loco o un dogmático convencido del poder alienante del deporte rey? ¿El club debería darle credibilidad?

A esas preguntas tuvo que dar respuesta el detective Pepe Carvalho en su primera incursión en el cada vez más turbio mundo del fútbol. Para tan peliaguda investigación, Carvalho se hizo pasar por un psicólogo deportivo. Así no levantaría sospechas. En paralelo a tan estrellante realidad, su contrapunto: el club del popular barrio de Pueblo Nuevo, el Centellas, para salvar la temporada, contrata los servicios del delantero Alberto Palacín, vieja promesa «con cierta leyenda, que había creado memoria». Ambas tramas, separadas por muchas divisiones y millones, son más cercanas de lo que parece: ante la perspectiva de los próximos Juegos Olímpicos, los intereses especulativos no respetan nada.

Parafraseando el lema culé, Vázquez Montalbán había definido al Barça como «más que una inmobiliaria». Aunque en la novela nunca se refiere a este explícitamente, en la presentación de Jack Mortimer, el jugador amenazado, un periodista le pregunta si conoce «la significación social y nacional» del club y, para recalcarla, el presidente, Basté de Linyola, le pide a Mortimer que marque muchos goles, ya que «detrás de cada gol está el deseo de victoria de todo un pueblo», del «ejército simbólico de Cataluña».

Vázquez Montalbán defendía que, a finales de los ochenta, los equipos se creaban a imagen y semejanza del sistema de entrenadores estrella. Un moderno fútbol de *co-diseño* que «ya no depende del talento coordinado de jugadores capaces de propiciar instantes mágicos memorables, mitificables, sino de sistemas que llevan el nombre o el apellido del entrenador».

Nada es lo que parece, y lo que es parece demasiado infame para ser real. «¿No imagina usted el vestuario de un gran club de fútbol como esa caverna mítica donde los héroes y los dioses esperan la batalla astral?», preguntó al lector Vázquez Montalbán. Como le pasa al lector con un libro, el fútbol posibilitaba vivir otras vidas a los aficionados; pero, al mismo tiempo, se convertía en un negocio donde los espectadores tenían menos que decir. «El día en el que el fútbol se vaya a otra galaxia económica y mediática, se quedarán en la tierra las masas que lo han convertido en la principal religión posmoderna europea», escribió. Y ese día estaba más cerca de lo que parecía.

El fútbol de Kuper contra el enemigo (1990)

Simon Kuper aterrizó en Barcelona poco después de la publicación de *El delantero centro fue asesinado al atardecer,* novela de Vázquez Montalbán. Es fácil imaginárselo contemplando la portada en algún escaparate de una librería céntrica. Simon Kuper había llegado a la Ciudad Condal para indagar sobre la relación que existía entre fútbol y nacionalismo; aunque, en su opinión, ese tipo de fútbol tenía los días contados: «Un club es lo que significa para sus aficionados», escribiría meses después, tras darse cuenta de que fuera de Cataluña a los aficionados culés no les importaba demasiado el futuro del independentismo, sino el de su equipo. «El Barça es el símbolo que Cataluña necesita en lugar de un

Estado», aseguró; pero el Barça, en cambio, no necesitaba de Cataluña para seguir siendo más que un club.

Barcelona solo fue un paso de un larguísimo camino que había emprendido varios meses antes. Siguiendo la estela de Kapuściński, Kuper había abandonado la comodidad de su escritorio para recorrer veintidós países rastreando la relación entre fútbol y poder. Tenía tan solo veintitrés años cuando, tras reunir cinco mil libras, metió la máquina de escribir en la maleta y se tiró al mundo con la idea de escribir un libro. De aquella experiencia, en 1990, terminó naciendo un libro imprescindible para cualquier aficionado: *Fútbol contra el enemigo*.

«La primera pregunta que me formulé fue cómo el fútbol influye en la vida de un país; la segunda, de qué manera la vida de un país influye en su fútbol», explicó en la introducción. Kuper despejó ambas dudas en un viaje en el que descubrió que el fútbol proporcionaba claves para entender el mundo. En Berlín, aprendió que al fútbol y la política no les separaba un muro como el que dividió la ciudad germana. Y que ni el muro más alto podía separar al hincha de su equipo. El fútbol era pasión, pero también la guerra, como comprobó ese 1988 cuando se enfrentaron alemanes y holandeses, despertando los viejos odios creados a raíz de la ocupación nazi en la Segunda Guerra Mundial.

El fútbol mantenía relaciones con empresarios y mafiosos, como en Rusia, donde descubrió que la compra de árbitros era habitual. «El hecho de que a un presidente le guste el fútbol puede tener importantes consecuencias para la sociedad», escribió. Y no solo eso. El fútbol «ha fraguado guerras, ha alimentado revoluciones e incluso ha contribuido a mantener a dictadores en el poder —explicó—. Por algo se le conoce como "el deporte rey"». En los veintidós países que visitó, Kuper pudo verificar que el fútbol se había convertido en una codiciada llave que daba acceso privilegiado a ciertas esferas que mantenían sus puertas herméticamente cerradas.

Nada de todo esto, sin embargo, había mermado la fe del hincha en el juego. En opinión de Kuper, esa pasión solo desaparecería si se descubrieran amaños como los que había narrado Borges. De su paso por África, dedujo que el fútbol alimentaba una ilusión poderosísima: gracias a un balón, un país pequeño podía convertirse en el más grande. «El fútbol es la única oportunidad que tiene África de derrotar al mundo», aseguró. Las selecciones africanas cada vez rendían mejor; pero aún existía una profunda brecha económica separando los dos mundos.

Fútbol contra el enemigo se convirtió en un libro de referencia en toda Europa, pero a España tardó mucho tiempo en llegar. Lo explicó Santiago Segurola en el prólogo de la primera edición española, de 2012. En los noventa, Segurola tuvo que viajar al callejón londinense de Charing Cross, donde se ubicaba la librería deportiva Sportspages, para hacerse con el libro. Lo devoró en apenas unos días, y entendió por qué Kuper afirmaba que el fútbol ya no era un deporte, sino una de las fuerzas más poderosas del mundo: «Cuando un juego moviliza a miles de millones de personas, deja de ser un mero juego», había escrito Kuper. El número de fanáticos no paraba de crecer. El balón conquistaba todas las fronteras. Los estadounidenses, el Imperio japonés y el coloso chino se ponían a sus pies; incluso el fútbol femenino se afianzaba, lentamente pero con paso seguro.

En los noventa, todavía se jugaba un fútbol tribal que reflejaba los conflictos regionales, religiosos o de clase social. «Cuando escribí este libro, el fútbol todavía no era un deporte global», explicó Kuper. Con la llegada de Internet, se produjo un fenómeno que no pudo reflejar en su libro: con un clic, se podía ser hincha de cualquier club del mundo aun viviendo a miles de kilómetros del estadio.

En los noventa se gestó un nuevo tipo de hincha, que prefería la pantalla al césped, el sofá de casa a la butaca en el estadio. Un nuevo tipo de aficionado que practicaba la poligamia: senegaleses con la camiseta del Manchester, tailandeses con la del Chelsea, gambianos con la del Barça. Pero ¿cómo culparles si con un clic podían asistir a los estadios más lujosos de Occidente? El fútbol, como había sucedido a lo largo de toda la historia, cambiaba al mismo ritmo que la sociedad donde se jugaba.

Reflexiones de banquillo de un culé defectuoso (1990)

Sergi Pàmies tiene un vicio: desde hace años, acumula libros de fútbol en las estanterías de su biblioteca. Aunque lo ha confesado públicamente en numerosas ocasiones, el vicio no se cura. De hecho, llegó hasta tal punto su fiebre literario-futbolera que incluso su primera novela, *La primera piedra*, publicada en 1990, podría haberla colocado entre su colección de libros de fútbol, a pesar de que su protagonista se pasa gran parte de la historia sentado en el banquillo.

Suele decirse que es más fácil hablar de la jugada cuando se ve desde la grada. O, en el caso del anónimo protagonista de la novela, desde el banquillo. Un lugar que ocupa también fuera del campo: en sus relaciones amorosas, tiene que conformarse con los furtivos ratos que le dedica la mujer casada con la que mantiene una relación; en su trabajo, debe obedecer al jefe sin rechistar; en las relaciones familiares, aguanta a una familia que no le gusta. En resumen: en todos los ámbitos de su vida es un olvidado segundón. Y así define su función en el equipo: «Ser suplente es eso: tener que demostrar en pocos minutos lo que los titulares son incapaces de hacer durante todo un partido».

Fontantero subalterno, futbolista suplente, amante furtivo, protagonista anónimo. Siempre son otros los que juegan el partido de su vida. Él vive condenado al ostracismo, atrapado en un purgatorio de hormigón donde nunca conseguirá marcar el gol que le salve de la mediocridad. Cuando se viste de corto, no puede librarse del maldito dorsal quince: «A partir del once, todos los números son iguales», dice el entrenador. Ni siquiera encuentra su sitio en el vestuario: «Dicen que el fútbol es un juego de conjunto, pero a veces no es verdad: he tenido que enfrentarme a la defensa rival, pero también a los jugadores de mi equipo, que se esforzaban en no pasarme ni un solo balón», confiesa.

Su compañero Esparza afirma que la religión es como el fútbol, y no al revés. Las órdenes religiosas funcionan como los equipos: todos los hábitos son prácticamente idénticos, a excepción de un detalle trivial que los diferencia. «Los seguidores acompañan unos colores determinados, y son devotos de un club por pura cuestión de fe, subjetiva y caprichosa, generalmente heredada de sus padres», explica Esparza. El narrador es la excepción que confirma la regla: su padre es un futbolero de los que recuerdan el año en que se construyó el estadio, la historia del escudo, el porqué del color de la camiseta. Un fanático de los que sentencian con: «Aquello sí que era fútbol».

El narrador opina todo lo contrario. Los partidos que disputaba con pelotas de plástico en el pasillo contra defensas imaginarios eran más puros que el fútbol que juega ahora en olvidados campos de tierra. «Cuando había que jugar en la calle, contra rivales de verdad y con balón reglamentario, se me hacía difícil aplicar todo lo que había aprendido en el pasillo», recuerda. Al menos, en aquellos partidos era titular indiscutible.

El banquillo es el infierno del futbolista, pero ofrece la oportunidad de leer las jugadas con otra perspectiva. Sentado en el frío hormigón, el narrador piensa que en un partido, como en la vida, de nada sirven los malabares con la pelota si te cansas al cabo de doscientos metros. Reflexiona también sobre lo poco que influyen los entrenadores en los goles o en cuánto se parecen los jugadores modernos a los perros de presa: «Se ha pasado de la técnica elegante a la práctica, de la individual a la colectiva, de la estética a la dinámica velocidad», asegura.

Desde 1995, Sergi Pàmies ha venido consignando todos estos cambios en los artículos que ha publicado en *El País* y en *La Vanguardia*. Con más de una década de experiencia, en 2016 publicó *Confesiones de un culé defectuoso*, libro donde ahondó en las raíces de su pasión. Pàmies había emigrado a España desde Francia en la década de los setenta. Llegó con once años y tres ídolos en la maleta: Cruyff, Best y Pelé. Cuando pidió la camiseta del astro holandés, su madre le regaló una en blanco y un rotulador. Él puso la paciencia del pintor. A esa edad, Pàmies no era del Barça. Su tío Pau le llevó al Camp Nou y le avisó antes de entrar: «Disfruta del estadio, del césped, de la iluminación y del bocadillo. Pero no esperes nada bueno de los jugadores. Son unos desgraciados y unos inútiles», le dijo.

Contradiciendo la opinión de su tío, aquellos jugadores le deslumbraron. Pàmies confiesa que identificarse con el club le ayudó en su proceso de adaptación. Y el fichaje de Johan Cruyff certificó su total conversión al barcelonismo, aunque una pieza continuase fallando: no era antimadridista. Nunca sintió ese ancestral odio recalcitrante que caracterizaba al culé castizo. Al contrario: disfrutaba del fútbol naciera de la bota que naciera. Su hijo terminó con su defecto. En el primer clásico al que fueron juntos, su hijo silbó a Iker Casillas con una vehemencia que no había heredado de su padre. «A través de los gritos y los insultos proferidos por mi hijo, yo conseguí acceder, por persona interpuesta, a una normalidad que me había sido largamente negada», descubrió Pàmies.

Por fin, había abandonado el banquillo. Y podía añadir otro libro a su preciada colección literario-balompédica.

La cháchara deportiva de Umberto Eco (1990)

Cría fama y échate a dormir, debió de decirse en más de una ocasión Umberto Eco al colgar el teléfono. Estaba harto de repetirlo. Y estaba igualmente cansado de que le repitiesen las mismas preguntas una y otra vez. Él no odiaba el fútbol. ¿En qué idioma tenía que decirlo? Nunca había escrito que lo odiase. Ni tan siquiera en los artículos de *L'expresso* de finales de los setenta, que revivían cada cuatro años con cada nuevo Mundial. Y aquel de 1990 se jugaba, para más inri, en su tierra. Pero él no odiaba el fútbol. En realidad, lo que odiaba era, precisamente, esas inútiles charlas sobre el mismo tema una y…

Ring, ring, ringgggg.

Descolgó. Un periodista de noséqué diario le decía que solo serían unas preguntas sobre el inminente Mundial, y blablablá. Cuando no llamaba uno que, obviamente, no había entendido nada de lo que había leído para preguntarle —de nuevo— sobre su supuesto odio enardecido por el fútbol, llamaba otro que ni siquiera se había tomado la molestia de leerle, rogándole unos minutos de su preciado tiempo para unas cuestiones relacionadas con el dichoso Mundial.

Y Eco lo volvía a repetir: aunque se le alineaba en el equipo de intelectuales antifútbol, no lo odiaba. No le gustaba ir al estadio, lo mismo que no iría a pasear por la estación Central de Milán pasadas las seis de la tarde. Pero si uno de esos típicos domingos aburridos coincidía que daban un buen partido televisado, lo veía. No odiaba el fútbol. En todo caso, odiaba a los fanáticos incapaces de entender que a una persona cabal no le gustase lo mismo que a ellos les apasionaba.

Para Eco, el fútbol era un sistema de signos más creado por la sociedad de consumo y basado en la gratificación inmediata del gol. A través de la semiótica, había ahondado en su influencia en la vida cotidiana y en las fuentes psicológicas que producían una fascinación capaz de transformar a los hinchas en cuadrillas de maniacos sexuales que todos los domingos repetían su sádico acto de voyerismo. Vale, aquí quizá se había sobrepasado. Lo reconocía. Pero no hablaba del fútbol, sino de sus hinchas.

El signo del fútbol se basaba en la agonía y la repetición. El hincha, por tanto, vivía condenado a repetir la misma experiencia de sufrimiento, la mayoría de las veces un calco de otra vivida antes. Los poderes que vigilaban esa representación del juego utilizaban el fútbol como herramienta de control social. El estadio funcionaba como campo donde se libraba una batalla semiótica entre poderes culturales y económicos. Y los medios de comunicación la manipulaban según su conveniencia ideando un *corpus* simbólico que los aficionados incorporaban a su imaginería personal.

En resumen, todo estaba pensado para desencadenar respuestas afectivas en los hinchas y controlarlos con ellas. La prensa, las campañas publicitarias o los programas de tertulia construían al ídolo, un personaje público nacido para el consumo masificado, que relegaba a la sombra al deportista: «La cría de seres humanos consagrados a la competición es un ejemplo de perversión de la naturaleza y de metamorfosis del atleta en monstruo», afirmó Eco.

El fútbol era un signo de deshumanización. Las equipaciones se habían convertido en vallas publicitarias, los terrenos de juego se habían transformado en platós de televisión y los estadios se utilizaban como centros comerciales. La competición lo había convertido en una imparable máquina mercantil basada en los intereses afectivos de los hinchas que, disfrazados con todo el *merchandising*, abarrotaban los monstruosos estadios donde se cocinaba un dudoso sentimiento de identidad.

Solo había que fijarse en las palabras. «Fan» provenía de «fanático». El tiempo había borrado las connotaciones negativas del término creando un falso sentimiento de comunidad. Lo paradójico era que los hinchas debían superar estrictos controles de seguridad antes de entrar en «su» estadio. Aun así, el fútbol poseía una capacidad de movilización inigualable: «Hay algo que ningún movimiento estudiantil, ninguna revuelta urbana o ninguna protesta global podrán hacer nunca, aunque lo considerasen esencial —aseguró Eco—: invadir un campo deportivo en domingo».

El fútbol enganchaba como una droga, fidelizaba como una religión; pero lo peor era la forma de relacionarse con el mundo que su maquinaria significante enseñaba al aficionado. Un hincha modelo y él nunca compartirían estructuras ideológico-culturales. Jamás podrían mantener una conversación normal sobre ese tema. El fútbol producía «su lector modelo o, mejor dicho, su aficionado modelo», que debía entender lo que sucedía en el campo para después contarlo con propiedad. Ahí nacía la insustancial «cháchara deportiva». Y eso sí que lo odiaba Eco: «La pasión por la cháchara deportiva es el colmo del solipsismo, ya que todas las premisas son interesadas y no hay sentido crítico —escribió—. En ella, el hombre de consumo se consume a sí mismo».

En eso se había convertido el fútbol moderno: en el discurso sobre el discurso del discurso que a su vez no es más que un discurso. Y pocos, por muy enfermos que estuvieran de fútbol, sabían leer el juego. Teoría que muchos escritores, mediante su cháchara futbolística, le rebatirían.

Ring, ring, ringgggg.

La fiebre que enfermó a Nick Hornby (1992)

A los once años, Nick Hornby contrajo una enfermedad altamente contagiosa: la fiebre de fútbol. La patología se la transmitió su padre cuando lo llevó al foco de infección: el estadio de Highbury. En aquel partido, el Arsenal no brilló; pero los *gunners* se llevaron la victoria con un solitario gol de Gordon Banki, en el rechace del penalti que él mismo había marrado. Ante lo mediocre del espectáculo, su padre decidió llevarlo unos días después a un Tottenham-Sunderland. Esa tarde el fútbol resplandeció con una lluvia de goles, pero el sistema inmunológico del pequeño Hornby ya había enfermado en el encuentro anterior. Ni siquiera los cuatro goles de Greaves inocularon el virus que había incubado en las gradas de Highbury.

Las principales manifestaciones de esta enfermedad difieren según las condiciones, la edad y el sexo del afectado. Entre los síntomas más comunes se dan: retortijones los días de partido, nervios, visiones de goles magistrales, sueños convulsos, estados de euforia o cólera incontrolables, además de las nostálgicas e inútiles colecciones de objetos inservibles. En estadios más avanzados, la fiebre de fútbol provoca en el afectado una inconsciencia que le hace olvidarse de todo lo demás. No importan ni la pareja ni la familia ni el trabajo; nada está por encima de su pasión. Nick Hornby se cuenta entre estos pacientes graves: «Aparte del fútbol, no hay nada que de veras importe», dijo.

Desde aquel 15 de marzo de 1969, cuando pisó por primera vez Highbury, fue consciente del aislamiento que provocaba pertenecer a su equipo. Y así lo escribió décadas después en

Fiebre en las gradas, publicada en 1992: una novela que planteaba la relación enfermiza que muchos hinchas establecían con su club, y que se convirtió desde su primera edición en libro de culto para la inmensa mayoría. En sus páginas, Hornby intentó responder a una pregunta que le atormentaba cada vez que se encaminaba a Highbury: «¿Qué diferencia a los que se contentan con ver media docena de partidos por temporada de los que se sienten obligados a verlos todos en vivo y en directo?».

Hornby se sentía a medio camino entre el enamorado y el drogadicto. Se había enamorado del fútbol como de una mujer, pero su amor era tóxico como una adicción: no podía vivir sin él pero, al mismo tiempo, lo detestaba y sabía que su vida mejoraría sin él. Acudir a Highbury se convirtió en un ritual tan necesario que cumplía solo o acompañado, lloviese o nevase, sin importar que el Arsenal desplegase un juego mediocre. Le aterraba perderse un partido y no entender qué sucedía en el siguiente. Leía el devenir de su equipo como una novela de la que no podía saltarse un capítulo. Y en el estadio, además, se desahogaba del malestar que le provocaba estar allí: «Necesitaba un sitio en el que una infelicidad inconcreta pudiera prosperar —escribió—. Cuando iba a ver a mi equipo, podía desenvolver esa tristeza y airearla un poco».

Highbury lo imantaba. A su alrededor veía hombres que, como él, odiaban estar allí. Pero estaban. Eso era ser un hincha. Hornby se acostumbró a sobrevivir con muchas derrotas y solo algunas victorias. Aguantaba los insulsos veranos gracias a la metadona que le proporcionaban los aburridos torneos de pretemporada. Y, con los años, consumió toda la adolescencia en Highbury: pasó de la grada de los Escolares a la grada Norte. «La lealtad, al menos en términos futbolísticos, no era objeto de una elección moral, tal como pudieran serlo la valentía o la amabilidad, sino que era más bien como una verruga o una joroba», aprendió.

A pesar de matricularse en Cambridge, encontrar un empleo en una oficina de seguros y enamorarse por primera vez, el Arsenal continuó dominando su vida. En muchos casos, arruinándola. Consciente de su dependencia, Hornby tomó una decisión radical. Como si dejase de fumar, se propuso luchar contra su adicción con un parche sustitutivo: el Cambridge United, un tercera al que siguió durante una temporada. Pero el tiempo debilitó su voluntad y recayó como «los alcohólicos que se sienten con fuerzas suficientes para meterse un lingotazo».

Volvió a Highbury. El Arsenal se clasificó durante tres años consecutivos para la final de Copa. Solo ganó una, pero esa victoria brilló de una forma especial en la vida mediocre de un chico de extrarradio. Todo volvió a girar alrededor de Highbury, mientras él se autoengañaba haciéndose creer que dominaba su adicción. Acabó y empezó relaciones, encontró y perdió trabajos; pero su vida transcurría marcada por el calendario de la Premier. Solamente modificó su ubicación: abandonó la grada Norte, conquistada por las Martens de los *hooligans*, y se ubicó en una butaca. Se había convertido en un hombre sin dejar de ser un hincha.

Como los yonquis o los enamorados, Hornby sabe que ha invertido demasiado dinero y tiempo en el club. «A medida que envejezco, la tiranía que ejerce el fútbol en mi vida, y en la vida de las personas que me rodean, empieza a ser menos razonable, menos atrayente», confesó. Tiranía que ha llegado a tal punto que ha decidido no hablar más de su enfermedad. Desde hace años no asiste a tertulias, charlas o conferencias sobre fútbol. No importa cuánto le paguen. El fútbol se ha convertido en un tema tabú. Todo lo que tenía que decir sobre su enfermedad quedó escrito en *Fiebre en las gradas*.

Lo mejor de todo para Ray Loriga (1992)

Ray Loriga sabe que no es motivo de orgullo, pero desde hace años no se ha perdido ni un partido de la Liga de Campeones. Y la mayoría los ha visto solo. Nada de amigos, pipas, nachos o bolsas de patatas. La gente en el sofá, por lo general, estropea el espectáculo de los jugadores en el césped. Ray Loriga prefiere ver el partido en silencio, como si mirando el verde de la pantalla entrase en una realidad paralela. Tampoco se mezcla con la multitud si baja al bar. Pide una cerveza, sale a la puerta y enciende un pitillo. Desde allí disfruta del encuentro con cierta perspectiva, como los amantes de los buenos cuadros.

Momentos antes de que arranque el partido, todo lo que

rodea la pantalla pierde consistencia. El espacio se disuelve. El himno de la Champions cambia el ritmo que ha regido el resto del día. Ver fútbol le distrae, pero a la vez le exige concentración. Leer cada jugada obliga a cierta meditación. Estudiar cada lance, por intrascendente que parezca, empuja a pensar. El flujo del juego embruja. En cada uno de los noventa minutos, el futuro está por escribir; pero un minuto puede durar apenas un segundo o todo lo contrario: convertirse en una interminable pesadilla.

Camus afirmó que todo lo que sabía sobre la moral del hombre se lo debía al fútbol. Cuando apareció *Lo peor de todo* en 1992, los críticos literarios aseguraron que Loriga escribía como su hijo bastardo. Dejando a un lado las comparaciones literarias, en lo futbolístico Camus y Loriga —o al menos el protagonista de la novela, Élder Bastidas—, no tienen mucho que ver; Camus disfrutaba de la soledad del área mientras que, para Élder Bastidas, ponerse bajo los palos es una putada: «Estoy seguro de que hay al menos doscientos millones de cosas peores, lo que pasa es que cuando me toca de portero no consigo acordarme, sólo sé que algún animal va a venir de un momento a otro a reventarme los huevos de un balonazo».

Junto a otros escritores de su generación como José Ángel Mañas o Félix Romeo, Ray Loriga capitaneó un equipo de nuevas voces que pusieron en juego nuevos temas: los jóvenes inadaptados, las drogas, la violencia en la televisión, lo anecdótico del ahora y la oscuridad que estaba por venir. Sus obras, *Historias del Krönen* —que arranca, por cierto, con una alusión al fútbol—, *Dibujos animados* y *Lo peor de todo* irrumpieron con fuerza en el panorama literario español dando importancia a temas como la música o el fútbol, casi intrascendentes para los escritores previos. Además, trajeron una nueva manera de tratar el fútbol: ya no se contaba, sino que el fútbol nos contaba.

En *Lo peor de todo*, gracias a un balón, Élder Bastidas encaja las piezas del rompecabezas de su vida. A través del fútbol, cuenta cómo es. No guarda recuerdos agradables de la infancia. Tampoco ve un futuro alentador: trabajos basura, encargados ineptos, adultos enfermos, relaciones estériles. En su mundo, solo dos motivos le animan a narrar: el amor por T, una rubia escandinava, y el que le tiene a la pelota. Así resume el segundo: «Lo mejor eran los partidos de fútbol».

El fútbol dicta qué es importante y qué no. Élder sabe de memoria los goles con los que Hugo Sánchez se proclamó Pichichi o cuándo Ramallets se llevó el primer trofeo Zamora. El fútbol, además, diferencia a chicos y chicas, les da un lugar en la sociedad: mientras que a T le encanta disfrazarse de princesa, él solo piensa en el balón. También diferencia a los buenos de los malos. En su colegio, por ejemplo, hay un montón de bastardos despreciables. Entre los de peor calaña, destaca Labanchy, que no tiene ni idea de pegarle al balón. Todo lo contrario que su hermano Fran: un defensa bregador al que apodan Jabalí por su manera de perseguir al delantero rival.

Con él, juega en la liga de El Plantío. Para describir cómo son sus compañeros fuera del campo, Élder cuenta cómo son dentro. El fútbol les cuenta. Los hermanos holandeses, por ejemplo, siempre acaban los partidos a tortas entre ellos. Su hermano es un luchador. A Antonio Álvarez Cedrón Hernández, pese a su clase, le falta gol. Y él mismo es igual con o sin las botas puestas: «Un jugador de ráfagas, a veces mucho y a veces nada».

Jugando al fútbol aprenden que, como les ocurre en el campo, su vida consistirá en acumular una derrota tras otra. No habrá gol que los redima. Son una plantilla de perdedores, aunque buena gente. Pero como dice Élder: se puede ser muy bueno en la vida y un pedazo de mierda en el campo, lo mismo que se puede ser gloria bendita en el campo y un pedazo de mierda en la vida. Lo último, en su opinión, es más perdonable.

A medida que crece, sin embargo, el fútbol se difumina. Ya no le sirve para contar nada. Ni tampoco salva de nada. El balón de la infancia se pierde definitivamente tras un patadón del maldito Labanchy. El fútbol se convierte en un recuerdo al que volver. Y el lector cierra la novela de Ray Loriga sin saber si lo peor de todo ya pasó o está a punto de comenzar en el nuevo siglo que se avecinaba.

Los futbolistas animados de Félix Romeo (1992)

Félix Romeo le debía su afición por el Zaragoza al melenudo Lobo Diarte. Los goles del delantero paraguayo —confesó— le habían alegrado muchas tardes de su niñez. Aunque aquella plantilla de mediados de los setenta no le diese ningún título a las vitrinas mañas, les dio a sus aficionados la satisfacción de doblegar al todopoderoso Real Madrid en La Romareda por nada menos que seis goles a uno. Aquel día, Lobo Diarte no marcó; pero el pequeño Félix Romeo no paró de dar botes frente al televisor en blanco y negro con cada nuevo tanto maño.

Tras aquella goleada no podía imaginar que, años después, convertido en un *hooligan* maño —y en uno de los escritores más brillantes de su generación—, vería otro enfrentamiento contra el Real Madrid; pero esta vez en el lujoso palco del Santiago Bernabéu, acompañado por dos futbolistas que habían marcado su vida: Miguel Pardeza a su derecha y, a la izquierda, Lobo Diarte. «Yo estaba feliz, con esa felicidad de la infancia en la que siempre puedes rascar un poco más para seguir disfrutando», escribió Félix Romeo.

Disfrutó de aquella noche como un niño, a pesar de que su equipo no pudo repetir la gesta de 1974. No era de esos hinchas que enfermaban en las gradas. Su relación con el club era diferente. En una entrevista, un lector le pidió que confesase un vicio y él contestó que ser del Zaragoza. Contaba Martínez de Pisón que otro de sus vicios era comer pipas en La Romareda. También que siempre obsequiaba a sus visitas con una camiseta del club como recuerdo de la ciudad. Además, capitaneó la poética Peña Milito. A los dos escritores citados, se sumaban Tomeo, Ismael Grasa, Luis Alegre, Melero, Labordeta, Eva Puyó, Notivol, Sanmartín o Lasheras. Una plantilla de narradores que escribieron *Cuentos a patadas* para conmemorar los setenta y cinco años del club. La idea, por supuesto, surgió de la deslumbrante imaginación de Félix Romeo, el prologuista.

El fútbol siempre estuvo presente en su vida. Y en su literatura. Se le puede seguir el rastro por las páginas de su novela *Discothèque,* donde aparece y desaparece un fantasmagórico futbolista que recuerda al mítico Mohamed Alí Amar, Nayim. También en sus artículos, reunidos más tarde bajo el título de *Por qué escribo,* donde, entre otros recuerdos, brillan los partidos que jugaba en la calle Monasterio de la Rábida, entre los del bloque dos y los del cuatro. El fútbol, en sus textos, aparece de repente como en un relato del libro póstumo *Todos los besos del mundo*, donde un jugador del Zaragoza emerge de las sombras y amenaza con una pistola al padre del narrador en un semáforo.

Pero sobre todo lo utilizó en su primera novela, *Dibujos animados*. A través de los partidos del patio, Félix Romeo relató ese momento incierto entre la infancia y la adolescencia, cuando él soñaba con que el desgraciado Coyote atrapase de una vez por todas al escurridizo Correcaminos para darle su merecido. Justicia poética que también desea el Gordo, el narrador: un chico sensible que ve la realidad como si de una serie de dibujos animados se tratase. El patio, a sus ojos, se convierte en un plató por donde desfilan los protagonistas. Entre ellos, destacan los del fútbol. Son los más populares, los más fuertes, los más guapos. Por mucho que el Gordo intenta entrar en ese selecto grupo, no lo logra. Los gordos lo tienen chungo. Como lo tienen jodido los gafosos, los feos, los enclenques o los que llevan zapatos ortopédicos. Su amigo Santiago, que lanza las faltas con suma precisión, podría ser de los del fútbol; pero el aparato de los dientes le relegaría al banquillo de los incomprendidos.

Además del peso, el Gordo arrastra otro hándicap más importante: no juega bien al fútbol. En la prueba de acceso al equipo no pasa la primera criba. Cuando le ordenan que chute a puerta, hunde la zapatilla en el suelo y se queda clavado. El balón ni se mueve. «Ahí acabó mi carrera futbolística. El fútbol desapareció», dice el Gordo. Nunca conseguirá pertenecer a los del fútbol como el Coyote jamás atrapará al Correcaminos. El fútbol ha levantado la primera barrera que se encontrará en la vida. Y el Gordo toma una decisión drástica: manda a los del fútbol a tomar por culo. Pero no al fútbol. La noche que juegan Zaragoza y Las Palmas, su hermana enferma. El Gordo duda entre cuidarla o disfrutar del partido. Al final se decide por lo segundo, aunque sin celebrar los goles: «Es imposible entender el dolor si no lo sufres. A mi hermana se le estaba reventando la cabeza y yo quería celebrar los goles del Zaragoza», dice.

Félix Romeo celebró muchos goles maños. Fue un hincha tan incondicional que incluso se jugó la condicional en la final de Recopa contra el Arsenal. En 1995, había ingresado en la prisión de Torrero por no cumplir el servicio militar obligatorio, condenado por insumisión. Todas las noches debía volver a las diez. La del 5 de marzo, por mucho que sus amigos le aconsejaron que se fuese, se quedó para ver la prórroga y observar cómo Nayim controlaba aquel balón en el medio campo para empalarlo con el alma hacia el cielo de París.

El 8 de octubre de 2011, su muerte llegó tan inesperada como aquel gol. Ese día, el Real Zaragoza se sumó a las incontables muestras de duelo mostrando en su web sus condolencias por la irreparable pérdida de «un incondicional aficionado zaragocista que tuvo presente en sus obras en todo momento su amor por su equipo».

El Mundial de Naranjito y Bernardo Atxaga (1994)

La sonrisa de Naranjito. El sonido del Adidas Tango al botar. La inolvidable camiseta naranja de Arconada. La zurda de Eder, la melena de Kempes, los pases de Rummenigge, los regates de Platini, las carreras de Keegan. Los goles a pares de Paolo Rossi. La increíble chilena de Bossis. Todas aquellas imágenes urdieron el relato del Mundial de 1982 celebrado en España. Pero también pasaron a la memoria colectiva otras más lamentables. El bochornoso arbitraje de Lamo Castillo. La tarjeta roja que Schumacher mereció pero nunca vio, y la que vio Maradona pero merecía Gentile. El jeque de Kuwait sacando a sus jugadores del campo mientras intentaba convencer al árbitro para que anulase un gol de Francia. El beso que pedía la grada entre Austria y la República Federal de Alemania para sellar el flagrante amaño que dejaba fuera a los argelinos. O el escandaloso penalti, lanzado hasta que se transformó, que necesitaron los anfitriones para pasar de ronda.

Lo que se vio en el campo tuvo cierto reflejo fuera. Y afloraron las preguntas: ¿estaba España preparada para organizar el Mundial en plena crisis económica? ¿Realmente significó aquel campeonato, como se aseguró, el final del franquismo? ¿Fue limpio el proceso de financiación? ¿Supuso un éxito o más bien un desastre como el de la selección? Cualquier novelista interesado en aquel campeonato como telón de fondo de su historia podría haberse hecho estas preguntas. Sin embargo, Bernardo Atxaga se hizo otra: ¿realmente puso ETA en peligro la celebración del Mundial? Más de una década después, la respondió en la novela *El hombre solo*, que apareció publicada en 1994.

Desde la muerte de Franco, España había sufrido los sangrientos años de plomo del terrorismo. Los trescientos treinta y siete asesinatos durante el gobierno de UCD hacían temer que ETA aprovechase el Mundial como escaparate para sus reivindicaciones políticas. La aprensión no era infundada: dos años antes —el más violento—, se contaba un muerto cada sesenta horas. Todas las alarmas saltaron cuando, el día de la inauguración, mientras miles de personas seguían la sorprendente derrota de la albiceleste de Maradona frente a Bélgica, dos hombres armados dispararon contra la caseta de la Guardia Civil en Pasajes, Guipúzcoa. El asesinato de José Fernández Perna, no obstante, apenas encontró eco en los medios de comunicación, obnubilados con el deslumbrante arranque del Mundial.

Se esperaba un millón de turistas. Xavier Arzalluz había declarado que no creía que ETA atentase contra turistas o futbolistas, pero que los policías podían correr peligro. «Si Saporta quiere pactar, es oportuno que lo haga —dijo—. Con ETA no caben bromas.» A la amenaza terrorista se sumó la llegada masiva de *hooligans* ingleses y escoceses. Como respuesta, el despliegue policial en las dieciséis sedes no tuvo precedentes. Los hoteles de concentración de las selecciones se vigilaban día y noche. Los desplazamientos de los equipos se seguían con lupa. Voluntarios y policías locales peinaban meticulosamente los alrededores de los estadios. Y se patrullaba desde el aire con doce helicópteros del Ejército. La mayor operación de seguridad jamás organizada en España.

Bernardo Atxaga ambientó su novela en un hotel en la falda de Montserrat, donde se concentra la selección de Polonia capitaneada por Boniek. El establecimiento lo regentan cuatro antiguos miembros de ETA que, amparados en la amnistía de la Transición, lo compraron para dejar atrás su pasado. Y así ha sido hasta que el comando le pide a Carlos, el gerente, un último favor: esconder a dos terroristas huidos tras un tiroteo en Barcelona. Así arranca la historia el 28 de junio, jornada en la que

Polonia se enfrenta a Bélgica. Una noche mágica, sobre todo para el mediapunta Boniek, que convirtió los tres goles del partido. No para Carlos: es el único que sabe que los dos terroristas se esconden en un zulo dentro del hotel mientras todos celebran la victoria polaca.

La traductora que acompaña a la expedición, Danuta, una fervorosa lectora de Rosa Luxemburgo, no siente ni pizca de admiración por los futbolistas: «La mayoría son gente sin espíritu. Su meta siempre resulta ser algo material, algo ordinario, algo por lo que también podría luchar un cerdo», dice. Ha convivido con ellos y sabe que solo les interesa el dinero y lo que pueden comprar con él. Y no solo a ellos: «La mayoría de la gente siente y piensa como estos futbolistas», dice. En su opinión, el deporte no es más que un extenso desierto intelectual, y los futbolistas, la prueba de que las ideas progresistas han fracasado estrepitosamente.

A medida que el Mundial avanza, el cerco de la policía sobre los dos terroristas huidos se estrecha. Se ofrecen tres millones de recompensa por cualquier pista. Y la situación de la selección no ayuda a calmar las aguas: «Se ha repetido estos días que los jugadores vascos no sienten los colores de España y por eso han jugado tan mal», dice la radio mientras los locutores discuten por las medias de Arconada. Carlos decide sacar a los terroristas aprovechando el choque entre España y Alemania. Aquel 2 de julio se juega su destino al mismo tiempo que la selección su continuidad en el Mundial.

La novela de Bernardo Atxaga siguió la línea que, años antes, abriese Manuel Vázquez Montalbán: el género negro había adoptado el balón para ahondar en el juego sucio que se venía practicando socialmente. El Mundial, además, había supuesto un salto cualitativo en el plantel de escritores que escribían sobre fútbol: Miguel Delibes o Mario Vargas Llosa, entre muchísimos otros, consagraron el fútbol como tema literario.

La Cenicienta rojiblanca de Manuel Longares (1995)

Cuando pensamos en el hincha, automáticamente viene a la mente la imagen de un hombre. Puede que con los pómulos pintados con los colores de su equipo como un guerrero medieval preparado para la batalla. Puede que con una bufanda anudada al cuello. O con la camiseta de su ídolo y una bandera a la cintura. Pensar en el hincha es hacerlo en un padre que lleva a su hijo al estadio por primera vez: el relato más repetido en la literatura del balón. Aunque existen otros muchos ejemplos: el anciano que fuma un puro sumido en el silencio del que conoce las traiciones del balón; la cuadrilla de adolescentes que cada domingo se reúne en el mismo bar para ver a su equipo; esos niños que, en la parte trasera del patio, negocian por el preciado cromo que completará el álbum. El fútbol, como lo definió Pasolini, es un mundo «solo de machos» o de «machos solos».

Algunos hinchas han sido recordados en la literatura. Quizás el más famoso sea el *Gordo* Reyes, por el poema que le dedicó el doctor Ricardo Forasteiro Fernández a principios del siglo XX. Pero ha habido muchos otros. Patxo Unzueta, por ejemplo, recordó cómo Rompecascos alargaba la *e* de su Athletic hasta quedarse sin aire en los pulmones. Y el hincha moderno por excelencia, Nick Hornby, se autorretrató para popularizar las extrañas fiebres que se contagiaban en los graderíos.

Sin embargo, pocas hinchas han pasado a la historia gracias a la literatura, a pesar de que su lucha ha sido más dura desde que Edelmira Clavetó, aquel lejano 1912, exigiese tener su carné de socia culé como cualquier hincha varón. En las novelas de fútbol, el personaje femenino se ha limitado a la pareja o a la enamorada del futbolista, a las *ricardas* de graderío, como en *Los maridos engañan después del fútbol*, o, en algunas excepciones, a ser la mirada más crítica sobre la locura masculina por el fútbol, como es el caso de la traductora de la selección polaca, Danuta, en *El hombre solo*.

Muchas mujeres se han tenido que conformar con mirar el estadio con la misma lejanía que Cenicienta contemplaba el lujoso palacio real. Durante mucho tiempo, sus muros fueron barreras infranqueables, no de hormigón, sino sociales. Unas barreras que la novela *No puedo vivir sin ti*, de Manuel Longares, tiró abajo en 1995: Mónica, la protagonista, es la mujer más futbolera del barrio de Aluche, y de todo Madrid. Más incluso que cualquier hombre. Su desmedido amor de hincha no entiende de límites ni fronteras.

Como no podía ser de otra manera, Mónica es una sufridora hincha del Atlético de Madrid que no se quita la camiseta de su ídolo para nada. Literalmente: para nada. Esa camiseta simboliza su identidad. Las franjas rojiblancas son su segunda piel: «Ella llevaba la camiseta de deportista con el escudo del equipo al pecho y el nueve de Titán a la espalda porque no tenía otro objetivo en la vida que parecerse a él», escribió Longares.

Mónica vive enclaustrada cuidando de su hermana enferma. Huérfana, sin estudios y fea no podría valerse por sí sola en el despiadado sistema capitalista. Pero la filosofía rojiblanca le insufla fuerza para sobrellevar la carga de las tareas domésticas. «¿Qué no daría Mónica por romper definitivamente con su pasado de privaciones, prohibirse volver a casa de su hermana donde no encontraba el paraíso sino la maldición del trabajo y plantar la tienda de campaña con carácter estable en aquel territorio edénico, junto a la portería del fondo sur?», pregunta el narrador.

Solo pasear a la perrita Colchonera y entrenar en el descampado a su sobrino para que llegue a portero de la selección le alivian el peso de sus tareas. Sus ratos de ocio en el bar del cuñado, donde también trabaja, los dedica a charlar con los quinielistas o escuchar el *Carrusel* en Radio Club del Aficionado. Los sábados escapa de la rutina ejerciendo de doncella del equipo del barrio, el Avance: un grupo de obreros eventuales, autónomos con furgoneta o currelas en paro que disputan acaloradamente la liga del barrio. Antes de que salga el sol, la Cenicienta rojiblanca de Aluche prepara deliciosas tortillas para alimentar a los jugadores del Avance durante el descanso.

Así transcurren sus tristes y aciagos días. Solo las victorias de su equipo les otorgan cierta épica. Sin embargo, desde la desgraciada lesión de rodilla de su ídolo Titán, Mónica se siente perdida. Pero ya se sabe: los que sobreviven acostumbrados a perder luchan con más ahínco por la victoria y encajan mejor una nueva derrota. Como escribió Longares: «Ni en la vida ni en el fútbol se podía jugar siempre a perder». Mónica tiene un alma rojiblanca que se rebela contra su desdichado destino de mujer. No se resigna a la fregona y la escoba. Tampoco a depender de un príncipe azul. Quiere elegir ella su destino.

Y así lo hace al final de la novela. Se pinta la cara con los colores de su equipo porque ha tomado una decisión: quiere ser hincha. Ni sirvienta ni esposa; hincha. Libre, atrevida, sin complejos, como tantas otras mujeres que antes que ella se habían ganado su sitio en el estadio y en la sociedad. Y como tantas otras que estaban por venir.

SEGUNDO TIEMPO

El fútbol nos cuenta

Las invencibles Karbo de Manuel Rivas (1995)

Manuel Rivas es un apasionado del balón. A lo largo de su trayectoria literaria, se pueden escuchar los ecos de sus botes en numerosísimos artículos de prensa, además de en varios de sus cuentos. En 1995, publicó el relato titulado *El míster & Iron Maiden,* donde el fútbol funcionaba como excusa para ilustrar el conflicto generacional entre un padre y su hijo. Todo sucedía a raíz del trascendental partido entre el Real Madrid y el Deportivo, que había decidido la última Liga. El padre se veía reflejado en el pelo cano de Arsenio Iglesias, mientras que el hijo, enfundado en su camiseta de Iron Maiden, no entendía las estrategias demasiado conformistas del míster gallego.

Cuatro años después, Manuel Rivas publicó *La trayectoria del balón,* con una trama en apariencia más sencilla: Román y Uri, dos niños, juegan en la calle hasta que Román le propina un tremendo balonazo en la cara a una mendiga. La vieja los insulta porque le han roto las gafas. Aunque Uri quiere salir corriendo, Román se queda. Y en esas ganas de conocer lo desconocido arranca el cuento: un balonazo a deshora y surge la literatura. También los niños protagonizaron, en 2002, el cuento *El partido de Reyes.* Concretamente, Félix, un chico que «ceceaba algo y sonreía cuando le reprendíamos». El protagonista le llama Mongol hasta que un bofetón materno le hace entender «que una cosa era Félix, que era como nosotros, y otra, una especie de duende relojero llamado Down que maquinaba por dentro para cambiarle la hora». El fútbol, esta vez, como lugar donde descubrir al diferente.

Aparte de la pasión por el balón, todos los cuentos tenían algo más en común: sus protagonistas principales eran todos masculinos. Todas las mujeres, en lo tocante al fútbol, tenían un papel secundario. Sin embargo, mucho antes de escribirlos, mucho antes incluso de convertirse en un escritor reconocido, Manuel Rivas ya había redactado una magnífica historia de fútbol femenino. Corría el año 1983. Él tenía algo más de veinte. Escribía artículos periodísticos, y muchísima poesía.

En aquel entonces, por toda Galicia corría una leyenda: desde que el legendario exfutbolista Rafael Franco le regalase un balón, su hija Lis no había dejado de marcar goles. «De tal palo, ya se sabe cómo salen las astillas», repetían los paisanos. Manuel Rivas no había visto jugar a Rafael Franco; pero sabía que había sido uno de los jugones de la conocida Orquesta Canaro que había aupado al Deportivo al subcampeonato de Liga en 1950. Decían que su hija, Lis Franco, hacía las mismas diabluras con el balón. «Embrujos de *meigas*», decían para explicar cómo su equipo, las Karbo, ganaban todos los partidos. Y Manuel Rivas decidió ir a verlas entrenar.

Viéndolas, entendió por qué las conocían en toda Galicia: las Karbo encadenaban jugadas como versos, rimaban pases con paredes perfectas. Investigando sus orígenes, descubrió que el nombre procedía de la suma de Carrasco y Borrego, los apellidos de Ramón y María del Carmen, matrimonio que regentaba el centro de enseñanza del barrio de Los Mallos, donde se habían formado las primeras jugadoras a finales de los sesenta. La iniciativa de crear el equipo surgió de Francisco Cadahia —el actual presidente— y José Mañana —el entrenador—, que habían juntado a veinte chicas de entre quince y veintiocho años para un partido en las fiestas locales. Ninguno de los dos imaginaba que terminarían convirtiéndose, al cabo de solo una década, en referentes del fútbol femenino español.

A pesar de su meteórico ascenso, todas las futbolistas combinaban sus estudios o trabajos con el fútbol. Ninguna con el matrimonio: todas eran solteras. Manuel Rivas descubrió que entrenaban, dos días a la semana, en un campo de tierra; pero que los partidos solían disputarlos en Elviña o Vilaboa. También que, al estar integradas en el Deportivo, si sus encuentros coincidían con horario de misa, incluso les prestaban el estadio de Riazor.

Los palcos de autoridades y prensa solían permanecer desiertos, aunque las Karbo demostraron no tener rival en toda Galicia. Popularmente, ni siquiera el Deportivo les hacía sombra, pues en esos años naufragaba en Segunda. En 1981, las Karbo ganaron la primera edición de la Copa Reina Sofía con casi veinte goles a favor y solo dos en contra. Geli Olmo, Rory, Encarna Pérez —y su cinta en la cabeza—, junto con Lis Franco, se convirtieron en referentes para las nuevas generaciones de niñas futbolistas.

Las Karbo siempre salían a ganar. En cuanto el balón echaba a rodar, solo tenían un objetivo: que besase la red del rival. Ganaron la Copa de la Reina del 83 al 85, y fueron subcampeonas en el torneo Cinco Naciones disputado en Orleans. Muchas de sus integrantes consiguieron, con los colores de la selección gallega, el Campeonato de España disputado en el Camp Nou en 1985.

Pero hubo una victoria que terminó de consagrarlas. No recibieron ningún trofeo, pero se ganaron el reconocimiento social gracias al contundente 4-2 que le endosaron al Larache, un equipo de hombres. El 4 de junio de 1984, apareció en *El País* el artículo de Manuel Rivas donde contaba la historia de las Karbo: «Para llegar ahí, al césped adulto del olimpo, han tenido que sortear una travesía amazónica, venciendo, domingo tras domingo, con la rabia en la bota, el jaleo cachondo del otro sexo: *¡Dalle ca teta, nena!*».

A pesar de los comentarios machistas, las Karbo se habían calzado las botas. Sus goles, desde entonces, tendrían la fragancia del perfume de mujer.

Mendigo de fútbol, a sol y sombra (1995)

Eduardo Galeano fue el escritor que más hizo por difundir la poesía que había en las patadas. Ya en 1968 había antologado *Su majestad el fútbol*, una colección de relatos breves donde reunió a las mejores plumas que habían escrito sobre el balón: desde Horacio Quiroga pasando por Mario Benedetti, Camus, Helenio Herrera o Franklin Morales, entre muchos otros. «El fútbol espera todavía al gran escritor que se lance a su rescate», aseguró Galeano en el prólogo. «Ojalá este pequeño trabajo sirva como provocación y estímulo.» En realidad, no hizo falta. Él fue el escritor que rescató el fútbol cuando, en 1995, publicó *El fútbol a sol y sombra*. Según contó, lo escribió para convertir a los paganos que despreciaban la pelota y a los descreídos que desconfiaban de los libros. Y obró el milagro.

Galeano tenía la esperanza de que, con el paso del tiempo, cada vez más intelectuales entendiesen que el fútbol funcionaba como expresión de identidad cultural en todos los países del mundo: «Sobre todo en estos países nuestros donde el fútbol es la única religión que no tiene ateos». Tanto creía en la redención del fútbol que lo comparó con el mismísimo Dios por el fervor que le profesaban sus creyentes y la suspicacia que todavía despertaba en ciertos corrillos intelectuales.

En poco tiempo, *El fútbol a sol y sombra* se convirtió en una biblia balompédica. En sus páginas, el evangelista Galeano se remontó a los orígenes del fútbol para contar su historia: las dinastías chinas pateando un balón, la filosofía griega alabando la perfección de la esfera, los soldados ingleses pateando la cabeza de un romano. Gol a gol, registró el nacimiento del fútbol moderno: las reglas de la Universidad de Cambridge, los clubes de caballeros, el primer balón que ya no desangraba la frente al rematarlo. «La historia del fútbol es un triste viaje del placer al deber», escribió.

A finales del siglo XX, el fútbol se había convertido en un fenómeno global gracias en gran medida a la capacidad mediática de los Mundiales, que Galeano también narró uno a uno. No en vano, en ellos se habían consagrado los grandes héroes modernos; los únicos capaces de transformar, con sus goles, un domingo gris en el día más sagrado: «Un domingo normal, cualquiera puede morir de emoción mientras se celebra la misa de la pelota. Un domingo sin fútbol, cualquiera muere de aburrimiento».

En su infancia, Galeano había soñado con convertirse en futbolista. Jugaba de maravilla —solía recordar—, pero solo de noche, mientras dormía. Con los años, olvidó aquel sueño de infancia y decidió enfrentar sus pesadillas adolescentes en un papel en blanco. El escritor, desde entonces, hizo con las manos lo que el futbolista no había sabido hacer con los pies. Galeano cambió las patadas por las palabras, y ahí arrancó el relato del mendigo de buen fútbol más famoso del mundo: «Cuando el fútbol ocurre, agradezco el milagro sin que me importe un rábano cuál es el club o el país que me lo ofrece», confesó.

Galeano defendió el verbo «jugar», con todo lo que aquella palabra mágica implicaba de libertad. Siempre prefirió un regate frustrado a tres pases de seguridad. Lo imprevisto al orden. La rebeldía del destello de genialidad frente a las tácticas que intentaban encerrar el fútbol en un pizarrón. Prefería perder jugando bien que ganar con un fútbol rácano. Morir con las botas puestas apuñalado a contragolpes. Jugársela más allá del minuto noventa.

La misión del futbolista consistía en buscar el gol: el orgasmo del fútbol. Le frustraba pensar que, «como el orgasmo, el gol es cada vez menos frecuente en la vida moderna». Galeano nunca se dejó adormilar por el opio del fútbol que tanto habían criticado desde ciertos sectores. Denunció las ingentes cantidades de dinero que corrompían el balón o criticó a los corruptos mercaderes de la FIFA que habían multiplicado sus ingresos «tan prodigiosamente que aquel famoso milagro bíblico, el de los panes y los peces, parece chiste si se compara».

Todavía quedaba un milagro que el dinero de los mercaderes no podría corromper: el talento innato del futbolista podía convertir al hijo de un carpintero en el rey del mundo. El hombre había sido creado del barro; al futbolista, escribió Galeano, «el barro lo envidia: el jugador profesional se ha salvado de la fábrica o la oficina, le pagan por divertirse». No obstante, el escritor uruguayo era consciente de que los empresarios habían aprendido a convertir a los futbolistas en productos. Las marcas patrocinadoras sometían a los escudos, al número de la espalda. En el estadio, se multiplicaban los reclamos publicitarios. El césped se había transformado en un enorme plató televisivo. «El fútbol —se lamentaba— se ha vendido a la pantalla chica en cuerpo y alma y ropa.»

Fama y poder manchaban su esencia lúdica; productividad y beneficios ensuciaban su nombre. «En este fútbol de fin de siglo, tan pendiente del *marketing* y los *sponsors*, nada tiene de sorprendente que algunos de los clubes más importantes de Europa sean empresas que pertenecen a otras empresas», escribió. El juego del pueblo se había convertido en coto privado de clases adineradas. Un pecado más que mortal: «Si Dios tuviese tiempo de ocuparse del fútbol, ¿cuántos dirigentes quedarían vivos?», se preguntó.

Galeano rezaba para que, en el juicio final, cada uno recibiera su premio o su castigo. Sabía que el marcador, en muchos partidos, no reflejaba lo visto en el campo. Con más frecuencia ganaba el que peor jugaba, el que menos arriesgaba. Sin embargo, en el fútbol, como en la vida, solía pasar a la historia el que lo arriesgaba todo sin importarle no ganar nada. El que se la jugaba. El que buscaba el gol incansable, aún a riesgo de que el contrario le acuchillase a la contra.

El mendigo de buen fútbol se la había jugado escribiendo un libro futbolero en un país donde cada ciudadano tenía un doctorado balompédico. Y su valiente jugada acabó culminando el mejor gol de todos los tiempos. Literatura y fútbol. Poesía y patadas. Sol y sombra.

Mucha épica y lírica, poca transición y ley (1996)

Julián García Candau es el periodista que más goles de la selección española ha narrado. De hecho, es el último en activo de los que cantaron los dos tantos de la selección en la final de la Eurocopa de 1964. Solo llevaba un año en la redacción, pero ya entonces entendió que un gol era mucho más que un balón que atravesaba la línea de cal. Solo su narración en el papel ponía el punto final a la jugada en el césped. Convertido en palabras, el gol adquiría un significado completo que transcendía las redes. Solo relatado creaba memoria, tomaba sentido, formaba parte de la realidad.

García Candau pronto aprendió que, después del balón, no existía nada más importante. Todos los partidos giraban en torno al gol. Se buscaba desde el minuto uno hasta el último estertor del tiempo añadido. En todas y cada una de las jugadas. Los futbolistas de campo se desvivían por él; los porteros morían por su culpa. En *Épica y lírica del fútbol*, García Candau lo definió como «la expresión suprema de los deportes de pelota». Y añadió más: era el fundamento del fútbol, la razón final que alumbraba todas las tácticas, la pérdida de la virginidad del marco rival. «El gol es la consumación de la batalla. La goleada es el triunfo final en las guerras», sentenció.

Con motivo de la publicación de *Épica y lírica del fútbol,* en 1996 García Candau conoció a Eduardo Galeano, escritor al que admiraba y con quien compartía las dos pasiones de su vida. El encuentro sucedió porque Galeano, al enterarse de que García Candau había recopilado poemas, canciones y referencias literarias sobre fútbol, quiso conocerlo en persona. Se reunieron en Madrid y charlaron largamente sobre sus dos pasiones compartidas: la poesía y las patadas.

García Candau había dedicado años a desenterrar referencias literarias, desempolvar poemas, husmear en hemerotecas o releer viejos artículos en busca de literatura de fútbol. Seguramente, la charla se remontó a los antiguos juegos de pelota de las dinastías chinas, a las pelotas de los aztecas, a Grecia y Roma, al fútbol multitudinario de la Edad Media. Montherlant, Alberti, Celaya, Miguel Hernández, Rafael Fernández Shaw o Rogelio Buendía posiblemente fueron algunos de los nombres que salieron a relucir. Es fácil imaginárselos tarareando himnos de las hinchadas o analizando el juego sucio de muchos dictadores.

Muy posiblemente saldría a colación *El fútbol sin ley,* libro que García Candau había publicado en 1980, donde analizaba las relaciones entre fútbol y política. «No ha habido ninguna gran manifestación deportiva de la humanidad que no haya tenido su aprovechamiento político», había escrito. Quizá García Candau recordase la anécdota de la presentación en Madrid: Juan Benet no había podido acudir, así que al final había hecho los honores García Hortelano. Quizás rieron al recordar sus años de «espectador vergonzante».

García Candau explicaría que el fútbol español había vivido cuarenta años al margen de la ley porque fue la única organización capaz de burlarla. No se habían respetado los derechos laborales de los futbolistas ni se les tomó en serio en los medios cuando organizaron la huelga de 1979. Tampoco a las mujeres. La federación había consentido a muchos clubes que, durante años, se las impidiera afiliarse como socias con plenos derechos. Ya en 1980, García Candau había afirmado que el fútbol español, de acuerdo con la filiación de los que lo manejaban, ni siquiera había entrado en la Transición, anquilosado burocráticamente en el paternalismo y el amiguismo.

Pero, seguramente, de lo que más charlaron sería de la urgente transformación que necesitaba el lenguaje futbolístico: «Literariamente, el deporte no ha ganado el paso de los viejos a los nuevos tiempos», había escrito García Candau. El lenguaje del fútbol todavía tenía que dejar atrás los tics heredados de Matías Prats o las desgastadas metáforas geométricas y bélicas. García Candau abogaba por un lenguaje popular, más auténtico y vivo. Los cronistas debían pulular por los graderíos. Los locutores debían aprender a interpretar sociológicamente a espectadores y lectores. El lenguaje del fútbol debía gambetear, reinventarse en cada jugada, exprimirse por cada balón.

El lenguaje del fútbol había perdido parte de su literatura. Ya no se cincelaba a los héroes del domingo a golpe de palabra. García Candau suplicaba «salvar al deporte de la cepa del poste y el disparo al ángulo». Era necesario dejar atrás a los Miquelarena y Fernández Flórez. Y, para ello, escritores como Benet, García Hortelano, Vázquez Montalbán, Terenci Moix, Manuel Vicent, Javier Padrera, García Berlanga, Rafael Azcona y hasta Elías Querejeta no podían limitarse a ser hinchas. «El fútbol los necesita», había escrito García Candau.

La literatura de fútbol española los necesitaba tanto como el delantero nacional los goles para acabar con la maldición de cuartos de final. García Candau soñaba con cantar ese gol, y con la llegada del siglo XXI muchos escritores de primera fila acudieron a su llamada. Y no solo en España, también al otro lado del mundo.

Las memorias del Míster Osvaldo Soriano (1997)

La esquina de Senillosa y Balbastro, durante años, amaneció pintada con los mismos colores que el alma del escritor Osvaldo Soriano: el azulgrana de la camiseta de San Lorenzo de Almagro. Aquellas pinturas denunciaban un robo. En 1979, los milicos habían expropiado el estadio del Viejo Gasómetro a los vecinos de Boedo con la excusa de la construcción de una autopista que atravesaría el corazón del barrio. Toda una comunidad se quedó sin estadio. Le arrancaron el corazón a un barrio, y la autopista nunca se construyó. En su lugar, levantaron un Carrefour.

Años después, Osvaldo Soriano le envió una carta a Eduardo Galeano donde le explicaba la infinita pena que le invadió en los pasillos de aquel supermercado. Había ido con Sanfilippo, ídolo de su infancia. Entre ristras de chorizos, bolas de queso y relucientes cacerolas, el escritor y el exfutbolista recrearon algunos goles míticos que se habían marcado en aquel punto exacto; goles que habían elevado la temperatura del Viejo Gasómetro hasta convertirlo en una caldera. Mientras los clientes aplaudían, Soriano estuvo a punto de romper a llorar. Así se las gastan los viejos goles olvidados: vuelven inesperados para acuchillar a los corazones más sensibles.

Quizá Soriano se emocionó más al ver que, años después, el Gasómetro volvió al barrio. Y mucho más, porque el nuevo había sido levantado con el esfuerzo colectivo de sus hinchas. Aun así, nunca olvidó las gradas de madera donde había vibrado con el equipo de su vida. Y el de su muerte: Osvaldo Soriano pidió que lo enterrasen con la camiseta azulgrana puesta. Así mueren los futbolistas. Él había sido un hábil delantero centro en Independiente de Cipolletti o en Confluencia del Tandil —solía recordar con orgullo— cuando era joven, no estaba gordo y no le colgaba un sempiterno habano de los labios.

La muerte le llegó el 29 de enero de 1997, cuando tan solo tenía cincuenta y cuatro años. No solo le impidió ver cómo el nuevo Gasómetro se ampliaba para albergar más almas cada año; tampoco le permitió terminar la que, para muchos, podría haberse convertido en la gran novela de fútbol argentina: *Las memorias del Míster Peregrino Fernández.* Aunque solo le dio tiempo a publicar los doce primeros capítulos en el periódico *Página 12*, los relatos de Peregrino Fernández pronto se convirtieron en clásicos de la literatura futbolera.

Cuando Soriano engendró al Míster Peregrino, supo al instante que había tropezado con uno de los personajes que marcarían su producción literaria. Sabía reconocer una novela por sus raíces igual que podía reconocer una jugada de gol cuando el balón aún no había rebasado el medio campo. Y aquella lo era.

Peregrino Fernández había sido delantero como él, y sabía que para hacer goles había que poseer un ángel especial. «Un no sé qué. Lo tenés o no lo tenés», dice. Peregrino había recorrido medio mundo como jugador, y el otro medio como entrenador, en una rocambolesca vida cosida a las costuras de una pelota. Ahora, viejo y flaco, consume sus últimos días en la habitación de un geriátrico. El fútbol es su forma de mirar y entender el mundo, su manera de cimentar las ruinas del pasado. «Largar el fútbol es un momento bravo en la vida», recuerda con nostalgia. Su fútbol se jugaba con balones de tiento, botines de plomo, medias caídas. La barrera, en un *foul*, era cosa de maricones. Nada queda de eso. Su fútbol ha envejecido. Se ha convertido en algo totalmente diferente: un negocio, un espectáculo, un trabajo.

«Ahora, en este geriátrico impoluto, hago la cuenta sin remordimientos: ciento setenta goles en siete países, pocos de penal», reflexiona. En Argelia, Peregrino jugó con el arquero Albert Camus, que «en la cancha hablaba como una cloaca, pero en el café era parco y decía las palabras justas», recuerda. Otro arquero y poeta, Américo Tesorieri, le enseñó a marcar goles. Stalin le vio jugar tras la Segunda Guerra Mundial con la camiseta del Dinamo. Y echó partidos en el patio del Foreing Office, donde Graham Greene «jugaba de cinco: reflexivo, obsesionado por la fe y la religión». Ahora, en el hospital, mientras a escondidas de las enfermeras come medialunas y fuma Habanos, el viejo Peregrino Fernández ve su mundo alejarse como una pelota que nunca alcanzará por mucho que corra.

«Había pensado en un manual que trasladase las enseñanzas del fútbol a la vida de todos los días, pero no sé si podrá ser», dice. Además de goles, tras colgar las botas y convertirse en entrenador, Peregrino inventó el *fútbol-espectáculo*. Durante su etapa en los banquillos, colocaba hasta siete delanteros. Siempre que podía, trataba que su equipo saltase al verde con doce jugadores. Su filosofía se resumía en hacer más goles que el rival. Todo lo contrario a los defensivos postulados de Helenio Herrera. Hasta que sustituyó a los extremos por interiores. Aquel movimiento táctico terminó con una forma de vida: «También afuera de la cancha. Habíamos acabado con la belleza para asegurar la rentabilidad de los equipos», se lamenta.

Pero todo eso había sido mucho tiempo atrás. Peregrino sabe que su partido está en el descuento. Después de haber disputado cientos, ha aprendido que, al final, su historia «trata de los goles que uno se pierde en la vida». Su autor, Osvaldo Soriano, tenía ángel para esto de los goles y sabía que los de Peregrino acabarían convertidos en viejos recuerdos que regresarían inesperados para acuchillar los corazones de los lectores más sensibles.

El sueño adolescente de J. J. Armas Marcelo (1997)

En 1984, comenzó un premio literario de vital importancia para la consolidación de la literatura deportiva en España. Lo organizó la popular revista *Don Balón* durante más de una década para premiar las novelas, los ensayos y los poemas deportivos más destacados. Figuraron en la nómina de galardonados Juana Trullás, Antonio D. Olano, Gary Lineker, Raúl Torres o Ramón Cobo, entre muchos otros. El último en inscribir su nombre fue J. J. Armas Marcelo que, en 1997, ganó la última edición con la novela *Cuando éramos los mejores*, una historia que retrocedía hasta los años sesenta para contar el sueño que había impulsado la vida de su autor: convertirse en futbolista del Real Madrid.

Los sueños, sin embargo, tienen dos caras: una luminosa y otra oscura. Pueden fortalecer para alcanzar la cima cuando ya no queda aliento o escurrirse entre los dedos cuando parecen alcanzados. Pueden incluso acabar convertidos en obsesiones insanas, como le sucedió a J. J. Armas Marcelo. De joven ansiaba jugar en el Real Madrid de Di Stéfano y Miguel Muñoz, y no paró hasta alcanzar un sueño que, a la postre, terminó convertido en pesadilla.

Todo comenzó el primer día de clase en el colegio de jesuitas San Ignacio de Loyola. Tenía ocho años, y su destino quedó unido al de Pancho Gómez: «¡Coño, tú puedes llegar a ser un zurdazo genial!», le dijo al verlo jugar por primera vez. Los zurdos, como los sueños, tenían algo luminoso y algo oscuro que los diferenciaba del resto. Armas Marcelo se dio cuenta por las broncas paternas para que cogiera los cubiertos con la derecha, las regañinas del maestro para que no agarrase el lápiz con la izquierda o los sermones del cura para que hincase la rodilla derecha al comulgar; pero gracias a Pancho descubrió que también podía ser un don especial en el campo.

Juntos, frecuentaron los campos de las playas de Las Canteras y Las Alcaravaneras, la arena donde se habían forjado futbolistas como Mujica o Silva, y donde se fraguaba el juego de toque que caracterizaba al jugador insular. Juntos pasaron a los juveniles del U. D. Las Palmas. Y juntos soñaron que algún día conquistarían el Santiago Bernabéu.

Por aquel entonces, el Régimen engrandecía la épica merengue porque —explica Armas Marcelo— el Real Madrid simbolizaba una venganza histórica contra las pérfidas potencias europeas empeñadas en hundir a España. Años en los que solo existían dos bandos: los que seguían el fútbol y los que lo despreciaban intelectualmente. Para los primeros, entre los que se contaba él, «el fútbol era el dios terrenal e inmediato, al que se adoraba en su rito dominical». Su padre, sin embargo, pertenecía al bando opuesto. Nunca comulgó con la afición de su hijo. Siempre le arengó para que estudiara; pero Armas Marcelo solo pensaba en jugar en el Bernabéu: «Ningún otro sueño, ninguna otra obsesión, ninguna otra fijeza levantó tanta ambición en mis primeros años», escribió.

El primero en llegar al primer equipo de Las Palmas fue Pancho Gómez con dieciocho años. Poco después, Armas Marcelo se trasladó a Madrid a estudiar. Y a cumplir su sueño. Le habían conseguido una prueba en el Real Madrid. Cada jueves, los titulares disputaban un partido contra los *amateurs*. Armas Marcelo jugó con los segundos, y alargó su sueño en el tiempo. Durante año y medio, entrenó con el equipo *amateur* en la misma banda que Amancio, bajo la atenta mirada de Miguel Muñoz. Solo un detalle le inquietaba. Cuando hablaba sobre su carrera de Clásicas, los compañeros le miraban como a un extraterrestre. Era diferente, y ya no por su pierna zurda. Algo había cambiado en ese año. «Hacía tiempo que el fútbol me había dejado a mí en la cuneta de mis sueños de futbolista adolescente», escribió. Y decidió jugar en la selección universitaria, sin federar.

Los sueños de sus antiguos compañeros tampoco acabaron mucho mejor: Pancho Gómez se dio a la mala vida; al Cholas, en las pruebas médicas de Las Palmas, le descubrieron un ojo de cristal; Claudio Santacreu se amputó la pierna en el trabajo poco antes de firmar contrato con el primer equipo; a Marcos Bermúdez, una pedrada en la cabeza le obligó a abandonar el fútbol. Hubo sueños que incluso terminaron en pesadilla. Las repentinas e inesperadas muertes de Juan Guedes por un cáncer y Antonio Alfonso, Tonono, por una septicemia fulminante, le demostraron la fragilidad de los sueños.

Aunque él abandonó el fútbol, la pasión no le abandonó a él. Armas Marcelo acudió con regularidad dominical al Bernabéu. Animó al Madrid en las tardes luminosas y en las oscuras. Y lo siguió haciendo a pesar de que hubo tiempos mejores, «tiempos distintos a los de ahora, cuando se ha impuesto la regla mercenaria como único patrón, otros tiempos en los que el fútbol de élite marcaba precisamente la impronta de la hidalguía en un terreno de juego», escribió.

En los encuentros de Verines de 2010, el novelista y académico aseguró: «A mí el fútbol me educó». Y añadió: «Me enseñó las clases sociales, la miseria física y moral en la que se movían muchas veces las familias de mis compañeros de juegos y sueños adolescentes y me hizo tal como soy: roca dura frente a los poderosos y frágil como una flor ante los débiles».

El siglo futbolístico de Günter Grass (1999)

Desde el círculo central del Mage Sola Stadion, Günter Grass contemplaba las gradas. No había acudido al estadio para ver un partido, sino para recitar unos versos. Se ajustó las gafas, recolocó el manoseado papel sobre el atril y acercó el poblado bigote al micrófono. Miró de reojo por encima de los cristales a los veinticinco mil hinchas que abarrotaban el graderío del estadio del Friburgo. Carraspeó y recitó los cuatro versos de «Estadio nocturno»: «Lentamente ascendió el balón en el cielo. / Entonces se vio que estaba lleno el graderío. / En la portería estaba el poeta solitario, / pero el árbitro pitó fuera de juego».

Corría el año 2006. Ese verano se disputó la Copa del Mundo en Alemania. Los teutones tuvieron que conformarse con el tercer puesto, aunque a muchos, entre ellos a Günter Grass, el tercer escalón del pódium les supo a victoria. El premio Nobel sabía por experiencia que reconstruir un equipo podía funcionar como metáfora de levantar un país. Él lo había vivido muchos años atrás. Y lo recordaba gracias al fútbol. «En las letras, allí donde circula la existencia también circula el balón», había asegurado.

Ese mismo año, confesó en una entrevista al periódico *Frankfurter Algemeine Zeitung* que, con quince años, el ejército de Hitler lo había llamado a filas. La noticia dio la vuelta al mundo. Günter Grass había servido como tanquista en las Waffen-SS, el brazo armado de las SS. Pero no disparó un solo tiro. Al contrario: fue herido y capturado por el ejército norteamericano. Nunca más volvió al frente. Desde entonces, su pluma se convirtió en la mejor arma para combatir su pasado. Y también para narrarlo.

Antes de la Segunda Guerra Mundial, Grass había jugado al fútbol de manera *amateur* en clubes de Danzing; pero el trabajo y la guerra le habían alejado del balón. Hasta que, tres décadas después, su hijo Bruno lo convenció para que jugase en un equipo de veteranos. Tenía más de cincuenta años cuando disputó un partido contra los trabajadores del astillero local. Terminó fundido. No pudo mover la rodilla durante días. A pesar de los dolores, recordó que había colgado algún balón al área al más puro estilo Lahm. Y que su hijo estaba orgulloso de él: esa había sido su mejor jugada.

En el campo, jugaba en la misma posición que en la vida: en la izquierda. Aunque su jugador favorito fue el melancólico Alexander Iashvili, admiraba a Maradona por su realismo mágico sobre el césped y por sus denuncias públicas a Blatter fuera del campo. Grass había afirmado que «la FIFA es una asociación de cobardes que ha hecho de todo para convertir el deporte en un negocio que lo ha alejado de la gente». Él, al contrario, se acercó a los partidos de Segunda o Tercera, más populares y auténticos. Con el paso de los años, se aficionó también al fútbol femenino. «Espero que con su creciente éxito y su notable rendimiento, similar al del fútbol masculino, no pierda el carácter marcadamente deportivo», dijo.

Precisamente por ese carácter social, Grass admiraba al Sankt Pauli. Y en su estadio, Millerntor, ante dos mil personas, leyó las tres piezas futboleras de las cien que componían su libro *Mi siglo*, publicado en 1999.

El primer relato sucedía en 1903, año en que se disputó la primera final del campeonato alemán de fútbol entre Leipzig y Deutscher de Praga. Aquel era un fútbol todavía romántico, como la sociedad donde se jugaba. El señor Behr ofició de colegiado después de marcar las líneas con serrín. Los jugadores tuvieron que esperar casi una hora hasta que les trajeron un balón. «Los once lucharon como un solo hombre», escribió Grass refiriéndose al Leipzig, que venció 7-2. También apuntó que corría el rumor de que los derrotados praguenses habían disfrutado de las muchas tentaciones que se ofrecían en el barrio rojo de Sankt Pauli cuando caía la noche.

La segunda narración transcurría en 1954, año de Mundial en Suiza. Grass lo escogió por el sorprendente triunfo germano ante la Hungría de Puskás en la final. Aquella agónica victoria, conocida como «El milagro de Berna», trascendió lo meramente deportivo y devolvió el alma a un país muerto tras la Segunda Guerra Mundial. «Somos campeones del mundo, se lo hemos demostrado, aquí estamos otra vez, no somos ya los vencidos, cantábamos bajo los paraguas en el estadio de Berna», escribió Grass.

La tercera de las piezas ahondaba en la misma idea del fútbol como búsqueda de identidad. Grass narró el partido entre las dos Alemanias en el Mundial de 1974, por ser único en la historia. El narrador es un espía de la R. D. A. que sigue el devenir del partido en la televisión de la cárcel, y le asaltan las preguntas: «¿De qué parte estaba yo? ¿Qué Alemania ganaba? ¿Qué campos de fuerza me solicitaban cuando Sparwasser marcó el gol?». Aquel gol dio la victoria a la R. D. A, pero a Grass se le acumulaban más preguntas sin respuesta: «Sí, rugí desde luego ¡gol, gol, gol! Pero al mismo tiempo me dolía que la otra Alemania fuese perdiendo», escribió.

Con aquellos tres partidos, Günter Grass resumió tres momentos clave de la historia de su país. Aquellos tres partidos hablaban de un siglo que ya nunca volvería. Mostraban cómo había cambiado el fútbol al mismo tiempo que la sociedad. Cómo había cambiado él. Tres únicos partidos para contar todo un siglo. Tres partidos únicos para contarse a sí mismo.

Esperándolo a Eduardo Sacheri (2000)

A Eduardo Sacheri le encantaba encender la radio por la noche y disfrutar de los cuentos de fútbol que radiaba Alejandro Apo en su programa *Con afecto*. Sin embargo, muchas noches no podía escucharlo. A esa misma hora, jugaba el partidillo semanal con los amigos. Y el resultado de la elección estaba claro: era infinitamente mejor jugarlo que leerlo, verlo o escucharlo. En aquel entonces, Alejandro Apo no leía los cuentos antes de radiarlos en directo. Le gustaba descubrir los secretos de la historia al mismo tiempo que sus oyentes. Emocionarse con ellos. Así, la experiencia de leerlos se asemejaba a la incertidumbre de ver un partido en directo.

Un día, cayó en sus manos un cuento firmado por un tal Eduardo Sacheri. No tenía referencias del escritor; pero poco importaba: esa noche, tras leerlo, sabría si aquel joven escritor debutaba con buen pie. Y no tardó en descubrirlo. Segundos después de la lectura, cientos de llamadas colapsaron la centralita. Los oyentes querían saber más sobre el desconocido escritor. Su biografía, qué libros había publicado, dónde podían encontrar sus cuentos de fútbol. Las llamadas confirmaron lo que Apo había sentido mientras leía: acababa de descubrir a un escritor al que leería toda su vida.

Días después, recibió otro cuento titulado «De chilena». Lo firmaba Sacheri. Esta vez, ya sabía lo que tenía entre manos. Alejandro Apo relató esta historia, en el año 2000, cuando prologó *Esperándolo a Tito*, la primera colección de cuentos de Sacheri. Entre otras cosas, recordó cómo le había quebrado el alma la evocación del padre y los hermanos unidos por el fútbol, mientras le leía por primera vez. A punto estuvo de romper a llorar en directo, confesó. Aquel día lo vio claro: Mario Benedetti había iniciado el género del relato corto futbolero; Fontanarrosa había descrito como nadie la locura que despertaba el deporte rey; Soriano había explorado como nunca antes el olvidado fútbol de provincias; y Eduardo Sacheri se consagraría como el poeta del potrero: «Si este talentoso escritor no es dueño absoluto del área, estoy seguro de que muy pronto lo será», escribió.

Sacheri había jugado al fútbol desde la infancia. Creció con el escudo de Independiente bordado en el pecho. Su padre le había contagiado la fiebre roja leyéndole las crónicas de los partidos que habían escuchado juntos en la radio. Desde entonces, Sacheri entendió que ser hincha era una manera de afrontar la vida: solo los que sufrían de verdad por un club sabían realmente en qué consistía vivir.

Fue un hincha sin estadio. Su historia no seguía el guion marcado por los Hornby y compañía. La cancha quedaba a muchos kilómetros de su casa. Y el carné de socio, a muchos cientos de pesos. Pero nada de eso empañó su afición. Vivió cada partido por la televisión como una auténtica fiesta hasta que al fin pudo acudir a la Doble Visera y sentir «esa sensación indescriptible de estar en una cancha envuelto por el canto de la hinchada nuestra —escribió—, el vértigo del piso moviéndose bajo los pies y ese canto que cinco mil tipos vociferan desafinados, pero que todo junto suena precioso, como si hubieran estudiado música».

En el cuento «Señor Pastoriza» narró el inolvidable y decisivo partido contra Talleres de Córdoba que Independiente logró empatar en campo rival con ocho jugadores, y que, a la postre, les dio el título en 1977. Aquel fue el último gran partido que vivieron juntos. Al año siguiente, su padre falleció. Desde entonces, cada vez que Independiente ha ganado un nuevo título, Sacheri ha abrazado el cielo para celebrarlo con su padre. También quiso rendirle un homenaje a ese vínculo con el cuento «Independiente, mi viejo y yo», donde rememoró la increíble remontada contra Cruzeiro en la Copa Libertadores de 1975. La camiseta, la radio, la televisión, el partido de fútbol, el hijo, el padre: solamente con esos elementos, Sacheri ha explorado el vínculo afectivo creado por el fútbol como nadie lo había hecho antes.

Y es que no existe vuelta atrás una vez «inoculado para siempre el veneno dulce del amor perpetuo, ya ajeno para siempre a cualquier otra camiseta, más allá de cualquier dolor y de todas las glorias», escribió. Ser hincha ha sido una constante de su identidad. Ha aprendido de qué va la vida viendo fútbol, leyendo esas jugadas que cuentan más que un simple partido. Y ese es el secreto de sus cuentos: «Es el fútbol —escribió—, pero es mucho más que el fútbol». Es también mucho más que un juego; es un cordón umbilical que une a padres con hijos, a amigos y enemigos, a todo un vecindario, a un pueblo.

«En el fútbol tiene que ser como en la vida, donde los que llevan las de ganar ganan, y los que llevan las de perder pierden», escribió Sacheri. Pero sus cuentos demuestran que no es así: David puede golear a Goliat en el campo; el modesto, gambetear al egocéntrico; el humilde, vencer al poderoso: «A nosotros no nos cabe otra cosa que contestar en una cancha porque no tenemos otro sitio, porque somos pocos, porque estamos solos, porque somos pobres», escribió. Ese es el fútbol de Eduardo Sacheri. El que llevaba años esperando radiar Alejandro Apo.

Aunque en el cielo no se retransmitan los partidos, Sacheri le pide a Dios, por favor, que haya una cancha de hierba recién cortada. Solo eso. Ni siquiera alguien con quien jugar. Solo la cancha. «Y que haya un balón —puntualizó—. Si voy al cielo, quiero hacer lo que más me gusta en la vida.»

Los años más sentimentales de Marías (2000)

Desde 1992, Javier Marías publicó artículos de fútbol en *El País Semanal,* que aparecieron recopilados en el libro *Salvajes y sentimentales* en el año 2000. Comentaba Marías que escribirlos le suponía un descanso en su trabajo como novelista. Descanso que, en cambio, no podían permitirse los protagonistas de sus textos porque el futbolista es un héroe que debe demostrar su condición como tal domingo tras domingo: «El triunfo de ayer no sirve de nada ante la derrota de hoy», escribió Marías. Y mucho menos en el nuevo siglo con las decenas de cámaras que abarrotan los estadios para grabar cada movimiento del héroe.

Desde pequeño, Marías soñaba con convertirse en uno de esos héroes cuando jugaba con sus amigos en Chamberí. Era extremo. Y del Madrid porque, en su opinión, no se podía ser madrileño y del Atleti. También porque la niñera le mentía diciéndole que su novio era Gento. Cuando Marías veía al jugador merengue en los periódicos o escuchaba la narración de sus goles por la radio, no podía más que sentirlo como uno más de su familia. El fútbol funciona así en sus relatos: permite ordenar la vida del hincha: «Los futboleros tenemos una forma adicional de medir el tiempo de la que a buen seguro adolecen el resto de los individuos: la celebración del Campeonato del Mundo de selecciones cada cuatro años», escribió. Cuando uno terminaba, el pequeño Marías ya calculaba cuántos años tendría en el siguiente por muy remoto que le pareciera.

Mientras, disfrutaba del Madrid. Ya entonces, el club blanco se había convertido en un oasis en la tediosa semana. Todavía hoy conserva cromos de aquella época, sobre todo de jugadores blancos. Otros los sacrificó en las chapas con las que jugaba con su hermano. A él, por ser el pequeño, siempre le tocaban las del Barça. Ese tipo de recuerdos conforman su memoria futbolística. Al fin y al cabo, «el fútbol no es ni será solo calidad y pizarra, en él están también los sentimientos que rigen la vida».

El cromo que guardó con más cariño fue el de Di Stéfano. Tras la derrota en la final de Copa de Europa de 1964, el Madrid se deshizo de la Saeta Rubia, y Marías siguió con tristeza el ocaso de su ídolo hasta su retirada en el Espanyol. En la adolescencia, perdió ese sentimentalismo viendo cómo la dictadura se aprovechaba con salvaje oportunismo de los éxitos europeos merengues. Quizá por eso solo defiende el blanco hasta los límites permisibles por el árbitro: «Que el club de mis amores de infancia lo siga siendo de mi edad adulta no significa que yo sea ciego a sus defectos», aseguró.

Marías concibe el fútbol como «la recuperación semanal de la infancia», una reconexión con la parte salvaje y sentimental que se pierde con el paso de los años. Para que ocurra, dice, el fútbol ha de ser emoción, épica, temor, temblor, desolación, euforia. Sin olvidar que, con la incursión de la tecnología, el fútbol de este nuevo siglo se ha convertido en un relato televisivo. El terreno de juego se ha transformado en un enorme plató donde las cámaras registran segundo a segundo la actuación de los futbolistas: «Hoy en día, son carne de pantalla», aseguró Marías. Y a muchos héroes modernos, por supuesto, les encanta su nuevo papel de protagonista en las pantallas de todo el mundo.

Sin embargo, él no considera las cámaras como el peor enemigo del fútbol. «Hay individuos que en el resto de sus actividades jamás permiten aflorar al niño que fueron y que sin embargo en el fútbol dan rienda suelta sin sonrojo a sus reacciones más pueriles». La vuelta a la irracionalidad de la infancia no se produce de la misma manera en todos los espectadores. Camuflado en el anonimato de la masa, el aficionado tiene libertad para volcar sus iras sobre el futbolista, individualizado por el dorsal de la camiseta. Un niño con la experiencia de un adulto, al fin y al cabo, puede resultar tan peligroso como un adulto con alma de niño.

Aunque, en contadas ocasiones, los papeles se inviertan. Para ejemplificarlo, Marías recuperó en un artículo el «acrobático puntapié» que Éric Cantona le propinó a un hincha del Crystal Palace. El futbolista, en aquel caso, individualizó al aficionado. La agresión quedó registrada por decenas de cámaras, planos, fotos y la memoria de los aficionados de todo el mundo. La patada había dejado mudo a todo el estadio; pero no sucedió lo mismo en la prensa, que condenó la acción unánimemente. La figura del domingo pasado, en una sola acción, se había convertido en el peor de los villanos en una retransmisión en directo.

No era la primera vez que Cantona sacaba a pasear su ira en un campo; sí la primera que lo hacía contra el público. Más tarde, se descubrió que el hincha tenía antecedentes policiales por robo a mano armada, pero ni sus delitos ni los insultos justificaban la patada. Marías reprochaba en su artículo el gesto salvaje. Y también el juicio moralista al que se sometió al futbolista. «Sobre él llueven los insultos y las censuras, cuando lo que ha hecho, desde mi punto de vista, es un acto de coraje e insumisión», escribió.

Marías se preguntaba por qué no éramos capaces de interpretar la vida como lo hacíamos con una película. Éric Cantona no solo era un salvaje antihéroe. Tenía su parte sentimental, como había demostrado al comparar a un artista con alguien capaz de iluminar un cuarto oscuro, o el pase de Pelé en la final del Mundial de 1970 con el mejor poema de Rimbaud. «En cada una de esas manifestaciones humanas —dijo Cantona—, hay una expresión de belleza que nos conmueve y nos da un sentimiento de eternidad.» En resumen: más sentimentales que salvajes.

Los futbolistas salvajes de Bolaño (2003)

Roberto Bolaño siempre fue más de antihéroes. La vida, al fin y al cabo, no dejaba de ser un partido que todos jugábamos condenados de antemano a perder, aunque había formas de abandonar el césped con la cabeza alta a pesar de la derrota. No fue un gran aficionado al fútbol. Decía ser hincha del Ferrobadminton, un equipo que había llegado a Primera División, pero que había terminado desapareciendo hacía siglos. «Su camiseta era la más bonita que ha habido jamás en el fútbol patrio», fabulaba Bolaño.

Nunca fue muy habilidoso con el balón en los pies. Desde pequeño, tuvo claro que no se manejaba con él. Pero gracias a aquel balón descubrió su dislexia: chutaba con la izquierda, escribía con la derecha. El fútbol, dijo, le ayudó primero a tomar una posición en la vida, y años más tarde en su literatura. «A mí siempre me pareció más interesante marcar un autogol que un gol», aseguró. Un gol, en su opinión, era un gesto vulgar y descortés con el portero contrario. El autogol, en cambio, dotaba a su autor de independencia. Y así precisamente fue su literatura: independiente, elegante y sutil como un gol marcado en propia meta, y a propósito.

Bolaño dejó varios cajones llenos de manuscritos inéditos, pero solamente un breve relato de fútbol: «Buba», publicado en 2001 dentro de la recopilación *Putas asesinas*. Se lo dedicó al mexicano Juan Villoro, con el que solía mantener interminables conversaciones telefónicas. A Bolaño le gustaba hablar de lo que fuese con cualquiera que plantease debate. A media tarde, todavía despeinado por el sueño, encendía un pitillo y descolgaba el teléfono para charlar del último libro que había leído, del asesino en serie del que hablaban todos los informativos o incluso de un futbolista que utiliza magia negra para ganar partidos. Charlar, por muy lejos que el amigo estuviera, le preparaba para la solitaria noche de escritura que le esperaba.

Acevedo, el narrador de «Buba», también gasta una fortuna en llamadas telefónicas a Santiago de Chile para hablar con sus familiares y amigos. Y, aunque Acevedo es futbolista profesional, comparte la opinión Bolaño de que «el fútbol es extraño». Juega de extremo izquierdo, primero en la liga chilena y después en la argentina, hasta que gracias a sus brillantes actuaciones ficha por el F. C. Barcelona. Como la mayoría de los personajes bolañescos, Acevedo recala en Barcelona, «la ciudad de la sensatez», «la ciudad del sentido común».

Pero el sueño muy pronto deviene en pesadilla cuando en el tercer partido sufre una lesión de ligamentos. Lejos del balón, Acevedo comienza a sentir la crudeza de periodistas y aficionados. Surgen las habladurías sobre discotecas y putas. Y no les falta razón a los denunciantes. Acevedo sale de fiesta y paga por servicios sexuales para sobrellevar la lesión. Hasta que la noticia de su vida libertina, un día, salta a la prensa: «En Barcelona, que parece tan grande y tan civilizada, las noticias vuelan —cuenta Acevedo—. Quiero decir: las noticias futbolísticas».

Como persiste en su peculiar receta médica, el club lo multa. Pero Acevedo se lo toma con resignación: «Me hice el firme propósito de salir menos, digamos una vez cada quince días», dice. Por supuesto, no consigue mantener su régimen. Los futbolistas salvajes de Bolaño son antihéroes. Salen de fiesta, beben, fuman, organizan timbas de madrugada. Y desde la llegada de Buba, practican magia negra para ganar partidos. Buba es un africano que juega de mediapunta. Tan reservado que ni siquiera Acevedo conoce su edad ni su pasado, a pesar de compartir habitación. A Buba no le gusta la noche y el club tiene la esperanza de que, siguiendo su ejemplo, Acevedo se reconduzca. Lo que no imaginan es que Buba tiene una oscura costumbre: todas las noches se encierra en el baño y una música endiablada se adueña del silencio.

En el *Discurso de Caracas*, Bolaño desveló que su relación con el fútbol venía de lejos: «Por las noches, antes de dormirme, pensaba y le daba vueltas a mi lamentable condición de futbolista». Sin embargo, a pesar de aquella torpeza, le detuvo un penalti a uno de los mejores futbolistas del mundo. O, al menos, así lo contó en más de una entrevista. En 1962, Bolaño vivía en Quilpué, a cincuenta metros de la sede donde se alojó la selección brasileña para el Mundial de Chile. Un día, Bolaño y sus amigos se acercaron y conocieron a Pelé, a Garrincha, a Vavá. «Recuerdo que Vavá me tiró un penal y se lo atajé —relató Bolaño—. Para mí es la mayor hazaña que he hecho: ¡le atajé un penal a Vavá!»

Nunca se sabrá si aquel penal se lanzó o fue una fantasía más de Bolaño. Aunque poco importa. Las leyendas no necesitan a la verdad para colarse en los sueños de los lectores. Lo verdaderamente importante es la valentía del portero ante el penalti. De eso, en definitiva, trataba el oficio de escritor: «Tener el valor, sabiendo previamente que vas a ser derrotado, y salir a pelear: esa es la literatura», dijo Bolaño.

El fútbol bicéfalo de Manuel Vázquez Montalbán (2003)

La bandada de pájaros se perdió en el horizonte anaranjado de Bangkok como un atardecer cualquiera, pero aquel 18 de octubre de 2003 no terminaba un día cualquiera. Aquel día, se le paró el corazón a Manuel Vázquez Montalbán. Estaba en el concurrido aeropuerto de la capital tailandesa a la que tantas páginas había dedicado. Hacía escala desde Sídney en su vuelta a Madrid. Desde ahí volaría a Barcelona. Si llegaba a tiempo, había planeado acudir al partido que disputaba el F. C. Barcelona en el Camp Nou contra el Deportivo de la Coruña. Sin embargo, los cuatro *bypass* implantados en el corazón no fueron suficiente para mantenerle con vida. Tenía setenta y cuatro años.

Días después, en el disco duro de su portátil se encontraron una serie de artículos reunidos en una carpeta llamada «Fútbol». Y así, *Fútbol. Una religión en busca de Dios* se tituló el libro donde aparecieron publicados. Aunque a primera vista los artículos parecen alejados de las tramas negras que tanto cultivó Vázquez Montalbán, responder a la pregunta que los recorre hubiera sido un interesante caso para el investigador Pepe Carvalho: ¿es el fútbol moderno un negocio de élites privilegiadas o una religión de masas?

Vázquez Montalbán sabía que, como cualquier religión, el fútbol era un ritual. Domingo tras domingo, los feligreses peregrinaban con fe renovada a sus catedrales para ver a sus santos. Acudían con una única plegaria: ver milagros futbolísticos. Sin ellos, no existía su religión. Montalbán se remontó hasta el nacimiento de esa fe inquebrantable: «En algún momento de nuestra infancia —escribió—, percibimos el *instante mágico* en el que un artista del balón consigue ese prodigio inolvidable». En ese preciso momento, puntualizó, entraba en juego la palabra: aquel milagro primero sería contado por los que lo vieron, después por los que nunca estuvieron ahí, y al final se convertiría en la memoria de las generaciones futuras.

El fútbol, por supuesto, tenía su propio dios: «Hubo que esperar que naciera Maradona, nacimiento mítico como en las leyendas primeras, el de un niño nacido lumpen que alcanzará la condición todavía no de Dios, pero sí de la mano de Dios», escribió Vázquez Montalbán. Maradona, no obstante, pertenecía al mundo de los mortales, dominado por otro dios: el dinero. La mala gestión de Czysterpiller, los desastrosos contratos publicitarios, los años de Coppola o sus relaciones con la *camorra* lo crucificaron. Pero el mesías resucitó en múltiples ocasiones: en el Sevilla, Newell's, Boca.

Su resurrección más recordada fue la del Mundial de Estados Unidos. Maradona era el único profeta al que seguirían las masas. La FIFA y las grandes multinacionales necesitaban de sus milagros para expandir la fe balompédica en tierra de descreídos. Muchos intereses dependían de sus pies, y de ellos nació uno de los golazos del torneo que desembocó en una celebración histórica. Tras el positivo en el control *antidoping*, los mercaderes expulsaron a Dios del Mundial: «Se utilizó a Maradona como mito del fútbol que podría sobrevivir a sí mismo —escribió Vázquez Montalbán—, y luego como un demonio culpabilizado sobre el que caía todo el peso del puritanismo ético de un deporte que cree en Dios, en la familia y en la propiedad privada».

Años después, el escritor catalán acudió a un partido en el palco de la Bombonera. Desde allí, el palco privado de Maradona le recordó a una oscura tumba donde resultaba imposible adivinar si el profeta estaba o no en cuerpo presente, aunque el pueblo prefería creer que Maradona continuaba vigilando el rectángulo de hierba desde las alturas.

Con los años, Vázquez Montalbán entendió que el fútbol, en resumen, era un animal bicéfalo: «Por una parte, religión laica de masas, y, por otra, negocio multinacional». Con los años, la parte económica fue erosionando la fe de Montalbán. El fútbol moderno del nuevo siglo cada vez tenía menos que ver con su vieja esencia. Los jugadores ya no oficiaban como principales sacerdotes. Las catedrales ya no pertenecían a sus feligreses. A pesar de abarrotarse de almas, la televisión y la publicidad manejaban los tiempos de la eucaristía. El dinero había convertido la Liga en un campo de batalla donde ganaba el presidente que más ceros ponía en sus talones.

Tras la crucifixión de Maradona, la industria del fútbol se quedó sin dios. Y tuvo que fabricarse uno nuevo: Ronaldo. Sus portentosas piernas —y los alargados tentáculos de la FIFA— lo alzaron al olimpo balompédico con apenas veinte años. Ronaldo, en palabras de Vázquez Montalbán, fue coronado como «el dios menor heredero de Maradona capaz de oficiar en la religión del fútbol sin tomar cocaína». Y cumplió su cometido celestial hasta que las rodillas le fallaron.

Con la llegada de un nuevo siglo, sin embargo, ya no fue necesario tener un solo dios. En España, aterrizaban cada temporada jugadores de otras galaxias. El Madrid de Raúl se hizo con Zidane, Roberto Carlos, Beckham o Figo. En la Ciudad Condal, Ronaldinho se unía a los Deco, Puyol o Eto'o. ¿Por qué tener un solo dios al que alabar si con muchos se multiplican los ingresos? La religión, definitivamente, perdía el partido frente al negocio multimillonario. Los jugadores se tasaban por sus goles y las camisetas que vendían. Los dioses se multiplicaban, sí; pero escaseaban los milagros, los panes y los peces.

Arrancaba una nueva era. El espectáculo había llegado a los estadios para terminar con el rancio sentimiento religioso que había presidido hasta entonces la liturgia dominical. El negocio le cortaba una de las cabezas al fútbol bicéfalo de Vázquez Montalbán. Y lo acapararía todo como había vaticinado en su poema «Crónica sentimental de España»: «Fútbol, fútbol, fútbol, / en los estadios ruge / enardecida la afición. / Fútbol, fútbol, fútbol, / hoy todo el mundo / está pendiente del balón».

El maldito United de David Peace (2005)

No solo los futbolistas representarían en la literatura el papel de antihéroes. También los entrenadores. El escritor británico David Peace eligió para el papel protagonista de su novela *Maldito United,* publicada en 2005, a uno que había marcado una época. Como hiciera Helenio Herrera en España e Italia, el irredento Brian Clough revolucionó los banquillos de la Premier League en los años setenta. Y David Peace lo contó a través de un enfermizo monólogo interior que desnudó el tormento que bullía en su interior. «Fútbol, fútbol, fútbol; tú, tú, tú», escribió Peace: dos palabras que resumían su historia, su locura, su pasión, el motor de su vida.

Brian Clough no creía en la suerte en el fútbol. Tampoco en Dios, en la vida. Solo creía en sí mismo. Se veía como un rey a la altura del mismísimo Oliver Cromwell. Tenía una filosofía, clara y sencilla, sobre su oficio: ser un buen entrenador consistía en fichar a los mejores futbolistas. Ellos ganaban y perdían los partidos. No la estrategia ni las malditas pizarras. Ni mucho menos esas fruslerías de los designios divinos, la suerte o la superstición.

Fue un obseso del fútbol. Fue querido por lo que nunca fue. Fue odiado por ser él mismo. Todo lo que la gente siempre dijo que fue, en realidad, era lo que nunca fue. La novela de David Peace mostró cómo se convirtió en lo que más había odiado cuando fichó por el Leeds. La pesadilla duró cuarenta y cinco días, el tiempo que aguantó como entrenador en Ellan Road. Una angustiosa odisea que Peace aprovechó para retroceder al glorioso pasado de Clough al frente del Hartlepool y del Derby County.

Jugando en Segunda, una lesión de rodilla le había obligado a retirarse y abandonar «estos campos de derrota, estos campos de odio, estos campos de sangre y estos campos de guerra». Pero Clough era un hombre hecho a sí mismo y se reconvirtió en entrenador. En su primer año, llevó a los juveniles del Sunderland a semifinales de la Copa. Fichó por el Hartlepool, un equipo de tercera. Era el entrenador más joven de la categoría; pero transformó el club con sus propias manos: desembozó cañerías, pintó tribunas, condujo el autobús del equipo, compró *fish & chips* a los jugadores, entrenó medio año sin cobrar y revolucionó el mundo de los fichajes junto con Pete Taylor. Incluso consiguió que el multimillonario presidente terminase dimitiendo.

La temporada siguiente, fichó por el Derby County de Segunda. «Un entrenador nunca es tan fuerte como durante sus tres primeros meses en un club», escribió Peace. Durante las tres primeras semanas al frente del Derby County, Clough despidió a dieciséis jugadores, al jefe de ojeadores, a cuatro jardineros, al secretario, al asistente, a varias recepcionistas y a la chica del té. Reorganizó el club desde sus cimientos. Y lo sacó del pozo de Segunda. Al año siguiente, terminó su primera participación en la Premier League en cuarta posición, con plaza para jugar en Europa. Aunque no pudo participar por irregularidades económicas, realizó el fichaje más caro de la historia del club sin ni siquiera avisar al presidente. Y se proclamó campeón en la temporada 71-72. La siguiente campaña cayó en semifinales de la Copa de Europa.

Fue entonces cuando sorprendió al mundo fichando por el Leeds United, su eterno rival. Lo primero que hizo al llegar al despacho de Ellan Road fue pedir un hacha. Cuando se la trajeron, se arremangó la camisa, dio un par de lingotazos a su coñac y destrozó todo el mobiliario. Luego encendió un cigarrillo, bajó los pedazos al aparcamiento y los quemó. Quería terminar con cualquier rastro de su antecesor, Don Revie. Ahora, él mandaba. Ahora, él era el jefe.

Revie era su antítesis. El hombre al que más envidió. El entrenador al que más le costó doblegar. Pero, al mismo tiempo, fue su meta, la persona cuyo respeto más se esforzó en conseguir. Y la razón por la que fichó por el eterno rival. Quería ser campeón con un juego más brillante que el de su antecesor. Sin embargo, por mucho que quemase las huellas del despacho, las que Revie había dejado en la plantilla eran imborrables.

En el primer amistoso de pretemporada, solo entró al vestuario para dar la alineación. Luego vio el partido desde la grada. Allí se encontraba David Peace. Corría el año 1974. El futuro escritor solo tenía siete. Había ido al partido porque su abuelo y su padre eran aficionados del Huddersfield Town. «Recuerdo que fuimos con tiempo al campo para ver llegar al Leeds —contó Peace en una entrevista—. Hacía sol y aquel hombre bien vestido, lleno de autoestima, bajó del bus saludando.» Cuarenta y cuatro días después, sin embargo, lo echaron. Curiosamente, el día antes había disputado su último partido al frente del Leeds contra el Huddersfield. La noticia sacudió Inglaterra. «Mi padre y yo siempre especulábamos sobre qué habría pasado en esos cuarenta y cuatro días entre los dos partidos contra mi club, qué había sucedido para echar a un técnico», confesó Peace.

Muchos años después, el propio Peace desveló el misterio. Clough nunca pudo sentir Ellan Road como su casa: «No es mi equipo. Nunca. No me pertenecerá. Jamás. No este equipo. Nunca jamás». Su obsesión por eliminar lo imborrable creó fantasmas que le perseguían por los pasillos de Ellan Road. «Los cuervos revolotean alrededor de los focos», pensaba una y otra vez. «Los perros, alrededor de las puertas.» Atrapado en el estadio, la paranoia creó conspiraciones en los despachos contiguos, cuchicheos en las esquinas, murmullos, críticas en su propio vestuario, insultos en la calle, confabulaciones, habladurías, mentiras, tramas.

«Siempre hay un partido en cada temporada, un momento

en ese partido, ese momento en ese partido cada temporada en que todo puede cambiar, en que todo puede salir perfecto o derrumbarse para el resto de la campaña», escribió David Peace. Y a todo entrenador, tarde o temprano, le llegaba ese partido. También a Brian Clough. Como le sucedería a Bill Shankly, mítico entrenador del Liverpool: un momento que David Peace reconstruiría en la novela *Red or dead*, publicada en 2013.

La pichanga pampina de Hernán Rivera Letelier (2006)

Posiblemente, Manuel Vázquez Montalbán le habría dedicado un artículo a André Porto, Dinho, de haber podido disfrutar de sus filigranas. Quizás incluso Roberto Bolaño se hubiera detenido en La Rambla a verlo. Cada mañana, André Porto se plantaba en medio de La Rambla vestido de azulgrana, con el diez dorado de Ronaldinho a la espalda. Se calzaba las *bambas*. Se pintaba la cara, se ajustaba la frondosa peluca y se sujetaba el flequillo con una cinta como acostumbraba Ronnie en sus años en el F. C. Barcelona. Decenas de turistas se arremolinaban enfocándole con sus teléfonos móviles. André Porto sonreía y saludaba con la *shaka*, como su ídolo, antes de dejar caer el balón sobre el empeine para que diera comienzo el espectáculo de malabarismos: inverosímiles virguerías, toques imposibles y asombrosos malabarismos sin que la bola tocase las famosas baldosas de La Rambla, ni tan siquiera cuando subía y bajaba por una temblorosa escalera.

Inicio similar tiene *El Fantasista*, novela que el chileno Hernán Rivera Letelier publicó en 2006. Pero, en vez de en las concurridas Ramblas, Expósito González, el Fantasista, actúa en Coya Sur, un villorrio de tan solo seis callejas perdido en algún rincón de la vasta y polvorienta pampa. Tras calzarse la camiseta del Green Cross, Colorina —la misteriosa joven que lo acompaña— le venda los pies, le ajusta las medias, le coloca la muslera en la pierna izquierda y le saca brillo a los botines con el vuelo de su falda. El espectáculo de malabarismo puede comenzar.

En una entrevista, Hernán Rivera Letelier comparó el juego del Fantasista con el de Ronaldinho, y su cojera, con la de Garrincha. También aseguró que, con cinco años, él había inventado la rabona con una pelota de trapo, aunque la historia le hubiese concedido los honores a Maradona. Toda la vida había jugado al fútbol, pero sobre todo cuando trabajaba en la mina. Tras la infernal jornada laboral, solían organizar un partido. Jugaban a más de cuarenta grados; pero no importaba el calor. El fútbol les redimía del hastío del desierto pampeano: «De repente, aparecía una pelota y aquello era mágico», explicó. *El Fantasista* era la novela que les debía a sus amigos de la infancia, a sus compañeros de la mina, al fútbol.

La primera vez que ven el espectáculo del Fantasista, los vecinos de Coya Sur lo reconocen como su mesías, el enviado de Dios que esperaban para, al fin, redimirse de la derrota. Y ponen en marcha un plan para ficharlo. Queda apenas una semana para que se dispute el último partido antes del fin del mundo. Un derbi contra los eternos rivales, los Cometierra. «En el fútbol es donde la rivalidad llega a límites escandalosos», escribió Rivera Letelier. «Son muy pocos los partidos, por no decir ninguno, que no terminen en verdaderas batallas campales.»

Este duelo entre vecinos tiene visos de acabar así por su importancia. Además de un derbi, es el último de la historia: la compañía salitrera ha decidido que Coya Sur se desalojará cuando el árbitro pite el final. Para representar «la trascendencia que puede tener el fútbol en la vida de un hombre, en su manera de ser y enfrentar las adversidades», Rivera Letelier creó un equipo de futbolistas que simbolizan, dentro del pequeño universo de Coya Sur, a toda la humanidad. Como afirma el narrador: «En el exiguo terreno de una cancha de fútbol, se puede apreciar lo mejor y lo peor del ser humano».

Destacan Zacarías Ángel, el cura, que se hace cruces al ver un balón; Cachimoco Farfán, el estrafalario locutor de radio, que retransmite los partidos con una peculiar jerga médica; Silvestre Pareto, el utillero, que pinta las líneas del campo con sal y envenena a los perros huérfanos con albóndigas; Tarzán Tirado, el arquero, que se parece más a Chita que al rey de la selva, porque se golpea el pecho y aúlla para amedrentar a los delanteros; y Choche Maravilla, el goleador, que acostumbra a marcarse un *polvogol* en el campo con una aficionada del equipo rival, la noche previa al partido.

Este disparatado equipo de antihéroes necesita de un verdadero héroe. Finalmente, convencen al Fantasista llevándole frente a la tumba de su ídolo, Manuel Lito Contreras Ossandón: futbolista de María Elena —pueblo vecino— que defendió los colores del Green Cross hasta que, el fatídico 3 de abril de 1961, el Douglas DC3 se estrelló contra la cara norte del cerro de Las Ánimas. Volaban parte de la plantilla, el entrenador y tres árbitros. No hubo supervivientes. En muestra de duelo, el Fantasista se calza una vieja camiseta del Green Cross de su maltrecho ídolo antes de su actuación. Es un romántico. Un amante de la pelota que ha dedicado muchos años a leer libros sobre su historia. Todavía queda romanticismo en el fútbol, aunque sea en aquel rincón perdido de la pampa.

«Con la pelota hacía las metáforas que hago ahora con las palabras», explicó Hernán Rivera Letelier. También aseguró que, cuando consigue hilar una buena frase en el ordenador, salta de la silla y la celebra como un gol. No es para menos. Como escribió: «Un gol o una buena jugada, como cualquier otro asunto importante en esta vida, no estaba completo si no se verbalizaba, si no se contaba, si no se narraba y recreaba con la magia de las palabras».

Entre los vándalos con Bill Buford (2006)

El periodista norteamericano Bill Buford disfrutaba de un té en una apacible estación a las afueras de Cardiff. Esperaba su tren con rumbo a Londres cuando, por megafonía, anunciaron el paso de un tren no programado. Solicitaron que, por favor, todos los viajeros se alejasen del andén. Antes de que Buford terminase el té, la estación se había llenado de policías para controlar un tren lleno de hinchas de Liverpool. El convoy apenas se detuvo unos segundos, pero los cánticos resonaron contra la fachada de la estación mientras bajaron a uno de los revisores, herido. Buford tuvo tiempo de ver cómo un hincha intentaba romper una ventanilla con la pata de una mesa. Otro logró saltar al andén, pero fue reducido por seis policías.

Buford tardó horas en llegar a su casa. La ciudad parecía tomada por hordas de hinchas. Tuvo que cambiar hasta cuatro veces de tren. Y por todos parecía haber pasado Atila: sillones arrancados, charcos malolientes, ventanas rotas. «No supe qué me sorprendió más —explicó—, si aquella destrucción tan gratuita como implacable, o que, con tantísima policía alrededor, nadie pareciera capaz de ponerle coto.» Acababa de ver por primera vez a los *hooligans*. Corría el año 1982. Buford llevaba cinco estudiando en Londres. Nunca había acudido a un partido de fútbol, pero, tras aquella experiencia, hipotecaría ocho años moviéndose entre aquellos vándalos. Quería descubrir de dónde procedía la violencia. Conocer a un *hooligan* en profundidad. Y quería, sobre todo, documentar su experiencia. En 2006, consiguió su objetivo publicando *Entre los vándalos*.

El primer partido al que acudió fue en White Hart Lane. No le quedó apenas recuerdo de los goles o de jugadas memorables; solo el rescoldo de los insultos, gruñidos, apretones, codazos, el olor a sudor, los tatuajes, los cánticos racistas, las peleas, la omnipresencia de la policía. En aquel primer partido, Buford ya entendió que los *hooligans* no iban al estadio a disfrutar de un espectáculo a cambio del dinero de la entrada, como sucedía en otros deportes. Los *hooligans* iban a sufrir, a desindividualizarse, a formar parte de una multitud durante noventa minutos. Y esa sensación, muy a su pesar, comenzó a gustarle: «Fue algo no demasiado diferente al alcohol o el tabaco —escribió—: asqueroso al principio, placentero a medida que te habitúas, una costumbre que no puedes dejar al cabo de un tiempo». Y, como descubriría años después, también un hábito autodestructivo.

Además de acudir a diferentes estadios, Buford comenzó a mezclarse con ellos. Antes de los partidos, quedaban para beber ingentes cantidades de cerveza en *pubs* y luego desfilaban hacia el estadio rodeados por policías a caballo, perros y hasta helicópteros. Después de los partidos, se metió en reyertas contra hinchas rivales o en peleas multitudinarias contra la policía. Solo convirtiéndose en uno de ellos, podría estudiarlos a fondo.

Descubrió que la palabra *hooligan* tenía su origen a finales del siglo XIX. Era el apellido de una familia muy pendenciera de Southwark, descrita así en *The Times* el 30 de octubre de 1890: «El "Hooligan" es una repugnante tumoración de nuestro tejido social». Buford entendió que la enfermedad no se había curado desde entonces. También que, dentro de la turba, no existía el caos que parecía desde fuera. La muchedumbre de *hooligans* se movía perfectamente organizada como un ejército.

Para comprender mejor su funcionamiento, decidió viajar

con un nutrido grupo a la final de la Recopa entre la Juventus y el Manchester United. Turín significó su bautismo en la violencia. Tras horas de cerveza y cánticos, aquellos hombres llenos de diablos rojos tatuados por todo el cuerpo se movían por las calles turinesas como los antiguos ejércitos que conquistaban nuevos territorios: vejaban a los locales, destrozaban todo lo que encontraban, no pagaban sus consumiciones, atemorizaban a las mujeres y plantaban cara a las autoridades. «Aquello empezaba a ponerse interesante, me había convertido en el público de un espectáculo», escribió Buford. Los *hooligans* le habían aceptado como uno de ellos, y el poder de la manada le embrujaba.

La primera noche en Italia, los ingleses se acostaron con un tanque del ejército blindado vigilándolos. Pero no fue eso lo que más le sorprendió, sino descubrir que también había hinchas violentos y organizados en Italia. Los graderíos se habían convertido en uno de los negocios más lucrativos en todo el mundo. No se pagaban impuestos de lo que no había constancia. Y los medios de comunicación contribuían al negocio: todo el mundo esperaba la foto de los violentos *hooligans* ingleses, incluso ellos mismos. «Estaban acostumbrados al sencillo hecho de que el mundo entero estuviese plenamente interesado por ellos», descubrió Buford. Estaban convencidos de que formaban parte de la historia. El fútbol los transformaba: simples peones durante la semana, los domingos se convertían en hombres con un tremendo poder.

«La teoría de las masas rara vez nos habla del qué —escribió Buford—, de qué es lo que ocurre cuando se arma una buena, de qué es en realidad el terror, de qué supone, en un plano puramente físico, sensorial, particular, ser incluso su creador.» *Entre los vándalos,* en cambio, sí habla de qué se siente al formar parte de la turba; de qué ocurre cuando, formando parte de una muchedumbre, toca huir de la policía; del miedo ante una carga, del dolor de ser aporreado, de la violencia como droga, placer y experiencia liberadora.

En la turba*: la tragedia de Heysel (2006)*

En sus investigaciones sobre los *hooligans*, Bill Buford descubrió que el abogado y político Moelwyn Hughes, en 1946, había abierto un informe de investigación donde se registró la muerte de treinta y tres aficionados en Burden Park Bolton, el estadio de los Wanderes. «Se trata del primer ejemplo de la historia del fútbol en que una multitud produce en su propio seno numerosas víctimas», escribió Buford. Lamentablemente, no sería el último. Ni el más trágico.

El desastre de Heysel se produjo en segundos, pero sus consecuencias duraron décadas. El 29 de mayo de 1985, debía disputarse el partido que los medios de todo el mundo habían calificado como el choque del siglo. Sin embargo, la final de Copa de Europa entre la Juventus de Platini y el Liverpool de Rush no pasó a la historia por sus goles. A las siete y veinte de la tarde, las televisiones de medio mundo retransmitieron la cara más cruda y violenta del fútbol. Millones de telespectadores esperaban disfrutar de una gran final, pero se encontraron con muerte en directo: treinta y nueve fallecidos y más de seiscientos heridos.

Lo más denigrante: el partido no se canceló. Así lo decidieron el jefe de policía y el alcalde de Bruselas para evitar más disturbios. Tras una hora y media de caos, los dos capitanes leyeron un comunicado en inglés e italiano. Toda Europa se dispuso a ver el partido como si las sábanas blancas hicieran desaparecer los cadáveres por arte de magia. Y lo más indignante: Platini transformó un inexistente penalti y lo celebró con inusitada efusividad.

El escritor francés Laurent Mauvignier vio el gol de su compatriota por televisión. Pero no lo celebró. Veinte años después, no había podido olvidar las imágenes de aficionados atrapados al pie de las vallas; de policías petrificados ante la incontenible turba de *hooligans;* de banderas, bufandas y hojas de periódico cubriendo el graderío desolado; de cuerpos cubiertos con sábanas blancas sobre el césped. Y en 2006, publicó *En la turba*: una magnífica novela coral que narró como aquella fiesta del fútbol terminó convertida en tragedia.

Todos los personajes de su novela sienten que viven un momento único, irrepetible. Como Jeff, que ha viajado desde Italia con su amigo Tonino: «Una ocasión semejante se presenta muy pocas veces en la vida, es tan infrecuente que no puedes dejarla pasar», dice. La radio, horas antes del partido, anuncia: «¡Europa entera contiene el aliento...! ¡Se habla de ciento cincuenta y ocho mil espectadores!». Ante la magnitud del evento, se desplegaron más medidas de seguridad que en la visita del papa semanas antes. Sin embargo, nada pudo detener el desastre que se cocinaba en las gradas.

Solo una pequeña valla separaba el sector Z, donde se había acomodado a los hinchas italianos, de los *hooligans* ingleses. Una hora antes del pitido inicial, al son de *Here we go!*, los aficionados italianos vieron cómo arreciaba un vaivén imparable contra aquella valla: «La horda, una jauría que se abalanza contra nosotros —escribió Mauvignier—, los ingleses, rostros ocultos con pañuelos, llevan barras de hierro y cuchillos entre las manos». Al son de *We want football!*, Jeff y Tonino escuchan «las voces de los niños y las mujeres, esos gritos tan peculiares de los niños, aunque son sobre todo hombres los que llegan chillando y llorando». Gritos y lamentos que se mezclaron con el aullido de las ambulancias hasta que el árbitro suizo André Daina señaló el inicio del partido de la vergüenza.

Geoff y sus dos hermanos han llegado ese mismo día desde Inglaterra. Representan la vergüenza *red*. Geoff es consciente de que sus hermanos siempre han sido *hooligans*, por mucho que se hayan esforzado en aparentar, con su trabajo, matrimonio e hijos, una vida corriente. «Estos *hooligans*, este terror en expansión, este viejo terror fascista gangrenará Europa hasta el fin de los tiempos porque los nazis ganan terreno por todas partes», piensa mientras arrecian los cánticos, las cervezas, las miradas amenazantes. Pero se deja llevar. Quiere pertenecer al clan. Los odia, pero los necesita. Hasta que contempla la desolación del sector Z, y vislumbra «esa página de grandes y rotundos caracteres del *Liverpool Echo* que nos preguntará a nosotros, apenas bajados del tren, "¿Cuántos muertos cuesta un partido de fútbol?"».

Como muestra la novela de Mauvignier, la UEFA culpó a los *hooligans* del desastre; pero la decisión de celebrar la final en Heysel —construido en 1930— tampoco fue la más acertada. Ni la policía ni los servicios médicos estuvieron a la altura. Ni mucho menos la celebración de Platini del gol que dio la victoria ante un país en luto: «Es Italia entera quien no parece tenerse en pie, colgada de las asas de una copa que ya no está muy segura de querer ostentar», escribió Mauvignier.

Margaret Thatcher sentenció que la vergüenza había ensuciado el nombre de su país. También que limpiaría el fútbol de *hooligans.* Sin embargo, tuvo que producirse la tragedia de Hillsborough, en 1989, para que se implementase el Football Spectators Act y el Informe Taylor.

A Bill Buford, la tragedia de Hillsborough le pilló en el coche. El día antes había decidido no ir a aquel partido. «En la muchedumbre existe un terrible poder en crudo», escribió días después del desastre. «Los fascistas y los revolucionarios han entendido cuál es su poder. En cambio, el fútbol no entendía ni las masas que estaba creando, ni el terrible asesino poder de esas masas».

La justicia tampoco supo aplacar el dolor de la tragedia. Aunque los clubes ingleses fueron sancionados con cinco años de inhabilitación en competiciones europeas —diez el Liverpool—, solo cumplieron la mitad. Los juicios comenzaron con más de tres años de retraso y se convirtieron en una farsa: los veintiséis *hooligans* implicados se presentaron vestidos de traje. Ninguno recordaba haber hecho nada grave. «He propinado patadas —aseguró uno—. Pero ¿acaso un par de patadas pueden matar a una persona?»

La novela *En la turba* respondió con rotundidad a esa pregunta mostrando el irreparable dolor que aquellas simples patadas habían causado a todo un país. Y al mundo del fútbol.

El dios redondo de Juan Villoro (2007)

El término «esfera» proviene del griego *sphaîra,* que significa pelota. Ya los griegos se hacían esta pregunta: ¿existe algo más perfecto que la esfera? El mexicano Juan Villoro probablemente contestaría que no; solo hay que leer el título de su famosa crónica balompédica *Dios es redondo,* publicada en 2006. En este Nuevo Testamento futbolístico, Villoro rastrea el misterio que desprende la hierba de un estadio, el secreto que encierran los palos de una portería o esa mística que provoca que, las noches de partido, miles de gargantas coreen al unísono un mismo himno. Y define el fútbol: «El deporte que ha hecho de la patada una de las bellas artes». Para él, no se trata de un juego donde veintidós tíos en calzoncillos corren detrás de una pelota sobre un pasto verde, sino de un arte. Amén.

Tras el silbatazo inicial —una serie de artículos breves en los que habla, entre otros temas, de su pasión por el Necaxa o de la relación que guardan el fútbol y la escritura—, Villoro recupera algunos momentos clave del fútbol moderno. Y sobre todo reflexiona sobre el papel del hincha. El aficionado —el bueno, el fiel— se acostumbra a esperar. Sabe que los partidos no son *best sellers*: no siempre los momentos excepcionales llegan en la página que al lector le gustaría; pero cuando llega el instante inolvidable, el aficionado saborea por fin el fruto de su lealtad y guarda esos recuerdos para siempre en las vitrinas de la memoria.

Como buen evangelista del balón, Villoro recrea la vida, muerte y resurrección de Dios narrando algunos de los milagros futbolísticos de Diego Armando Maradona: la Mano de Dios, que solo vio Peter Shilton y que millones de argentinos recordarán por siempre; o el Gol del Siglo, que convirtió en deidad al hombre en treinta y siete zancadas y once toques de pelota. Pero también recrea su evangelización por tierras italianas. De su paso por Nápoles, quedarán para siempre la *pizza* Maradona, la *via* Maradona o la *piazza* Maradona. También, la final del Mundial que perdió en Roma donde ni siquiera su magia pudo contra una decisión arbitral. Y, por supuesto, Villoro le sigue las huellas en su deambular por el árido desierto de las drogas.

Si hay un momento excepcional para el aficionado es el Mundial. Como diría Boskov, un mundial es un mundial. Nada acelera tanto el ritmo cardiaco de un feligrés futbolístico. Nada se espera con tanta ilusión. Nada refresca tanto las tórridas tardes de verano. Y Villoro tuvo la fortuna de acudir a dos Copas del Mundo verdaderamente importantes: la celebrada en Francia en 1998, que cerró el siglo XX, y la de Corea y Japón en 2002, que inauguró el siglo XXI.

El último mundial del siglo XX, Villoro lo narra con una recopilación de textos que escribió como corresponsal en París, a modo de diario, para *El País*. Repasa la derrota de Francia contra Senegal en el partido inaugural, el rapado de Beckham o la gran final de marcas de zapatos: «La Alemania de los 22 Adidas se enfrentaba a la Brasil de los 22 Nike». Pero sobre todo repasa los goles porque como afirma: «Los goles decisivos son algo más que recuerdo: vuelven a suceder». Aquel campeonato, además, fue el primero sin Dios, y Argentina tuvo «la obligación histórica de aprender a jugar sin Maradona», recuerda Villoro.

Nietzsche había anunciado que con la muerte de Dios terminaba un siglo, una época, un mundo. Para llenar ese vacío, se deificó a su majestad el balón. Dios era redondo, repartía goles en vez de panes y peces. Pero se había dejado comprar por el dinero de los mercaderes, igual que la sociedad donde se jugaba, cada vez más globalizada y mediatizada por las emergentes redes sociales, además de controlada por televisiones, marcas y empresas privadas. Así lo comprobó Villoro en el primer Mundial del siglo XXI: «Fue un Mundial raro —explicó—, en Barcelona los partidos llegaban de Oriente al rayar el alba y había que verlos en las cafeterías».

Cuenta Villoro que aprendió a escribir sobre fútbol escuchando las retransmisiones del locutor Ángel Fernández, que comentaba las jugadas como si de pasajes de *La Ilíada* se tratase. Villoro no podía despegar la oreja de la radio durante los noventa minutos y aquella intensidad homérica, con los años, cuajó en su prosa.

En una entrevista en *El Gráfico*, contó cómo se aficionó al fútbol. Sus padres se habían divorciado. Su padre le apuntó a un club. Algunos domingos le llevaba al estadio de los Pumas, el equipo de la universidad donde trabajaba. Villoro, sin embargo, se hizo del Nexaca, el equipo de los vecinos del barrio. Así concibe el fútbol: como un modo de vida o, mejor dicho, una narración que nos ayuda a dotar de sentido al caos que nos rodea: «Un estadio es un buen lugar para tener un padre —dijo—. El resto del mundo es un buen lugar para tener un hijo».

Aunque afirma que no es terreno del novelista, sino del cronista, Villoro no tiene dudas de que «el fútbol es, en sí mismo, asunto de la palabra». Por eso, poner el punto final le produce la misma tristeza que los tres pitidos del árbitro. Los tres latigazos de silbato, al fin y al cabo, son para el aficionado —el fiel, el bueno— una pequeña muerte que abre el camino hasta que un nuevo silbatazo dé comienzo a un otro partido, a una renovada ilusión. ¡Pri, pri, priii!

Y Alejandro Apo contó un cuento (2007)

La hija de Roberto Jorge Santoro le regaló a Alejandro Apo un ejemplar de la primera edición de *Literatura de la pelota*. Sabía que el locutor era un declarado futbolero, además de un ávido lector. No podía imaginar, sin embargo, que su lectura inspiraría a Alejandro Apo el programa *Con afecto* primero y, más tarde, el espectáculo *Y el fútbol contó un cuento*.

Después de leer la recopilación de Santoro, Apo comenzó a narrar cuentos de fútbol en directo. Durante años, los radió en su programa nocturno *La pelota, un cuento y un abrazo*, un espacio irreverente por su naturaleza: rendir homenaje al fútbol, la literatura y la música, tres artes todavía incompatibles a finales del siglo XX. Apo recitaba los cuentos con la misma intensidad que una jugada por la banda y, cada noche, más oyentes quedaron prendidos de su voz. Por primera vez, la radio hablaba de fútbol, no para retransmitir un partido, sino para encontrar su literatura.

Años después, la editorial Alfaguara le pidió que escribiese su propia colección de cuentos de fútbol. Apo aceptó. Se acomodó en su escritorio, colocó los dedos en el teclado y empezó a emborronar cuartillas. Horas después, lanzó todo lo escrito a la papelera. Volvió a sentarse, pero esta vez a pensar. Sabía que, antes de dar un pase, convienee levantar la cabeza con tranquilidad y mirar alrededor. Al fútbol, como a la literatura, se juega con la cabeza.

Apo estuvo horas ensimismado. Agarró algunas ideas. Otras las descartó para siempre. Volvió varias veces frente al teclado; pero escribía un par de frases y se desanimaba. Todas las ideas que tenía ya estaban escritas. Los goles que proyectaba narrar, ya los había imaginado otro antes. Sus mejores jugadas las había culminado otro. Que recordaba la inolvidable primera pelota con la que tantos partidos épicos había disputado en la calle, ya estaba contado en «Al ángulo superior izquierdo». «Buena, bien inflada y reluciente», la había descrito Carlos Abin. «El cuero, abundantemente engrasado, olía a nuevo.» ¿Qué tal menos nostalgia y más política? Si pensaba en un futbolista que jugaba para un equipo de fábrica y goleaba a equipos poderosos, ya lo había engendrado don Mario Benedetti en su «Puntero izquierdo». ¿Y algo sobre un jugador real? ¿Qué tal sobre Rojitas? No, se dijo Alejandro Apo. Pablo Ramos había escrito «La mejor historia del mundo». Poco más que añadir.

Tampoco valía la pena narrar una cómica pelea entre dos compañeros de equipo porque ya lo había hecho magistralmente Fontanarrosa en «¡No te enloquesá, Lalita!» ¿Qué quedaba, entonces? ¿El famoso gol de Martino en la final de la Bombonera con Boca? No, eso lo había contado Sebastián Jorgi en «¿Vos viste jugar a Martino?» Por supuesto que lo había visto, pensó Apo, malhumorado, mientras trataba de encontrar otra idea brillante.

¿Y un entrenador acabado? Ya estaba «El último entrenador» de Juan Sasturain. ¿Y algo sobre un locutor de radio que…? No. Eso lo escribió Aldo Riera en «¡Atajó Roma!» ¿Y poner el foco en el cronista? Ahí estaba «Relatores», el cuento de Alejandro Dolina: «Durante toda su vida se esforzó para que la narración deportiva alcanzara las alturas artísticas de la épica», había escrito. En fin. Quizá, reflexionó Apo, podría escribir algo sobre ese sentimiento extraño que provoca el llanto a los viejos hinchas cuando recuerdan un antiguo gol. Mejor no: ya lo había leído en «Goles», de Antonio Dal Massetto. ¿Y el irrompible vínculo que el fútbol trenza entre padre e hijo? Podrían escuchar el partido por la radio. Son pobres, se quedan sin pilas y… Tampoco. En «Del diario íntimo de un chico rubio» Walter Vargas ya lo contaba mejor que nadie. Y también estaba «La promesa», de Sacheri: el hijo llevando las cenizas del padre al estadio era una imagen insuperable. Descartado.

¿Y un error garrafal del jugador? No: Jorge Valdano había escrito «Creo, vieja, que tu hijo la cagó». ¿Y el fútbol como guerra? «Donde mueren los valientes», de Hernán Rivera Letelier. Ni pensar en el hincha como protagonista. Así, «El hincha», se titulaba el cuento de Mempo Giardinelli. Alejandro Apo se desesperó cuando se dio cuenta de que ni tan siquiera podría imaginarse a Noé hablando de fútbol porque, en un cuento titulado «El arca de Noé», ya lo había hecho Rodolfo Braceli. «"Produzca la tierra hierba verde," fue uno de los mandamientos del Creador. ¿No hay en esto, acaso, un fuerte presentimiento de lo que vendría a ser luego el verde lecho de una cancha de fútbol?»

Tras mucho meditar, Apo llegó a una magnífica conclusión: «¿Por qué no juntar a todos esos maestros en un libro?», se preguntó. Al fin y al cabo, ese había sido su papel en el campo literario hasta entonces: relatar los cuentos de otros. Esa era la posición donde jugaba más cómodo: algo así como un seleccionador. «Salgo a la cancha para presentarlos a ellos —escribió en el prólogo de *Y el fútbol contó un cuento*, publicado en 2007—, con sus cuentos, sus recuerdos y sus anécdotas como banderas.»

Cada cuento proyectaba una mirada única sobre el mismo objeto, y la suma de todas configuraba la suya. En aquel libro, el fútbol contaba un cuento, no se contaba un cuento de fútbol. Y entre aquellas dos frases, pensó Alejandro Apo colocando el punto final al prólogo, mediaba un abismo.

Andrés Neuman: hincha del fútbol alegría (2007)

Una foto inmortalizó a Andrés Neuman, de niño, con la camiseta de la selección argentina a principios de los ochenta. Posa en el salón de su casa. Mira a la cámara un poco cortado, escondiendo los ojos bajo el frondoso flequillo rubio. Se agarra las manos para dejarlas quietas. Los pies, en cuña hacia dentro, parecen desorientados sin un balón que pisar. Seguramente, aquel día se sintió más cerca de su héroe Diego Armando Maradona. No podía imaginar, sin embargo, que años después se fotografiaría con él a miles de kilómetros de su casa.

La soleada tarde del 24 de enero de 1993, Maradona marcó su penúltimo gol con la camiseta del Sevilla. Controló un centro con el pecho en el corazón del área y, sin dejarla caer, la empaló de volea al palo contrario. Andrés Neuman vio la victoria sevillista en las gradas, pero no aquel gol. Junto con su amigo argentino Juanchi, que estaba de visita, y su padre, habían esperado pacientemente la llegada del autobús del Sevilla. Tuvo la suerte de palmear a Maradona y fotografiarse con él. Cuando los jugadores entraron en el estadio, su padre insistió en mostrarles la bella arquitectura de la ciudad antes del partido. «Finalmente —confesó Neuman—, llegamos al estadio un par de minutos tarde, justo a tiempo para escuchar el rugido de la afición celebrando el gol de Maradona que jamás vimos.»

Hubo otro gol de Maradona que nunca vio, pero que también marcaría su destino. Neuman llevaba dos años viviendo en Granada. Allí, todo el mundo recordaba el día en que Maradona había vestido los colores locales. Sucedió el 18 de noviembre de 1987. Aquella tarde, Los Cármenes lucieron engalanados como si se jugase una final europea; pero, en realidad, los granadinos disputaron un partido amistoso contra el Malmoe sueco. No uno cualquiera: Maradona vestía la camiseta rojiblanca local secundado por sus dos hermanos, como parte de la promoción del fichaje de Lalo, el pequeño, por el Granada.

Neuman congeló la magia de aquella tarde en un cuento. Y lo hizo con el narrador por antonomasia del fútbol: la pelota. Obviamente, una enamorada de Maradona. «La pelota enamorada» apareció publicado en la revista *Líbero*. Contaba cómo el utillero la había lustrado, inflado y pesado para una cita tan especial. Al iniciarse el partido, ella espera entre rudas patadas a que la rozase la bota de su amado. Cuando al fin la acaricia, Maradona le pide que ayude a su hermano pequeño a hacer un gol. Ella se esfuerza, pero no lo consigue. Anota el mediano, y también Diego con un magistral lanzamiento de falta. «Ahora que soy vieja, que me desinflo toda y mi cuero está ajado, todavía me parece que he vivido solamente para rodar esa hora y media —reflexiona—. Porque una pelota no mira el apellido, sino el amor del pie».

Andrés Neuman había aprendido a perder viendo las derrotas de Boca tras la marcha de Maradona. «Mi infancia son recuerdos de un patio con gravilla», escribió en *Una vez Argentina*. «Y algo más. Qué. Una pelota. De plástico anaranjado, o de cuero gastado, casi descosida.» Esa pelota se convirtió en su mejor amiga cuando, con catorce años, su familia se trasladó a Granada. Ya entonces tenía claro su futuro: conduciría helicópteros, sería poeta o delantero de Boca. Tres oficios de vértigo. «Yo creía que tenía más talento para meter goles que para escribir —confesó en una entrevista—, pero el tiempo me fue desmintiendo.» El tiempo dictó que no conduciría helicópteros ni sería el delantero de Boca, sino poeta. La literatura le despertaba una pasión similar a la del balón, y poco a poco los libros fueron reemplazando a los goles: «Mi ideal de vida imaginario era ser futbolista por las mañanas y escritor al bajar el sol», dijo.

Cuando comprendió lo inalcanzable de la primera profesión, se conformó con otra más asequible: ser hincha. Pero de los que no abundan: del fútbol alegría. En el artículo «La realidad virtual», publicado en 2007, contó que, en Argentina, un programa televisivo había revolucionado la forma de retransmitir los partidos. Las cámaras, en vez de enfocar el campo, tomaban primeros planos de los hinchas. El telespectador debía leer el devenir del encuentro en sus gestos: «Ellos son el espejo del partido que no ven, y en el fondo también su propio espejo», escribió Neuman. El pueblo tomaba las riendas. Los héroes quedaban en segundo plano. Una revolución que, por desgracia, solo sucedía dentro del campo. Fuera, cada uno se calzaba sus colores políticos y no era capaz de quitarse la bufanda, aunque su equipo hiciera un partido desastroso. El equilibrio colectivo exigido a un equipo no se requería en la sociedad: «Eso sí que es una lástima —reflexionaba—, porque uno cree cada vez más en los equipos pequeños y en los resultados sorpresa».

Neuman es más de jugadores que de equipos, más de personas que de colectivos. ¿Por qué entregar tu fidelidad a un club dirigido por directivos que estafan, entrenado por un tipo desagradable o formado por mercenarios?, se preguntó dos años después en el artículo «F. C. Extranjero». Había visto la final de la Liga de Campeones del F. C. Barcelona en un bar de La Rambla. A pesar de su madridismo, no pudo evitar contagiarse de la alegría de las decenas de personas, casi todas extranjeras, que celebraban la victoria culé. «¿Por qué seremos de un solo equipo, por qué nos habrán educado fanáticamente para amar unos colores e ignorar o incluso odiar los demás?», pensó.

Un año después, Mourinho fichó por el Real Madrid. Su estilo chulesco, sumado a la agresiva política económica de Florentino, provocó que su madridismo terminase por enfriarse. Cuando un periodista le pregunta si Cristiano o Messi, sus colores no le provocan dudas al responder: el argentino es la poesía, el fútbol de la calle llevado a estadios de Primera División, mientras que Ronaldo, futbolista de gimnasio, representa lo pragmático, la frialdad de las estadísticas. «Uno es, quisiera ser, hincha de la alegría más que de una camiseta. Pero no sé si algún día sabremos tanto de fútbol para eso», escribió Neuman.

Aprendiendo a perder con David Trueba (2008)

El fútbol enseña a ganar, pero las lecciones más elementales las imparte en la derrota. La forma en que se pierde es una de las más importantes. Del jugador depende cómo salir del campo. No es lo mismo hundirse con las botas puestas, que no dar la cara cuando la sombra del rival se alarga por todos los rincones del campo. El equipo más débil puede perder por 5-0 y entrar en el vestuario con la cabeza alta. Y el más grande caer derrotado por la mínima y abandonar el césped con los ojos clavados en la punta de las botas. El fútbol, como la vida, es imprevisible. Y justamente ahí radica su magia para el escritor David Trueba: «El fútbol permite que un equipo estupendo, plagado de grandes jugadores y que domina durante noventa minutos, pierda el partido en una acción aislada de un rival humilde pero aguerrido», explicó en una entrevista.

Trueba ha sido colchonero desde pequeño, pero su estrecha amistad con Pep Guardiola le tiñó un poco de azul las rayas blancas de la camiseta. Se conocieron durante una lesión de Guardiola. Solían quedar para charlar de libros o ver partidos. El futbolista enseñó al escritor los secretos que escondía el césped; el novelista le mostró al jugador los misterios de la literatura. Cuando su amistad se afianzó, decidieron realizar juntos un viaje a Sudamérica. Mientras el escritor impartía charlas literarias, el futbolista aprovechaba para reencontrarse con viejos colegas.

En la mente de Trueba, durante el viaje, se cocinaba una novela protagonizada por un futbolista. Le intrigaban sobre todo los extranjeros que recalaban en una liga foránea con muchas expectativas, pero cuyas prometedoras carreras, finalmente, terminaban arrinconadas al fondo del banquillo. Pensaba en Saviola o en Mascherano antes de fichar por el Liverpool. Y aprovechando su paso por Argentina, acudió acompañado de Guardiola a la cancha de San Lorenzo. Ruggeri, el entrenador, al verlos llegar, se sorprendió. Y les preguntó qué hacían allí juntos. «Mi amigo —contestó Guardiola—, que está escribiendo una novela.»

Tras años de trabajo, en 2008 Trueba publicó *Saber perder*. Uno de los protagonistas, Ariel, es una joven promesa procedente del fútbol argentino que recala en un club grande de Madrid, pero que no termina de cuajar como se espera de él. Nada de esto preocupa a Sylvia, la verdadera protagonista de la novela. A ella, el fútbol no le dice nada. Piensa que en Madrid la gente se vuelve gilipollas con el tema. Su padre, hincha del club que ha fichado a Ariel, el primero.

Por más que Sylvia mira ese puntito blanco que vuela por la pantalla verde, no comprende por qué imanta con tanta fuerza los ojos de su padre. «El fútbol es un deporte muy raro al que juegan unos eternos adolescentes descerebrados y millonarios, pero que mueven una maquinaria que hace felices a cientos de miles de descerebrados mucho menos favorecidos económicamente», piensa. Otra cosa son las musculadas piernas de esos adolescentes descerebrados. Pero Sylvia es realista: sabe que esos adolescentes millonarios juegan en una liga muy alejada de su barrio.

Los botes del balón, sin embargo, son caprichosos como los inesperados giros de la vida. Un día, Sylvia cruza a destiempo una céntrica calle madrileña y Ariel no frena a tiempo su lujoso coche. Con ese atropello comienza su historia. El club, para evitarse problemas legales y habladurías de la prensa, la interna en una mutua privada. Mientras se recupera, el futbolista famoso y la chica de barrio entablan una relación sentimental peligrosa, sobre todo para el jugador: Sylvia es aún menor de edad.

Un obstáculo que no frena a la joven tanto como lo hace la fama de Ariel: «No había bar que no tuviera una foto del equipo y la prensa deportiva en la barra poniéndose rancia a la vez que las tapas del día. El fútbol se extendía como una amenaza o una maldición», se dice. Siempre que se ven, tienen que hacerlo a escondidas para que no les sorprenda el *flash* de una cámara. Su historia de amor avanza, aunque Sylvia no se fía: la vida real no suele tener final de cuento, y ella no quiere que la suya termine con «el futbolista que se folla a la adolescente deslumbrada sin apenas esfuerzo».

Ariel, por su parte, bastantes problemas tiene para demostrar que vale en el campo lo que el club ha pagado en los despachos. En Madrid, ha descubierto las monstruosas dimensiones del fútbol: «Esto es una caja de grillos, trepas, empresarios con ganas de figurar, de hacerse famosos, y el palco es su trampolín para ganarse la recalificación ilegal, la mordida con los concejales de urbanismo, el prestigio social».

Contaba David Trueba que, en una ocasión, estuvo cerca de adentrarse en esos palcos llenos de grillos. Mientras veían un partido, Guardiola le propuso que comprasen el Europa. El futbolista no pensaba en hacer caja. Quería comprarlo porque en su campo había ganado su primer título en Tercera. Trueba le dijo que sí. Él se encargaría de buscar socios capitalistas. Y Guardiola, que él se haría cargo de la filosofía de juego.

El proyecto no llegó a buen puerto. Como tampoco fructificó un divertido guion que, en teoría, escribiría el futbolista y filmaría el novelista. La noticia de este nuevo proyecto literario-cineasta apareción el día de los Inocentes. La supuesta película llevaba por título *Regional preferente*: una categoría donde lo primero que se aprende es a perder, y a tomarse las derrotas con mucho humor.

La bárbara mutación del fútbol de Baricco (2008)

Alessandro Baricco tiene manías de hincha. Cada vez que viaja a Argentina, se patea todas las librerías en busca de libros de Osvaldo Soriano. Había leído con admiración las columnas que el argentino escribía para el diario *Il Manifiesto*, pero sobre todo le habían seducido sus cuentos de *wings* acabados, de *centroforwards* que reparten juego en campos olvidados, de porteros sin portería que defender o de penaltis que se eternizaban más allá del final del partido. Aquel era el fútbol que Baricco había jugado. Uno del que apenas quedaba rastro; había mutado en algo completamente diferente.

Baricco explicó esta mutación en varios artículos publicados en *La Repubblica* que, en 2008, conformaron el libro *Los bárbaros. Ensayo sobre la mutación.* La imagen que le alertó fue ver a Roberto Baggio relegado al banquillo. El dorsal 10 había sido entregado a un actor secundario, el artista sentado en la banqueta, la magia utilizada como suplente. Quién sabe si Baricco la visualizó en La Bombonera, estadio que seleccionó entre sus cinco lugares favoritos para pensar. En un artículo para *Vanity Fear* contó que había entrado en el estadio temprano, antes de que lo invadiesen las hordas de turistas. Eligió una butaca y se sentó a pensar. Simplemente a pensar. «Es un estadio bellísimo. Como un claustro», escribió.

Paz, sosiego y silencio inundaban aquel esqueleto de multitud —como lo definió Benedetti—, tres bienes cada vez más escasos en la sociedad del siglo XXI. La metáfora del estadio como esqueleto ilustraba perfectamente el saqueo de los bárbaros. Tras su paso por la aldea del fútbol, la admiración por la gambeta había mutado en un monstruo de piernas agarrotadas por el miedo al error. Primaba el pase de seguridad sobre la imaginación. Los bárbaros habían sentado en el banquillo a aquellos 10 que no necesitaban correr para crear fútbol. Habían terminado con una estirpe.

«En la mañana me levanto y me dedico a escribir porque es lo que más amo», confesó Baricco. Y añadió: «después del fútbol». Había empezado a jugarlo en los setenta. No tenía botas. Al verle con las de montaña, los compañeros pensaron que repartiría buenas patadas. Le dieron la camiseta con el 3, «un número carente de poesía», escribió Baricco, que «se correspondía más o menos con la idea, imperfecta, que me había hecho de mí mismo».

Jugando de lateral, apenas pisó campo contrario. Ni siquiera para celebrar los goles de sus compañeros. Cuando llegaba, la piña se disolvía y aquello se parecía mucho a emborracharse cuando los demás ya se tambalean de vuelta a casa. Siempre tuvo la seguridad de que un líbero le cubría la espalda, y cumplió con su cometido de 3 bregador, por poca poesía que hubiera en el marcaje al 7. Tantas veces le echó el aliento al extremo, que llegó a entenderlo como a ningún otro contrario.

No sabía que ese fútbol se extinguiría cuando los extremos fueron sustituidos por interiores. No fue el único cambio. El medio campo dejó de ser una frontera para él. Nunca más un líbero le cubrió la espalda. Y la línea de fuera de juego se convirtió en su mejor aliada. Había llegado el fútbol moderno: «Un sistema de juego mucho menos cerrado, en el que la grandeza del individuo es, digamos, redistribuida entre todos», escribió. Los duelos de espadas del viejo fútbol mutaron en guerrillas de trincheras, más tácticas y grupales: «Una utopía de mundo en el que todos hacen de todo y en cualquier parte del campo».

En la bárbara mutación del fútbol de Baricco, el número 3 no fue el que más poesía perdió. Roberto Baggio relegado a los segundos tiempos, le recordaba a un emperador romano que, en el ocaso de su carrera, entregaba su corona a los bárbaros. «En la tristeza de los números 10 sentados en el banquillo, el fútbol refiere una mutación aparentemente suicida», escribió. Subyugar el talento del artista a lo colectivo, sin embargo, solo era el primer paso del saqueo.

La televisión, el mercado y el omnipresente dinero crearon una falsa espectacularidad. «Los bárbaros van a golpear la sacralidad de los gestos que agreden, sustituyéndolos con un consumo más laico en apariencia», explicó Baricco. El ritual, antes sagrado y dominical, ahora se realizaba con banalidad todos los días y a cualquier hora, provocando que lo sagrado se diluyese. «Se ha perdido el verdadero espíritu del asunto, su rasgo más notable: el alma», se lamentó. Algo que no solamente sucedía en los estadios: incluso la literatura había vendido la suya.

Lo que parecía un saqueo de los bárbaros, en realidad, consistía en una mutación colectiva que nos convertía, sin advertirlo, en peces con branquias más acostumbrados a la pecera de Google que a respirar en la antigua superficie. Baricco avisaba de que ni siquiera la muralla más alta del mundo podría salvarnos porque la mutación se producía en nuestro interior. Nosotros éramos los bárbaros.

El fútbol de Baricco había mutado, pero lo verdaderamente importante eran las lecciones que aprendió. Solo vence el que consigue que el pasado florezca en el presente, y Baricco aún conserva la prudencia a la hora de rebasar el medio campo. Y sobre todo mantiene el antiguo gusto por reflexionar en el silencio de un estadio vacío y ver, a través de su esqueleto, a la multitud.

Los goles con perfume de mujer de Braceli (2009)

Rodolfo Braceli aseguró haber descubierto qué ven las mujeres cuando miran el fútbol. Había dedicado más de dos décadas a vigilar su actitud cuando en la televisión ponían un partido. La situación había cambiado mucho. Cuando él era niño, las mujeres debían resignarse a mirar los partidos por imposición masculina. Si el hombre de la casa quería ver fútbol, no había más que decir. Se veía, y punto. Las mujeres habían aceptado sin rechistar ese segundo amor extramatrimonial de sus maridos. Si se apasionaban con el fútbol, al menos no lo hacían con otra. Mejor si le dedicaban todas sus energías al partido que a una fresca cualquiera. «El fútbol es una amante sin clandestinidad: es consentida, respetada, tolerada, establecida», escribió Braceli. Tanto que no importaba que la televisión la introdujese en casa, en el salón, incluso en la propia alcoba.

Esa situación, sin embargo, había cambiado con el paso de los años. Mientras los hombres se resignaban a ver pasar las horas mirando más y más fútbol, las mujeres habían emprendido una revolución silenciosa, subterránea, secreta contra su posición de sumisión frente al hombre. Cuenta Rodolfo Braceli que lo descubrió cuando, en los noventa, trabajaba en una redacción donde todos sus compañeros eran mujeres. Con el tiempo, Braceli terminó moviéndose entre ellas como si fuera una más: «Como diría Bioy Casares, me había vuelto transparente para ellas». Y, gracias a esa condición, pudo descubrir qué veían sus compañeras cuando miraban un partido en la televisión.

Tuvo compañeras de todo tipo: solteras, casadas, jóvenes, mayores, a punto de jubilarse. Y la mayoría miraban lo mismo: «Ellas deletreaban con sabia sed el cuerpo de los jugadores», escribió Braceli. Ese deleitarse en secreto, para el escritor argentino, simbolizaba una revolución: «Si es tan cierto que el fútbol es una parte enorme del vivir, varios años antes de que concluyera el siglo XX —escribió—, la mujer pasó, de tener con este deporte una relación de acatamiento y resignación, a una de goce y utilización». Ellas habían encontrado amantes secretos en el amor de sus maridos. Así lo constató Braceli durante muchos años: las mujeres no se divertían con jugadas de tiralíneas, ellas apreciaban un primer plano de la camiseta sudada pegada al torso del futbolista.

Rodolfo Braceli había comenzado a escribir sobre fútbol en 1968. Solía contar que, precisamente el fútbol, había hecho tambalearse su amistad con Di Benedetto. Cuando trabajaba en el periódico *Los Andes*, escribió algunos artículos un tanto críticos contra el Racing, campeón intercontinental esa temporada, y eso le provocó problemas con Di Benedetto, su jefe en aquel momento. Un año más tarde, Braceli contrató a Liliana Elizalde como cronista deportiva, la primera del país y seguramente una de las pioneras en el mundo. Sabía lo difícil que lo tenían las mujeres en un mundo tan machista como el del fútbol. Lo había comprobado cuando escribió un artículo sobre el caso de Claudia Ciriaca Vidal, futbolista de Payandú que estuvo a punto de ser admitida en un club de hombres; pero, en el último momento, un plebiscito municipal se lo impidió.

Tras varios libros, en 2009, Braceli publicó una colección de cuentos titulada *Perfume de gol*. Todos tenían fútbol, en mayor o menor medida. Y todos, eso sí, estaban protagonizados por mujeres. Mujeres inaugurales, fanáticas, hartas, compañeras, travestidas y vengadoras; mujeres silenciosas, emputecidas, rebeldes, luchadoras. Por sus páginas desfilan la madre de Maradona y su comadrona; las parejas de hinchas que son más hinchas que sus parejas; mujeres que ponen un punto de cordura a la locura masculina por el fútbol; una dirigente de un equipo femenino que trata de convencer a Borges de la belleza del fútbol; y hasta Eva lanzándole la manzana al pie a Adán para que este le meta un manzanazo a Dios en todo el ojo. Todas pertenecientes a la patria del fútbol. «Esa patria que, desde Adán y Eva, fue monopolizada, como actividad y como espectáculo, y como goce o sufrimiento, por el varón», añadió Braceli.

Sobre todas ellas destaca el personaje de María del cuento «El error de Dios». Con ecos a la historia de injusticia sufrida por Claudia Ciriaca Vidal, María se lamenta porque tiene un cuerpo perfecto para jugar al fútbol y porque, a pesar de ser mucho mejor que la mayoría de los hombres, no la dejan jugar con ellos. María no se resigna a su destino. Se afeita la cabeza, se cubre los pechos con vendas, se rompe el tabique nasal y se desgañita las cuerdas vocales para que su voz suene ruda. Y pasa las pruebas del club. Para formalizar el fichaje, solo pone una condición: llegar cambiada a los partidos y marcharse a casa sin ducharse, además de que nadie la abrace cuando marque un gol. Así llega el tan ansiado partido que ha estado esperando toda la vida. El gol que marca la protagonista del cuento brilla más que el final urdido por Braceli, como también resuena la pregunta que lanza el lector: «Dios se equivoca fierro cuando autoriza que los varones no me dejen jugar con ellos. ¿Tengo yo culpa de ser mujer y culpa de mi destreza con la pelota?».

Con su libro, Braceli marcó un gol con perfume de mujer. Ellas también jugaban. Y era necesario contarlo, que la literatura diese fe de esa lucha, de ese cambio. «El varón habrá empezado a superar el largo capítulo de tontedad al que se autocondenó a partir de su supuesta superioridad —aseguró Braceli—. Estaremos en los umbrales, en las mismas vísperas de una aventura inédita.» Una aventura que acaba de comenzar, donde los goles tienen perfume de mujer.

El doloroso autogol de Ricardo Silva Romero (2009)

Con tanto dinero en juego, era cuestión de tiempo que el narcotráfico se interesase por el balón. En junio de 2009, una operación policial desarticuló tres grupos organizados dedicados al tráfico de drogas y al lavado de capital. Entre los quince imputados, destacaba el nombre de José Luis Pérez Caminero, que en aquel momento ejercía como coordinador de la primera plantilla del Atlético de Madrid. Los investigadores habían descubierto una red de narcos que introducía grandes cantidades de cocaína desde México y Colombia, dos países donde la relación entre fútbol y carteles venía de lejos.

En los noventa, fue sonada la estrecha relación que mantuvo el portero René Higuita con Pablo Escobar. «Conocí su corazón, con todas sus dificultades y sus inconvenientes, así como la parte humana de él», confesó en *Los informantes* de

Caracol TV. Higuita salía de la Catedral, la cárcel donde retenían a Escobar, cuando aparecieron las cámaras de televisión. Los periodistas le preguntaron si eran amigos. Con pocos reflejos, Higuita respondió que sí. Cuando quiso retractarse, ya era demasiado tarde: el balón se había colado en su portería. Aquel encuentro de amistad, como él lo definió, acabó con una pena de prisión en 1993.

El *affaire* con Escobar le costó su participación en el Mundial de Estados Unidos. Aquel campeonato, no obstante, no sería recordado por la ausencia del peculiar portero, sino por el golpe mortal que el narcotráfico asestó al mundo del fútbol. Todo comenzó el 22 de junio en el estadio Rose Bowl. Jugaban Estados Unidos y Colombia. Corría el minuto treinta y tres de la primera parte cuando el centrocampista norteamericano John Harkes lanzó un centro cruzado con rosca al corazón del área. El central colombiano Andrés Escobar lo cortó, pero con tan poca fortuna que acabó dentro de su propia portería.

Tumbado sobre la hierba, Andrés Escobar se llevó las manos a la cara. Aquel gol suponía el 1-0 en el segundo partido de la fase de clasificación. Todavía no había nada ganado para los estadounidenses, ni estaba todo perdido para los colombianos. El fútbol, sin embargo, había vuelto a demostrar su imprevisibilidad: la que partía como una de las cenicientas del torneo acababa de asestar un golpe mortal al combinado favorito para hacerse con la Copa del Mundo en las quinielas de Pelé.

En aquel fatídico minuto treinta y tres, no solo comenzó la tragedia de Andrés Escobar y del resto de la selección colombiana; también la de un locutor de radio: Pepe Calderón Tovar, el narrador de la novela *Autogol* que Ricardo Silva Romero publicó en 2009. Tras ese maldito gol en propia meta, el locutor se quedó sin voz en plena narración en directo. Sin su poesía. Años más tarde, rememora aquella historia en un libro de memorias: «La vida tiene los mismos giros inesperados que un partido de fútbol —escribe—. Tiros de esquina absurdos. Contragolpes milagrosos. Autogoles. Así pasó en la mía».

El autogol de Andrés Escobar también le dejó sin los ahorros de toda una vida. Había apostado todo su dinero a que la selección colombiana pasaba a la fase final. Hasta ese minuto treinta y tres, el *Gordo* Pepe Calderón Tovar había sido un tranquilo locutor, apodado «El Poeta» por su cuidado léxico a la hora de radiar los partidos. Pero el fútbol —como los hombres que lo viven— tiene dos caras, y tras el autogol surgió la más oculta de Pepe Calderón Tovar: se obsesionó con asesinar al futbolista que había traído la desgracia a su vida, y la tristeza a todo un país.

Sus ansias de venganza aumentaron cuando comenzó a atar cabos. Horas antes del partido, un compañero le había informado de un rumor que corría por los pasillos del hotel de concentración: algunos jugadores colombianos se habían vendido a los apostadores gringos. El *Gordo* Pepe descubrió que la victoria de los anfitriones, en Las Vegas, se pagaba dieciséis a uno. Por esa razón los futbolistas habían terminado el primer choque contra Rumanía tan abatidos, pensó: si habían vendido el segundo partido, la primera derrota significaba caer eliminados en la fase previa de un Mundial al que habían llegado como favoritos. Y luego, el autogol.

«Si se ha pasado suficiente tiempo en el fútbol, si se ha entrado en los camerinos o se ha pisado las tribunas vacías cuando se han ido todos del estadio se sabe que en todos los partidos que se juegan hay alguien que conoce el resultado de antemano», reflexiona el Gordo. Él ha dedicado toda su vida al fútbol. Ha visto partidos en todos los estadios del mundo. Ha radiado los goles más importantes de los mejores futbolistas de su época. Ha aprendido a leer en el juego todas las historias del ser humano.

¿El dinero de los carteles había comprado el fútbol? No podía ser. ¿Los jugadores habían vendido a todo un país por dinero? El *Gordo* Pepe se negaba a creerlo. Ni siquiera los patronos más temidos habían podido dominar a Maturana en los años que había pasado al frente del América de Cali. No podía ser. ¿O sí?

Lo único cierto es que los carteles asesinaron a Andrés Escobar diez días después del partido contra los yanquis. «La vida no acaba aquí», había declarado el futbolista días después del fatídico autogol. Tenía razón. Con aquel disparo, los narcos pretendieron silenciarlo; pero, al contrario, crearon la leyenda que lo mantendría vivo para siempre en la memoria de los aficionados. Y en la novela de Ricardo Silva Romero.

Coradino Vega: el hijo del futbolista (2010)

En 2010 apareció *El hijo del futbolista*, la primera novela de Coradino Vega. Avisaba la contraportada: «El fútbol como espacio de dolor. Mi reino por un gol». La historia arrancaba en un momento crucial: Martino, el protagonista, se juega un uno contra uno delante del portero. El corazón le late a mil. Nota el sudor recorriéndole la frente. Escucha cómo el rumor de la grada se apaga poco a poco al tiempo que avanza rápidamente hacia la portería. El silencio previo al remate, a la tormenta. En ese momento, cambiaría todo su reino por marcar ese gol. Por «el» gol. Como el que su padre marcó mucho tiempo atrás: un gol que dio el ascenso a Primera División. Un gol que su padre nunca celebró como merecía: nunca llegó a debutar en la máxima categoría.

Martino, en realidad, no siente verdadera pasión por el fútbol. Juega de mediocentro en los juveniles del Riotinto, pero solo para cumplir las expectativas de su padre. Ni tiene físico ni es rápido. Por mucho que su padre le repita que al fútbol no se juega con los pies, sino con la cabeza, en el fondo sabe que no tiene condiciones de futbolista. Pero, aun así, es el hijo del futbolista. Y vive en la cuna del fútbol español, Minas de Río Tinto.

El nombre del pueblo hace referencia a las minas de cobre explotadas por la colonia inglesa que se asentó en la comarca hasta 1954. Pero las minas no solo fueron fértiles en cobre; también en futbolistas. En 1873, los ingleses que trabajaban allí ya disputaban partidos. La Río Tinto Company Limited compró el yacimiento, y sus trabajadores formaron el Club Inglés. Cinco años después, de este club surgió el Río Tinto Foot-ball Club. Vestía los colores de la selección inglesa, y no pasó a la historia como el decano del fútbol español porque los ingleses nunca lo federaron como club.

Aquel juego no tardó mucho en llegar a la capital. En Huelva, apareció el Recreation Club, asociación deportiva que, en 1878, se escindió en dos: uno de ellos, el Club Recreativo de Fútbol, pasó a la historia como el primer club español. Trece años después de su coronación, el rey Alfonso XIII fue nombrado presidente de honor del Club Recreativo de Huelva, como contaron el 15 de marzo de 1915 en *La Provincia*:

«Seguramente, el soberano, que tanto amor siente por los deportes, accederá a los respetuosos deseos que en el mensaje se exponen, toda vez se trata de una antigua sociedad, que cuenta en su historia páginas brillantísimas». El rey aceptó. Y al día siguiente, además de decano, el Recreativo se había convertido en club «real». Dos meses después, ya lucía su flamante distinción. Según contaban en *La Provincia*: «Ayer por la tarde se jugó un interesante *match* de *football*, entre un equipo del vapor inglés Arramoor y otro del Real Club Recreativo». Los locales vencieron por 8-1.

En ese legendario club jugó el padre de Martino, mediados los setenta. En sus filas rozó el sueño de cualquier futbolista: ascender a Primera División en la temporada 74-75. En la novela, sin embargo, es Martino quien se juega el gol decisivo. Pero demasiadas cosas se le pasan por la cabeza en el momento crucial para poder definir con serenidad: no le echa valor con Elisa, la chica que le gusta; sus amigos, con sus camisetas de rock y sus litronas, le aburren; no tiene claro qué estudiar, los consejos de su madre le repelen. Nada parece salirle bien. Incluso cuando se masturba se castiga pensando en desgracias. Demasiadas dudas para acertar con su gol.

Una pregunta le atormenta: ¿por qué su padre dejó el fútbol a los veintisiete años, tras cinco temporadas en Segunda División, después de meter el gol del ascenso y salir a hombros como un héroe? Martino intuye la razón: su padre dejó el fútbol cuando él nació y carga con el peso de aquella decisión. Su padre había renunciado al cielo por él. Había abandonado el campo de fútbol para internarse en los yacimientos de cobre por él. Y lo aceptó en silencio: «Llega de la calle y se retrepa en su sillón como si hubiera llegado al fin a un refugio, y cambia de canal muy rápido hasta que encuentra el fútbol», cuenta Martino.

Coradino Vega le dio una vuelta de tuerca al típico personaje del futbolista. El suyo no ha alcanzado la gloria por decisión propia. Ha elegido la familia en vez del balón. Aunque no se ha despegado del fútbol. Ejerce de entrenador del Río Tinto y, de nuevo, el fútbol le pone delante la oportunidad de ascender. En la última jornada, los titulares del periódico local anuncian que está en la cuerda floja. El presidente ha criticado públicamente su trabajo. En realidad, lo que le ha molestado es que jugadores y entrenador han repartido unas octavillas entre la afición donde denuncian impagos.

Una realidad local que contrasta con la inauguración de la Expo de Sevilla y el comienzo de la Eurocopa que ganó Dinamarca contra todo pronóstico, aquel verano del 1992. Pero, sobre todo, es un verano crucial para Martino. Se juega su futuro: el salto del instituto a la universidad, salir del pueblo, irse de casa. Se la juega contra el portero. Uno contra uno. El gol depende de él. Solo de él.

La vida redonda de Vladimir Dimitrijevic (2010)

El balón como símbolo de la existencia: una vida que bota y rebota, que se pierde por fallar un pase tonto, que se escurre en un mal control, que unas veces parece que dominemos y otras, que tengamos que resignarnos a mirarla en los pies del rival. Una vida que bota libre y traicionera y, en muchas jugadas, se aleja por la línea de banda, aunque nos dejemos el alma corriendo tras ella. La esfera perfecta como metáfora de ese viaje circular que es la vida.

Así la vivió Vladimir Dimitrijevic, librero y fundador de la editorial L'Age d'Homme. Y así tituló su libro publicado en 2010: *La vida es un balón redondo*. «El primer y último pitido de un árbitro en un partido —escribió—, el comienzo y el final de un libro.» La lectura de un partido, en su opinión, comparte similitudes con la de un libro. Ambos siguen el mismo guion. Antes del pitido inicial, antes de la primera palabra, la página espera en blanco y todo puede suceder en el césped. Lo mismo pasa en un partido: los futbolistas son escritores que con el balón crean nuevas historias.

El misterio del fútbol y de la literatura comparten la inagotable variedad de los hombres. No existen dos escritores ni dos jugadores iguales. El argumento de un buen partido es irrepetible como el de una novela original. Tanto hinchas como lectores se acercan a la lectura del partido por idénticas razones. Durante los noventa minutos, mientras queden páginas del libro, pueden vivir otras vidas.

Afirma Dimitrijevic que los futbolistas tienen mucho de

escritores. Sobresalen los que poseen ese don innato, esa cualidad que no se puede falsificar ni aprender: «Es exactamente como el que tiene un estilo en la literatura —dice—, pues en mi opinión hay una correlación entre este deporte y la literatura». Dimitrijevic sostiene que los mejores futbolistas son los que más se parecen a Don Quijote: se dejan llevar por la imaginación y no temen a los gigantescos molinos que se cruzan en sus andanzas. «Hoy en día, el miedo a la derrota es tal que se empiezan los partidos temiendo cualquier movimiento en el marcador», se lamenta.

Su fútbol tiene que ver con las calenturas del corazón y no tanto con la frialdad de las tácticas. Dimitrijevic lo concibe como el hilo conductor que ordena su vida. En la infancia, pateó pelotas de trapo, latas de conservas, pedazos de yeso. Y ahí nació un amor incondicional que le acompañó siempre. Los botes traicioneros de la calle donde creció lo formaron como futbolista y también como persona: «Los jugadores de aquella generación no tomaron sus clases sobre céspedes lisos ni sobre terrenos reglamentarios —dice—. En los suelos donde jugaban, todo era posible, y el bote más desconcertante era natural y esperado».

Comenzó jugando de portero. Soñaba con atrapar los balones como lo hacía su ídolo Lovric. Con el tiempo, sin embargo, terminó de delantero. Le fascinaban los artistas del gol que rondaban el área con «una sola idea en la cabeza, como los poetas o los grandes novelistas», escribió. «Insensatez, sí, pero insensatez grandiosa, divina.» En el patio de la escuela compartió equipo con Dragoslav Sekularac. Con doce años, pateó por primera vez un balón reglamentario y entendió que acababa de tocar algo sagrado. Sucedió en El Héroe, equipo de gitanos donde también se calzó sus primeras botas, unos botines deslenguados de segunda o tercera mano que le iban varios números grandes.

Diez años después se vio obligado a colgarlas. Como a tantos otros, una lesión le apartó del fútbol. Y como a muchísimos otros, nunca dejó de fascinarle el sentimiento que le embargaba cada vez que escuchaba el eco de los botes de un balón. Gracias al fútbol había aprendido que el verdadero enemigo no esperaba en la otra mitad del campo, sino en la suya. Que debía jugar siempre contra sí mismo y ser capaz de verse con los ojos del rival. Solo así conseguiría victorias importantes en el campo y fuera de él.

Nunca se alejó del balón. Incluso ofició de recogepelotas en un Hungría-Yugoslavia disputado en Belgrado. La guerra le obligó a exiliarse. En Suiza se convirtió en uno de los primeros refugiados políticos del Este. Y, de nuevo gracias al fútbol, logró que le tramitasen los papeles para poder trabajar como librero. Gracias al fútbol una vez más, Dimitrijevic conservó el contacto con su país. Escuchar por la radio las victorias de su selección le hacía feliz, y a la vez se sentía infinitamente triste por no poder disfrutarlas con los suyos.

La vida es un balón redondo arranca diciendo que el fútbol es el rey de los deportes. Como un siglo atrás hiciera Jean Giraudoux, Dimitrijevic afirma que la ausencia de las manos es lo que convierte al fútbol en algo más que un juego. Lo que lo conecta con la parte animal del hombre. «Uno no suele pensar en sus piernas, lo mismo que no suele pensar en su corazón —escribió—. La pierna pertenece a lo prehistórico o, mejor, a la época en que los miembros y los órganos formaban un todo.»

Cuando rueda el balón, el fútbol se rebela contra el resto de las artes adjudicándole el papel principal a un miembro secundario. Cuando rueda el balón, interviene el corazón. Como cuando se abre un buen libro.

La música del fútbol de Petón (2011)

Coincidiendo con el Mundial de Sudáfrica de 2010, José Antonio Martín Otín, Petón, publicó el libro *El fútbol tiene música*. Curiosamente, aquel campeonato, el primero disputado en continente africano, tuvo una música muy particular: el zumbido de las vuvuzelas. Aquellas trompetas de plástico habían caído en desuso en los estadios europeos a finales de los ochenta, pero en Sudáfrica volvieron a poner una nota musical a los botes del balón. Su ensordecedor murmullo de enjambre sobrevoló incesante todos los estadios durante los noventa minutos. *Vuvu*, en zulú, significa precisamente eso: ruido.

La mayoría de los cuentos recogidos en *El fútbol tiene música* hablan de un fútbol en el que los centrales se escondían agujas en las medias para pinchar a los delanteros en los córneres. Un tiempo en que los entrenadores —imitando al mítico Peregrino Fernández— intentaban alinear a doce jugadores o adormilar a los rivales echándoles unas gotas de ansiolíticos en el agua. Los cuentos de Petón transcurren en una época en la que las faltas se tiraban sin barrera. Un fútbol, un tiempo y una época, en definitiva, con más musicalidad. «El fútbol nació con música —escribió Petón—. Es música para la vista cuando se juega bien: ballet. Es música alrededor cuando le cantan las hinchadas; cuando Gardel canta a Samitier, Serrat a Kubala.»

Tras el partido que enfrentó a Italia y España en el Mundial de 1934, Ramón del Valle-Inclán afirmó en el diario *Ahora* que él mismo, a finales del siglo XIX, había importado el fútbol a España. Así, sin más. «En una partida histórica, celebrada en Aranjuez —aseguró—, fuimos porteros el conde Romanones y yo.» Tras el empate entre Río Arosa y Alcarria —continuaba su esperpéntico relato—, el desempate se disputó en el Ateneo. Terminó, como no podía ser de otra manera, a trompazos. Más literatura, imposible. Ni más música, con semejante escenario para el nacimiento del fútbol español.

También los primeros partidos en Argentina se jugaron al son de los tangos de Gardel. Asegura Petón que, de no haberse decidido por el micrófono, su «apellido le hubiera valido para triunfar en el deporte que practicaba con pasión, el recién llegado balompié». Gardel, sin embargo, había nacido para ponerle música al fútbol, en vez de jugarlo. Y tanto la música como el fútbol salieron ganando viendo cómo triunfó en los escenarios de medio mundo, muchas veces, gracias a aquel inolvidable tango que le dedicó a su gran amigo Samitier.

En las historias de Petón aparecen futbolistas que jugaban como si bailasen sobre el césped: René Petit taconeando en el círculo central, Elías Querejeta chispeando por la banda y Eduardo Chillida defendiendo los colores de la Real Sociedad bajo palos. Y, por supuesto, Garrincha, «el samba cojo y más armónico tras un balón». También tienen sitio Campanal liándose a palos con el banderín de córner o Carlos Alberto embadurnándose la cara con polvo de arroz para poder jugar con Fluminense. Y Dalí, que una tarde «se fue a

Madrid y dejó en una percha de Cadaqués sus guantes, sus rodilleras y su gorrilla de portero».

Pocas cosas en el mundo emocionan tanto como la música del fútbol. «Quien escucha a Mozart juega mejor al fútbol porque aprende mucho sobre tensión, ritmo y compás», aseguró el técnico Trapattoni. El *You'll never walk alone* retumbando en la fría noche de Liverpool o el Sánchez Pizjuán repleto de bufandas cantando como una sola garganta el himno del centenario ponen los pelos de punta. La balada que compusieron los hinchas irlandeses para recordar al mítico O'Connell se baila en muchos *pubs*. Lo mismo que el poema que le dedicó Vinicius de Moraes como regalo de bodas a Helenio Freitas se ha recitado de generación en generación.

En los cuentos de Petón aparece el delantero Dixie Dean, ídolo de Paul McCartney, que golpeó a un aficionado que le increpaba. O los bailes de Ben Barek frente al fondo norte de Chamartín la tarde que al Real Madrid le cayeron seis. O el pintor Francisco Rebolla, que, en su juventud, bailaba sobre la línea de cal con la camiseta del Corinthians. O Canhoteiro, que regateó catorce veces seguidas al mismo rival como en un eterno baile de pareja.

No podía faltar Bob Marley, un niño que «cantaba con un ritmo solo suyo y era capaz de estar un día seguido, mañana, tarde y noche, jugando al balón». Ni Joan Manuel Serrat, «guardameta de rodilleras y gorrilla en las eras de sus veranos aragoneses», que cumplió su sueño de saltar vestido de corto al Camp Nou en un partido de veteranos con algunos de los jugadores a los que había cantado en *Temps era temps*. La fiesta no podría terminar sin Lola Flores cantándoles al oído a sus muchos amantes futbolistas. Tampoco sin Puskás, Di Stéfano, Kubala; Nelson Mandela o Mahatma Gandhi; y por supuesto George Best regateando al ritmo de los Beatles.

Sobre todas esas canciones resuena la triste melodía de una balada dedicada a los jugadores del Torino que, el 4 de mayo de 1949, fallecieron en un accidente aéreo. En el muro de contención de la basílica de Superga, terminó el vuelo de uno de los mejores equipos de la historia del fútbol: *Il Grande Torino*. Para ponerle música a su fútbol, Petón compuso la letra de *Héroes de Superga*, una canción que más tarde interpretó

Lees: «Cuando Walt Whitman gritaba ¡oh, capitán, mi capitán!, / pensaba en Valentino inmortal. / Pensaba en sus amigos, poetas del domingo / que inventaron la armonía del gol: / el fútbol y la música en la misma canción».

Fútbol: el deporte reina (2012)

Contaba el escritor Joaquín DHoldan, en su libro *Genios del fútbol*, parte de la historia de Ramona Baulch para ejemplificar el machismo que ha imperado en el mundo en general, y en el fútbol en particular. Ramona Baulch había tenido un hijo con el antropólogo británico Desmond Morris. Como muchos matrimonios de la época, él trabajaba fuera de casa mientras ella, que había renunciado momentáneamente a su carrera como historiadora, se ocupaba de la casa y del cuidado del recién nacido. Hasta que, un día, Ramona Baulch le dijo a su marido que quería escribir un libro sobre fútbol. Y quería que él lo firmase. Si lo hacía ella, le explicó, las editoriales no le harían ni caso.

Ramona Baulch había observado cómo se modificaba el comportamiento de su marido los días de partido. Pero el fútbol no solo cambiaba a las personas, sino que afectaba a las rutinas de todo el pueblo. Los días de partido se respiraba una atmósfera diferente. Se rompía la rutina. Se alteraban horarios. Se producían ciertos movimientos como de tribu. Cientos de parámetros probaban su teoría: la pertenencia al club, el origen social, la tradición de los clubes. Tras escuchar atentamente a su mujer, Desmond Morris aceptó su propuesta. Le ayudaría en su investigación y firmaría el libro.

En 1981, apareció publicado *The soccer tribe*, que fue traducido al castellano un año después como *El deporte rey*, un título que, de nuevo, ponía de manifiesto el machismo imperante. «*El deporte rey* es un libro muy leído pero poco comprendido —escribió DHoldan—. Creado por una reina oculta, apuntaba a que analizáramos que somos una tribu y que este deporte es uno de nuestros rituales, en continuo cambio, esperemos que hacia áreas más justas».

Sus autores comparaban a las hinchadas camino del estadio con antiguas tribus. Caras pintadas con los mismos colores, cánticos colectivos, héroes que sustentaban una historia común. Aquella tribu, en su mayoría, la formaban los hijos de la Revolución industrial que buscaban en el fútbol la épica que no tenían en su día a día. A primera vista, aquella masa amorfa podía parecer un organismo compuesto de miles de células que se comportan de igual manera; pero, en un análisis más profundo, se podían dividir en dos grandes grupos: los viejos aficionados, que veían el partido sentados, y los jóvenes, que lo hacían de pie. Estos dos grupos englobaban subclases: los incondicionales, los expertos, los chistosos, los críos, los novicios, los cabecillas, los gamberros, los mártires y los excéntricos, entre otros. Las gradas pintaban un cuadro de la sociedad. En esa lista de tipos de hinchas, sin embargo, no había una sola alusión a las mujeres.

Así se había conformado la tribu durante siglos. Por suerte, tres décadas después algo había cambiado. En 2012, la revista *Eñe* publicó un monográfico titulado «Fútbol: el deporte reina», donde se recogían cuentos de nueve escritoras hispanohablantes. En cada relato, el fútbol funcionaba de una manera: como detonante de la acción, como telón de fondo, como espejo del mundo, como trauma; pero todos los cuentos se narraban desde el punto de vista femenino.

Cada narradora se relacionaba de una manera diferente con el fútbol. «La novia de Bruno empezó a ver fútbol por amor», escribió Marta Sanz en «Una mujer en el armario». La protagonista de «La mujer que adoraba el fútbol», de Clara Obligado se apasiona por el fútbol por todo lo contrario: mientras su marido está pendiente del partido, ella dispone de noventa minutos para engañarlo con su amante. En el relato «No podemos explicar por qué lloramos», Giovanna Pollarolo narraba los últimos días de un viejo hincha del Sporting Albarracín en el hospital tras haber sufrido tres infartos. Sus hijos no le dejan escuchar las retransmisiones de los partidos para que no le provoquen un cuarto ataque. Lo interesante del cuento, no obstante, es una frase que dice la narradora: su padre nunca la llevó al estadio, al contrario que a sus hermanos, «primero, porque era peligroso para una niña; después, porque era peligroso para una joven».

El resto de los cuentos, o no tienen como protagonista a mujeres, o tratan el fútbol de una manera tradicional, sin ahondar en el papel femenino. Ana María Moix lo utiliza como herramienta de socialización para un niño. Rita Indiana, para criticar a esos padres fanáticos que abundan en los campos de regional. María Tena, en «Cal viva», coloca a la mujer en el manido papel de enamorada del héroe: «Yo estaba hipnotizada con las pantorrillas brillantes y sudadas», dice su protagonista. El relato de Soledad Puértolas cuenta la historia de dos ancianos que, gracias al partido dominical, rejuvenecen y se olvidan de sus enfermedades. El de Cristina Fallarás lo narra una niña que no entiende las transformaciones que la derrota y la victoria produce en los adultos.

De entre todos, destaca un párrafo de María Tena. Al final del cuento, la narradora dice que una pelota ha quedado olvidada en el campo. Ella abandona la grada y baja al terreno de juego. Clava los tacones en el césped. Corre a por el balón... y chuta. Mientras observa el balón enredado en las mallas, piensa que, si su marido es feliz con el fútbol, ella también podrá serlo: «Ahora comprendo los fines de semana por la tarde escuchando *Carrusel Deportivo*», dice. Y añade: «Cómo me gusta el fútbol».

El fair play, *de Antonio Rojano (2012)*

El 20 de octubre de 2011, en la sala Cuarta Pared de Madrid, el dramaturgo Antonio Rojano estrenó la obra *Fair Play*. Un año después, apareció publicada en versión digital. Ocupaba la portada un cuadro cubista de 1918 firmado por André Lohte y titulado *Les footballeurs*. Como tantos otros artistas de la época, André Lohte se ocupó de representar en sus lienzos el tiempo que le había tocado vivir. Es fácil imaginárselo acudiendo al fútbol o al rugby para disfrutar de aquellos jugadores *amateurs* que se dejaban la vida detrás de la pelota. Después, en la soledad de una buhardilla, plasmaría el vértigo, la fuerza y la velocidad de una jugada con trazos cubistas. Así entendieron los artistas de entreguerras el deporte: como un lienzo donde representar la modernidad con un colorido sentido deportivo que acabase con los tonos grises de la guerra.

Aquellos artistas no podían imaginar cuánto se transformarían los deportes. Un cambio que, a lo largo de los años, han ido constatando muchos otros escritores en decenas de novelas, cientos de cuentos y poemas, incontables ensayos y, sorprendentemente, escasísimas obras de teatro. Antonio Castro afirma en el prólogo de *Fair Play* que también el teatro tiene el deber de reflexionar sobre su contemporaneidad. Y se pregunta: «¿Por qué hay tan pocas obras que dirijan su mirada hacia este asunto que ocupa un lugar tan visible en nuestra sociedad?». El lugar común sería responder con la teoría del fútbol como sedante de la conciencia crítica del pueblo. Antonio Castro le concede cierta credibilidad; pero, al mismo tiempo, defiende que una obra que se mueva en los aledaños del fútbol no tiene por qué apestar a opio. «Sería tan tonto como pensar que *Hamlet* es una obra sobre reyes y príncipes, o que *Muerte de un viajante* se centra en retratar el mundo de los vendedores», dice.

Lo mismo sucede con *Fair Play*, de Antonio Rojano. Sería tonto decir que es una obra de teatro que simplemente refleja el mundo del fútbol profesional. Como dice uno de los personajes: «La vida se refleja en las patadas que te dan y en los goles que metes». De eso trata *Fair Play*: de cómo afrontar las patadas de la vida, celebrar los pocos goles que se consiguen y, sobre todo, de cómo lograrlo sin caer en el juego sucio. Para mostrarlo, Antonio Rojano utiliza cinco personajes: un entrenador y cuatro futbolistas de un gran club de España que se juegan, en las últimas tres jornadas ligueras, su pase para la Europa League tras una temporada desastrosa.

Cada uno de los cuatro futbolistas vive un momento completamente diferente en sus carreras: el CUATRO, Mendiguren, está en el ocaso de su carrera y la amenaza del traspaso, tras ocho años como gran capitán del equipo, oscurece su futuro; el NUEVE, el joven delantero Rubén, recientemente fichado del Córdoba, vive un gran momento goleador; el DIEZ, el argentino Mati-Gol, es un media punta que lleva la manija del equipo y una pistola para protegerse «de la hinchada de mi equipo y de la hinchada contraria»; y el UNO, el portero francés Tiham, tiene problemas con su mujer a causa de un supuesto traspaso a Arabia Saudí.

«El fútbol es así —asegura el veterano Mendiguren—. Es como un supermercado: la gente ve algo que le gusta y lo compra.» Por si sus situaciones profesionales no fueran lo suficientemente delicadas, los cuatro se ven involucrados en un turbio caso de abuso sexual a una menor que termina suicidándose en el hotel de concentración del equipo. Laura, la periodista encargada de cubrir los partidos del equipo, husmea en el caso sumergiéndose en un mundo opaco donde nada es lo que parece. «El mundo del fútbol es así —dice Mendiguren—. Muchos hombres, muchos viajes, soledad, presión.» Laura quiere la exclusiva. Sabe que «es la prensa la que tiene el poder ahora» y quiere que todos los socios del club se den «cuenta del tipo de gente al que están idolatrando».

La obra transcurre durante los últimos tres partidos de liga y la final de Copa, con una variadísima y original puesta en escena: el interior del vestuario, el hotel de concentración, durante el rodaje de un anuncio publicitario, en salas de prensa, juzgados y hasta el balcón del ayuntamiento. Para la representación teatral, se utilizaron pantallas de televisión con el fin de instalar en la mente del lector los dos planos en los que discurre la obra: el público, con las falsas declaraciones a la prensa, y el privado, donde los futbolistas verdaderamente se expresan como son.

«La pelota no va siempre al pie», les dice el entrenador parafraseando a Albert Camus durante el descanso de la final de Copa. «La pelota no siempre va donde uno espera que venga.» Y remata: «Así es la vida y así es el fútbol». Antonio Rojano demuestra que así también es el teatro. Al fin y al cabo, en los tres escenarios sucede lo mismo: «La tragedia se desliza tan dulcemente como un balón de fútbol sobre el césped».

El fuego del fútbol de Ramiro Pinilla (2012)

Ramiro Pinilla aseguraba que el fútbol, sin una cuadrilla de amigos y una provincia, no era fútbol. No tenía la subjetividad de otros temas literarios, como el amor. El fútbol tenía carácter colectivo y se nutría del sentimiento de pertenencia a una tierra. Esas dos ideas resumían cómo había vivido el escritor vasco su deporte favorito. Y también cómo entendía su equipo desde aquel lejano domingo que su padre le llevó por primera vez a la Catedral y prendió en él el fuego del fútbol.

En el ocaso de su carrera literaria, Ramiro Pinilla publicó la novela *Aquella edad inolvidable*, un homenaje al fútbol del siglo pasado que todavía se mantenía más cercano al barro que a los focos. Leída en 2012, su novela rezumaba un romanticismo ya totalmente extinguido. Su fútbol parecía de otro mundo: se jugaba por amor a unos colores y un escudo, y lo practicaban «aquellos jugadores que no solo no cobraban un céntimo, sino que se pagaban los viajes y se compraban las botas», escribió Pinilla.

Su protagonista, Souto Menaya, tampoco olvida el primer día que su padre, Cecilio, lo llevó a San Mamés. Entre banderas rojiblancas, humo de puro y alientos de pacharán, Souto Menaya aprendió la leyenda: el *All iron* lo cantaban los mineros ingleses cuando encontraban el preciado metal, pero en San Mamés se canta para celebrar los goles del Athletic. «En este mundo hay que tener algo grande por encima de nuestras cabezas —le dice su padre—. Unos tienen a Dios y otros al Athletic.» A Cecilio, las palabras se le traban en la garganta como a un enamorado: «¿Cuándo has podido explicarte a ti mismo con palabras qué es el Athletic? —le pregunta— ¡Nunca! Ni siquiera en las pausas del excusado. Es algo que se siente y se acabó.»

A Souto Menaya le bautizan el Botas. Los domingos juega de delantero centro en el Getxo; durante la semana, trabaja encaramado a un andamio. Sabe que el fútbol es la única pasión de los hombres en la que aún son posibles los milagros, y precisamente milagros es lo que más necesita el pueblo en tiempos de crisis. También sabe que «el fútbol solo es el jodido balón» y que la vida se decide en sus botes: la mala suerte empujó a su hermano pequeño a las vías del tren, y la buena lo empujará a él a fichar por el Athletic. Es el milagro que tanto ha esperado, aunque tenga que cumplirlo siendo suplente de Zarra.

En los años de represión, el Athletic se convirtió en «un buen terreno para hacer patria», escribió Pinilla. La Social y los grises se ensañaban con los vascos. Los cadáveres llenaban las cunetas. San Mamés fue el único reducto al que no llegaban los tentáculos del Régimen. Y el escudo del Athletic se convirtió en un símbolo de libertad. «La celebración de nuestros éxitos deportivos es el clamor de todo demócrata por la libertad —escribió Pinilla—. El Athletic es la única expresión que tenemos para combatir a Franco.»

Souto Menaya encarna el idealismo de aquel fútbol. Es un personaje demasiado romántico para nuestros tiempos, cuando todo se compra y se vende. Ni siquiera la literatura o el fútbol se libran, dos juegos que han olvidado su esencia lúdica para venderse al mejor postor. Ya no están de moda los ratones de biblioteca, como lo fue Pinilla. No hay tiempo para reflexionar en la tiranía del clic. Los escritores sin seguidores virtuales corren el riesgo de naufragar en el *tsunami* editorial que engorda los escaparates de las librerías. Todo debe ser rentable: el poema y el regate, la rima y la pared, el disparo y la palabra.

Para Ramiro Pinilla, sin embargo, escribir era una obsesión. Escribía en su cabeza una y otra vez, comiendo, trabajando, andando por la calle, cuando miraba a alguien pasar, sin descanso hasta que desentrañaba los nudos de la novela. Dos años después de publicar *Aquella edad inolvidable*, falleció. Dijo su editor que había abandonado este mundo haciendo lo que mejor había hecho siempre: insuflar vida a las páginas que escribía su imaginación, tan prolífica que ni tan siquiera las asépticas paredes de una habitación de hospital pudieron encerrar.

Ramiro Pinilla fue un escritor ingobernable, de los que ya no abundan. Hizo el camino inverso al que sueñan recorrer los novelistas. Después de alcanzar el éxito con sus dos primeras novelas, *Las ciegas hormigas*, en 1960 (Premio Nadal y Premio de la Crítica) y *Seno*, en 1971 (finalista Premio Planeta), se alejó de elogiosos titulares y los flashes de los fotógrafos. Todo eso nada tenía que ver con su idea de escritura. Como Thoreau, relacionaba la literatura con la vida sencilla y la tranquilidad necesaria para reflexionar con lucidez. Decidió vivir retirado del mundo, rodeado de los suyos y de libros. Creó la editorial Libropueblo con la idea de venderlos a precio de coste. Y siguió escribiéndolos y publicándolos en su sello. A todos los manuscritos su hija les ponía el punto final.

Solo necesitó un escritorio, un bolígrafo y unas cuantas cuartillas de papel para crear un universo único. Y un huerto que cuidó como si, en vez de surcos, lo atravesasen renglones. Con esa humildad creó a Souto Menaya, un futbolista literario que puso destellos de romanticismo a una época donde brilla por su ausencia. Un futbolista que regresó del pasado portando la atávica llama del fuego del fútbol.

Un balón en tierra de nadie (2012)

El fútbol se ha jugado aunque alrededor estallase el mundo. Un pellejo de cuero lleno de aire ha transformado muchos conflictos bélicos en batallas deportivas, al menos durante noventa minutos. Entre el barro de las trincheras, la sangre reseca y el eco de las ráfagas de metralla, de repente, un soldado sacaba un balón y el mundo dejaba de rodar.

Henry de Montherlant escribió que no había más que repetir las palabras del juego para que se sintiera el olor de la guerra. Había participado en la Primera Guerra Mundial y volvió a París con siete esquirlas de obús en el cuerpo. Aun así, siguió jugando de portero. En Inglaterra, al inicio del conflicto, se había creado el Football Batalion para reclutar jugadores que luchasen como soldados en el frente; pero no fue esa la única aportación del fútbol a la guerra.

Tras seis meses de tiroteos en las trincheras que agujereaban Ypres, al noreste de Bélgica, se produjo la conocida Tregua de Navidad. La gélida Nochebuena de 1914, ambos ejércitos firmaron una paz momentánea. Soldados alemanes y británicos fumaron, bebieron y cantaron juntos. Al día siguiente, los británicos aparecieron con un balón y retaron a los alemanes a disputar una batalla más deportiva. Jugaron en la tierra congelada. Y sin necesidad de árbitro. «El fútbol es tierra de nadie —escribió uno de los soldados en una carta—. No es el mejor de los campos, pero había que hacerlo. Teníamos postes y un balón, y dos equipos. ¿Qué más necesitábamos?» Unos dicen que el partido acabó 2-3, otros que 1-2; pero todos coinciden en dar por vencedores a los alemanes. De aquel histórico encuentro, lamentablemente apenas quedan documentos: una tregua tan humana no interesaba a los señores de la guerra.

Durante la Guerra Civil española, Valeriano Ruiz Melero combatió en Albolote, una aldea cercana a Granada. En la rocosa y árida sierra de Las Pedrizas, un balón enmudeció a los fusiles durante una hora y media. Ese día, de una trinchera roja salió un soldado con una pelota y retó al ejército enemigo a jugar un partido. Después de reunirse republicanos y nacionales sin armas, en zona neutral, se llegó a un acuerdo. «El primer tiempo lo pitó un alférez nuestro, y el segundo lo arbitró un comisario político —relató Valeriano—. Terminó 0-0 o 1-1, lo mejor que podía ocurrir. Cuando nos despedíamos alguien dijo: "Vamos, señores, esto se ha acabado, ahora al que asome la cabeza se la volamos".»

Cuenta Ramón Lobo en *El autoestopista de Grozni y otras historias de fútbol y guerra* cómo le detuvo un penalti, en West Point, Morovia, a un exguerrillero que poco antes disparaba indiscriminadamente con un kalashnikov. Tras atajar el disparo, Ramón Lobo escupió la arena y gritó: «¡Casillas!». El fútbol, no obstante, no necesita jugarse para convertirse en un lenguaje universal entre desconocidos. Así le sucedió en Mostar, durante el conflicto de Bosnia de 1993. Ramón Lobo quiso alardear de cultura futbolística citando a Meho Kodro, mítico delantero de la Real Sociedad, y resultó que sus interlocutores eran familiares del ariete *txuri-urdin*. Le pidieron que le entregase unas cartas y, durante meses, Lobo fue el cartero particular de la familia Kodro.

Tras dos décadas moviéndose por zonas de conflicto, aprendió ciertos trucos. Ante los serbios, se hacía pasar por hincha del Atlético entrenado por Radomir Antic; si había croatas, era seguidor de Prosinecki. Un equipo, un futbolista o un gol eran suficientes para iniciar una conversación que tendiese puentes entre dos seres humanos hasta ese momento desconocidos o incluso enemigos. «El fútbol acerca culturas, borra fronteras y difumina clases sociales —escribió Lobo—. Permite penetrar en el alma de las personas sobre las que el reportero va a escribir.»

En el frente, la insignia del Real Madrid le sirvió como herramienta para reclutar nuevos simpatizantes. Madridista confeso, lejos de casa Lobo aprovechaba las llamadas a la redacción para preguntar qué habían hecho los blancos. Con siete años, su padre le llevó a ver un Madrid-Sevilla y aquel partido en el Bernabéu tuvo algo de revelación religiosa: «Me conmovió sentirme parte de una emoción colectiva, animal», confesó. Esa ha sido la única herencia paterna que ha mantenido: unos colores, un escudo. Con los años, renegó del resto de la herencia. «Un equipo es la huella dactilar emocional», aseguró.

En sus aventuras por zonas de conflicto, Lobo ha aprendido que la guerra y el fútbol tienen mucho en común. Ambos se teatralizan en un campo de batalla, con bandos uniformados y armados. En ambos afloran las banderas y los cánticos, los insultos y las más viles pasiones del hombre. Y ambas batallas se disputan bajo ciertas normas que, en muchas jugadas, no se respetan. El fútbol, como la guerra, tiene un lado muy oscuro: «Es un catalizador de la estupidez humana, del odio, la envidia, el nacionalismo exacerbado».

Ramón Lobo también ha comprobado que el fútbol no te salva de las pesadillas. Las más horribles suelen nacer del barro de las guerras, cuando todo alrededor estalla en pedazos. Suerte que, en algunas ocasiones, un balón ha conseguido transformarlas, al menos durante noventa minutos, en un sueño. Aunque, al terminar, el balón haya vuelto a perderse en tierra de nadie.

Dos porteros alemanes, dos libros, dos destinos fatales (2012)

Tendemos a ver a los porteros como gladiadores que, cada fin de semana, saltan a la hierba y se encomiendan a los caprichos del balón. Los periódicos narran sus estiradas prodigiosas, sus increíbles despejes. La televisión, a cámara superlenta, muestra sus vuelos hasta la cepa del palo. Sus dedos retorciéndose para desviar el balón. Pero, cada fin de semana, también somos testigos de sus errores garrafales: pases fáciles al contrario, un balón que se cuela entre sus piernas, un disparo flojo que resbala incomprensiblemente entre sus guantes. Muchos porteros, sin embargo, resurgen de sus cenizas con una actuación memorable que consigue borrar el desastre de la jornada anterior. A pesar de su corazón despiadado, el fútbol suele ofrecer una nueva oportunidad de redención. Aunque existen errores fatales que dejan una huella imborrable.

Muchas veces, los porteros no necesitan tres clavos para crucificarse. Hay errores que pesan como una cruz, y algunos guardametas se ahorcarían del larguero después de cometerlos. Para otros, los tres palos de la portería se convierten en los barrotes de una jaula, como le sucedió durante años a Harold

Schumacher: «En el terreno de juego no puedo permanecer mucho rato en mi jaula-portería», escribió en 1987. Schumacher necesitaba sentir que las líneas del área no eran una frontera de cal infranqueable, «si no, se me caen encima los postes y el larguero, y la red quiere ahogarme», explicó.

En el ocaso de su carrera, rompió el silencio del portero con el libro *Tarjeta roja*. El título no defraudó. Schumacher aireó que muchos futbolistas internacionales se comportaban peor que una manada de turistas alemanes en Mallorca, en los hoteles de concentración. Reveló la larga tradición de *doping* que existía en la Bundesliga. Denunció los abusos de las marcas deportivas, los millones que el deporte de todos generaba y que solo unos pocos se embolsaban: «El deporte profesional y la industria mantienen la misma relación que un ahorcado con su soga», dijo.

También ajustó cuentas consigo mismo. En sus primeros años de profesional hizo de chófer, con su R5 amarillo, de veteranos del Colonia a los que llevaba a consultas clandestinas en busca de las pastillas mágicas. Admitió amaños como en el partido contra Austria, del Mundial 82. Fue en ese Mundial, precisamente, cuando cometió su error fatal. En semifinales, Schumacher arrolló al francés Battiston en una salida golpeándolo con la cadera en la cara. Le dejó inconsciente. Pero no fue el golpe lo que le condenó, sino que, durante aquellos angustiosos minutos, se dedicó a juguetear con el balón en la soledad de la portería, en vez de acercarse y preocuparse por la salud de su rival.

El partido acabó con empate a tres. En la tanda de penaltis, fue el héroe parando dos lanzamientos. Mientras celebraban la victoria, un periodista le preguntó si sabía que Battiston había perdido los dientes. Schumacher, eufórico, contestó: «Si solo es eso, estoy dispuesto a comprarle una prótesis dental». Acababa de convertirse en el monstruo de Sevilla. En cuestión de días, perdió todos sus contratos publicitarios. Desde entonces, la grada se transformó en un nido de avispas, y la prensa, en uno de víboras: «Cuando alguien es declarado un monstruo por los medios de comunicación, ya no tiene ninguna posibilidad de luchar contra ellos», escribió.

El fútbol mantiene algo de su caballerosidad, y aquel gesto de cobardía le condenó. Otro portero alemán, Robert

Enke, también sufrió por sus errores; pero los de Enke fueron bajo palos, y esos siempre son perdonables. Aunque él nunca lo hiciese. En el libro *Una vida demasiado corta*, publicado en 2012, su amigo Roland Reng contó con detalle el viacrucis que sufrió el portero. Tres años antes, Enke se había suicidado tirándose a las vías del tren cuando vivía el mejor momento de su carrera. El libro de Roland Reng mostró el lado más humano del héroe: un hombre que tras una lucha homérica contra la depresión, al fin, descansó.

Enke no se perdonaba ningún error. No le consolaban ni los ánimos de los compañeros ni la confianza del entrenador. Tras su debut como profesional —partido que ganó por 3-1—, se encerró en su habitación durante una semana. El gol, intrascendente, había sido un error suyo: «Esa es la tortura del portero, la insostenible autoexigencia de no cometer nunca errores», escribió Reng. Enke solamente tenía diecisiete años.

Su autoexigencia, sin embargo, dio frutos y pronto debutó en Primera División. Pero enseguida el vestuario se le hizo claustrofóbico, asfixiante. Sus compañeros le parecían sus peores enemigos. Se sentía solo en el equipo, sin defensas que le ayudasen a proteger su portería. Esa sensación se agudizó tras fichar por el F. C. Barcelona y se terminaría confirmando en su debut ante el Novelda, colista de Segunda B, en Copa del Rey. Tras perder estrepitosamente por 3-2, Frank de Boer le señaló ante los medios como principal culpable de los goles. En su turno de rueda de prensa, Enke se negó a hablar mal de un compañero en público.

Tras aquella nefasta temporada, fichó por el Fenerbahçe; pero el ambiente se le hizo inaguantable, tanto que terminó abandonando el club a mitad de temporada. Estaba sufriendo su primera depresión. Pasó medio año sin equipo. Tocó fondo. Hasta que recuperó la pasión de defender una portería en Tenerife, en Segunda División. En esa categoría no era nadie, y recobró su seguridad. Fichó por el Hannover. Llegó su primera hija, aunque una enfermedad del corazón no la dejó vivir más de dos años. A pesar de ello, Enke fue increíblemente fuerte.

No había señales de la depresión. Paraba como en sus mejores años. Y lo llamó la selección, eso sí, a la sombra de

Lehmann. Terminada la Eurocopa de 2008, todos los medios alemanes le señalaban como titular indiscutible para el Mundial de Sudáfrica. Enke y su mujer adoptaron una niña. Todo iba sobre ruedas hasta que reapareció la depresión como un contraataque fulminante que te mata cuando mejor estás jugando. El héroe, entonces, solo pudo decirle al mundo que estaba enfermo a través del suicidio.

Desde 2011, cuando los aficionados del Hannover atraviesan la Robert-Enke-Strasse hacia del AWD-Arena, recuerdan sus paradas y sus errores. Pero, sobre todo, recuerdan a un hombre que, con su muerte, cambió la manera de ver a los futbolistas: héroes en el campo, personas fuera de él.

Dos historias. Dos libros. Dos porteros alemanes. Dos errores fatales.

La Gran Novela Argentina del Fútbol (2012)

Durante años, desde que publicase *Historia argentina* en 1992, Rodrigo Fresán se cansó de escuchar la misma pregunta repetida una y otra vez: ¿cómo es posible que usted haya escrito la historia argentina, por muy subjetivo que fuese el punto de vista, sin hacer mención al fútbol? ¿Cómo es posible contar la historia de uno de los países más futboleros sin un balón? Y más —le insistían— cuando el marco temporal de gran parte de su novela son los años de Videla y el conflicto de las Malvinas. ¿Cómo es posible que no mencionase uno de los Mundiales más controvertidos que, precisamente, se había disputado en suelo argentino?

Tantas veces escuchó estas preguntas que, en una revisión posterior, añadió un capítulo nuevo dedicado al fútbol. Eso sí, no renunció a hacerlo desde su particular punto de vista. En los agradecimientos de esa edición revisada y aumentada, Rodrigo Fresán respondió por fin a la acuciante pregunta que tantas veces había tenido que escuchar: nunca le había interesado verdaderamente el fútbol, amén de algunos partidos importantes. «Y, por lo general —añadió—, los contemplo con una óptica equivocada que suele poner muy nerviosos a aquellos que se arriesgan a pasar por semejante experiencia a mi lado.»

Tituló el capítulo «Pasión de multitudes», y lo abrió con una cita donde George Orwell comparaba el partido de fútbol con una guerra sin disparos. Dos ideas —las multitudes y la guerra— que recordaban una anécdota que contó Alastair Reid, el traductor de Borges. Almorzaban en Nueva York cuando Borges dijo que el conflicto de las Malvinas debería solucionarse con una serie de partidos de fútbol entre ingleses y argentinos. «Pero, en ese caso —comentó Borges—, ¿quién ejercería de árbitro?» Dejando de lado a Borges, la cita de Orwell ensamblaba a la perfección con el tema principal del capítulo de Fresán: el narrador, un escritor en ciernes, es secuestrado por los militares, torturado en el Monumental y llevado a un campo de detención donde, de repente, descubre que tiene grandes dotes de arquero. Allí lo bautizan como la Mano de Dios.

El cuento se inicia el 21 de junio de 1978, con la sospechosa victoria por 6-0 de los argentinos frente a los peruanos en las semifinales del Mundial. «La gente festeja como si fuera el inicio de un mundo nuevo —escribió Fresán—, sin darse cuenta de que se trata no de una final de un Mundial, sino de un fin del mundo.» No hay una calle de Buenos Aires donde no resuenen gritos clamando la argentinidad de Dios: «Esos fanáticos del fútbol (supongo que algo parecido les sucede a las personas religiosas: no les hace falta a Dios para entregarse a él) disfrutan del fútbol, aunque no lo vean».

Al narrador, sin embargo, nunca le ha interesado el fútbol. Tras secuestrarlo, sus captores le preguntan por su equipo. Cuando responde que no tiene, le piden que jure que nunca acudió a la cancha de River. No, responde. Los secuestradores le dan el pésame por el monstruo que le tocó como padre. Incluso comprueban el calendario. De haber sido domingo, lo hubieran llevado a ver un partido. «El desconocimiento del tema del fútbol en mi hoy inexistente país de origen constituía una suerte de pecado mortal o, en el mejor de los casos, prueba atendible de insania o de traición a la patria», escribió Fresán.

Ya en el campo de concentración, gracias a sus paradas, sus carceleros lo fichan. Y comienza su calvario: evitar los goles que, en realidad, querría festejar. Tras estrecharle la mano a Videla, el narrador se cansa de parar. Tiene otros objetivos menos pedestres *in mente*: «Escribir la inexistente Gran Novela Argentina sobre el fútbol argentino». A Fresán, le fascinaba el hecho de que aún no hubiese aparecido esa Gran Novela. Y se lo comentó a Juan Villoro. La teoría del escritor mexicano era que «el fútbol no es narrable en términos de ficción porque su reino [...] está en la realidad y en el instante mismo en que las cosas suceden». Ni siquiera Osvaldo Soriano o Roberto Fontanarrosa lo habían logrado, pensaba Fresán. En su opinión, hasta el momento no había aparecido una novela que jugase al fútbol, sino textos que jugaban con el fútbol. Y una preposición, como un pase en el momento justo, podía cambiar el resultado de un partido.

Tras debatirlo con unos y otros, finalmente fueron unos correos electrónicos de Juan Ignacio Boido los que le ayudaron a integrar el discurso sobre este tema en «Pasión de multitudes». Aseguraba Boido que la Gran Novela Argentina del Fútbol no podía existir porque el fútbol no era argentino. No les pertenecía. Los argentinos no jugaban al fútbol, sino contra él. «Se puede escribir sobre lo que no se conoce, pero no se puede escribir sobre lo que no te pertenece —le dijo Boido—. Así, de existir, de ser escrita y jugada algún día, la Gran Novela Argentina debería ser la historia de un robo, de un secuestro, de algo que desaparece, de una derrota.»

Contaba el escritor Matías Bauso que, cuando arrancó el Mundial de Argentina, todo el país se volcó en el fútbol. Únicamente Borges se mantuvo firme en la oposición. Dante Panzeri le había secundado, pero apenas un mes antes del inicio le atacó el cáncer de pulmón. Incluso Sabato, que había criticado el monstruoso desembolso económico, se dejó contagiar por la histeria colectiva. Borges, a sus casi ochenta años, declaró: «Mientras dure el campeonato me iré a cualquier parte donde no se hable de fútbol». Seguramente, Rodrigo Fresán le hubiera acompañado sin dudarlo. Y quizá Borges nunca le hubiera permitido añadir un nuevo capítulo a su *Historia argentina*. Para eso era la suya.

Los futbolistas de izquierdas de Quique Peinado (2013)

Siempre ha habido —y los habrá— valientes que se revuelven contra todo. Personas que no tienen miedo a los dedos que los señalan ni a los tentáculos que los quieren controlar. En literatura, lo fueron los Angry Young Men, un puñado de escritores británicos que, a mediados del siglo XX, cambiaron las reglas de su oficio. Dos adjetivos los definieron: *angry*, porque dentro les bullía la rabia; *young*, porque eran jóvenes que, con su rebeldía, plasmaron la hipocresía y mediocridad que imperaba en el sistema sociopolítico de los adultos.

La misma rabia ha sacudido a muchos futbolistas. Seguramente, a más de los que aparecen en el libro *Futbolistas de izquierdas*, de Quique Peinado, publicado en 2013. A un grupo de ellos, en Francia, la rabia les empujó a tomar la Federación de Fútbol y redactar un manifiesto para reivindicar sus derechos. Lo hicieron con la colaboración de la revista *Miroir du football*, donde Kopa había escrito: «En pleno siglo XX, el futbolista profesional es el único ser humano que puede ser vendido y comprado sin contar con su opinión». Por aquellas declaraciones, Kopa fue apartado del equipo nacional durante seis meses. Los malos resultados obligaron a Verriest a volver a convocarlo. Le llamó. Kopa exigió que le pidiera perdón públicamente. Verriest se negó. Kopa, entonces, decidió no volver a la selección. Su dignidad no se pagaba ni con dinero ni con fama.

Aunque Rodrigo Fresán no lo incluyese en su primera versión de *Historia argentina*, uno de los momentos más sonrojantes para el fútbol se produjo en el Mundial del 78. «Cuando el fútbol calló» tituló Quique Peinado al capítulo que arranca así: «El 24 de marzo de 1976, los militares que se iban a convertir en la Junta que gobernaría y aterrorizaría a los argentinos hasta 1983, hicieron dos cosas: dieron un golpe de Estado que acabó con el gobierno de María Estela Martínez de Perón y hablaron de fútbol». Los golpistas querían imponer normalidad, dar una imagen de tranquilidad. Y en varios sentidos, lo consiguieron. A pesar de que los ojos de todo el mundo estaban puestos en ellos, los militares lograron que las voces de protesta quedasen silenciadas entre las líneas de cal de los estadios.

En reiteradas ocasiones, los futbolistas profesionales han sido acusados de no comprometerse ni política ni socialmente. Muchos critican que viven aislados en su propia burbuja, alejados del mundo real. El Mundial de 1978 fue el momento de plantarse, pero pocos futbolistas quisieron meter las botas en el barro. «Es el estado natural de las cosas en el fútbol profesional —dice Peinado—: la inmensa mayoría de sus máximos protagonistas no se mojaría ni ante una situación tan flagrante como la del Mundial del 78.»

En Argentina se jugó al fútbol como si en las calles no pasase nada, como contó Carlos Ferreira en su poema «Mundial»: «Y nosotros allí, con estos bombos, / con esas insensatas banderas sudorosas, / con el mundo al revés, / hechos pelota». No fue el único. Cardeñosa afirmó: «Estábamos un poco dormidos en el aspecto político». La mayoría no se enteró de la historia de Tamburrini, «al que torturaban llamándolo arquero»; ni de la de Rivada, «futbolista y mártir». Tampoco de cómo los milicos secuestraron a Raúl Cubas, escritor al que obligaron a asistir a una rueda de prensa de Menotti «para sacarle una declaración prodictadura». Ni tan siquiera de que Ángel Cappa tuvo el corazón en la garganta cuando los militares pararon su coche en un control. Tuvo suerte de que no le registrasen el maletero: estaba lleno de pasquines contra la dictadura. Un Mundial que la novela *La pena máxima,* de Roncagliolo, ficcionaría magistralmente en 2014.

No siempre los futbolistas de primera línea guardaron silencio. Sócrates sacudió el sopor que dominaba el mundo del balompié con sus declaraciones en el Mundial de 1986 denunciando la corrupción. O las que protagonizó con sus cintas en la cabeza pidiendo paz, reclamando ayudas a Etiopía o situándose en contra del Apartheid. Con aquellos gestos «redefinió el concepto de futbolista, pues fue un verdadero intelectual con botas», asegura Peinado. Además de sus sentencias, Sócrates pasó a la posteridad por la celebración de sus goles: puño cerrado en alto, desafiante. «Los futbolistas somos artistas, y los artistas son los únicos trabajadores que tienen más poder que sus jefes», dijo. El inmenso poder de decir no. El que Albert Camus definió como máxima rebeldía.

Entre los rebeldes que juegan en el libro de Peinado, destacan Metin Kurt, que anticipó la Ley Bosman y dio la libertad a los jugadores para militar en el equipo que quisieran. O el Gotemburgo, el último equipo proletario que, comandado por Sven-Goran Eriksson, ganó la Copa de la UEFA en 1982. También los piratas del fútbol moderno, el Sankt Pauli alemán, a los que no les importa naufragar en los mares del infrafútbol con tal de no traicionar una filosofía basada en lo colectivo y lo social por encima de lo económico.

Karl Marx escribió que el capitalismo destruiría la naturaleza humana y daría paso a una alienación absoluta. Que el trabajador se convertiría en mera mano de obra, en una cantidad de dinero que se utilizaría únicamente para multiplicar el capital. En las páginas de *Futbolistas de izquierdas* aletea la esperanza de que esa alienación no será total en el mundo del fútbol mientras quede un pequeño reducto de futbolistas que sigan dándole patadas al sistema.

Millones de niños para un sueño (2013)

¿Existen los cuentos de hadas en el fútbol? A esa pregunta busca respuesta Juan Pablo Meneses en su libro *Niños futbolistas*, publicado en 2013. Durante años, Meneses investigó cuánto valía, en dinero contante y sonante, el sueño de un niño. Y calculó la parte de ese dinero que se embolsaban todos los eslabones de la cadena que lo conducían hasta él. Para descubrirlo, se sumergió en la «liga de traficantes», como la bautizó Vázquez Montalbán; una liga en la que juegan dos pueblos: los que han nacido para producir futbolistas y los que tienen el dinero para comprarlos.

Aunque en muchas páginas pueda parecerlo, Meneses no habla de ganado, sino de niños que sueñan con convertirse en futbolistas para ganar trofeos, marcar goles, hacer giras por todo el mundo, firmar contratos multimillonarios, protagonizar anuncios, películas y algún poema, dormir en los hoteles más lujosos, firmar autógrafos y, sobre todo, escapar de la miseria de un barrio infestado de droga y ratas. Los niños futbolistas sueñan con abandonar la cancha de tierra donde juegan en América Latina para clavar sus tacos en la hierba de los mejores estadios de Europa.

Meneses es el pionero de un nuevo tipo de periodismo: el *cash*. La receta es sencilla: comprar para vender y después contarlo, consumo más escritura. En su primera incursión, compró un ternero y siguió paso a paso el proceso desde la adquisición del animal hasta que la carne llegó, fileteada y cocinada, al plato del consumidor. En *Niños futbolistas* ha seguido el mismo patrón; pero con un objetivo más ambicioso: comprar un niño en América Latina y seguirlo hasta que lo fiche un equipo europeo. En esta aventura, ha encontrado más trabas. La compraventa de un niño futbolista funciona en un circuito más hermético y opaco que el de un ternero. La calidad de la carne con la que se trafica aumenta el riesgo del negocio.

En este, juegan muchos intereses. Padres, cazatalentos, representantes, clubes o notarios engordan una larga lista de contactos sin los que es prácticamente imposible alcanzar el sueño. Y que, a su vez, lo encarecen: «El precio por el que se puede comprar un niño futbolista a veces no supera los doscientos dólares —asegura Meneses—, pero el precio de venta final, en pocos años, puede estar por encima del millón.» Meneses ha recorrido cientos de canchas en cientos de ciudades de América Latina. Ha visto jugar a miles de pibes, chinos, chamos, chavos. De todos, afirma que los brasileños siguen siendo los más valorados, mientras que los argentinos son los que más venden. Los uruguayos, destaca, se han convertido en un producto en alza por su fácil adaptación a cualquier medio.

«Las historias aparentemente exageradas con las que me he topado mientras escribía este libro solo demuestran lo grotesco del mundo del fútbol, del negocio y las contrataciones; el modo en que se ha desvirtuado el deporte, llegando a rozar la pornografía», explicó. La esclavitud empieza en la propia casa. El primer grillete se lo coloca el padre proyectando en el hijo su sueño frustrado. En su odisea por campos y estadios, Meneses ha visto cómo muchos padres invadían el campo y pegaban al árbitro. Algunos, incluso, iban armados y hasta desenfundaron delante de los niños.

A este primer eslabón, le siguen muchos otros: escuelas de fútbol que los robotizan; cazatalentos acechando como buitres y representantes, como hienas; gerentes que se frotan las manos, intermediarios que se llenan los bolsillos. Luego entran en escena los notarios, los derechos de formación, los bonos de solidaridad. Más y más eslabones por los que el niño debe pasar obligatoriamente y pagar el correspondiente peaje si quiere alcanzar su sueño. O, al menos, si aspira a llegar a las puertas de ese sueño.

«Si para los que queremos comprar un jugador y revenderlo en España la historia termina con el contrato, el traspaso, el dinero y el viaje final —explica Meneses—, para el niño futbolista la historia ahí recién empieza.» Con el primer contrato bajo el brazo, arranca el viaje a un país desconocido de idioma ininteligible, lejos de la familia, amigos, compañeros de club. Messi, Alexis o Neymar son los señuelos: ellos lo han logrado. Empiezan los entrenamientos feroces con otros niños que ansían el mismo sueño. Solo unos pocos lo conseguirán, y esos elegidos regresarán a sus humildes barrios en automóviles de gran cilindrada para repartir regalos entre familia, amigos y vecinos. El resto quedará perdido en limbos intermedios.

«El mercado del mundo y la globalización lo han permitido», se lamentaba Coppola, agente de decenas de futbolistas, en una charla con Meneses. ¿Qué medidas ha tomado la FIFA para frenar la cacería de niños? En 2009, rodeado de lujos, Blatter anunció su obligación moral de defenderlos. Creó el Transfer Matching System para evitar que los niños fueran tratados como reses; pero solamente unos meses después el Real Madrid presentó su nuevo fichaje: un pibe argentino de siete años.

La eterna contradicción, reflexiona Meneses: explotar niños es malo hasta que ganan una copa para nuestro club. Una contradicción que, por el bien de esos niños y la salud del fútbol, deberíamos resolver. «Este libro no pretende ser una caza de brujas, ni demostrar una mafia —afirma Meneses—. Pretende ser una observación de lo que hacemos a diario y en dónde nos sitúa eso.» Leerlo, seguramente, sea el primer paso para empezar a resolver el problema.

La abuela de Ander Izagirre y diez más (2013)

Cuando era niño, Ander Izagirre nunca soñó con convertirse en futbolista profesional. De hecho, era más de ciclismo que de fútbol. Le fascinaban más las gestas en alta montaña que los épicos partidos en campos embarrados. Disfrutaba más de un pelotón afilado por el viento de costado que de una jugada de tiralíneas al primer toque. Hasta que, un día, escuchó en la radio de sus abuelos el mítico gol de Zamora en el último suspiro de una Liga agonizante, y su destino se tiñó de blanquiazul.

«A mí no me gusta el fútbol —escribió en *Mi abuela y diez*

más—, solo me interesa la Real.» Ander Izagirre no es el típico *hooligan* ilustrado. No sabe de tácticas. No atiende a los movimientos de ajedrez que sirven para ganar batallas. Tampoco le interesa el espectáculo montado alrededor del balón, ni soporta que los futbolistas hagan teatro sobre el césped. Le aburre la interminable cháchara que engorda los medios deportivos. Le cansan los discursos presidenciales. Y mejor no hablar de los astronómicos sueldos de jugadores, ni de todos esos chupatintas que pululan alrededor del balón.

A él solo le interesa el club de su ciudad. El estadio donde ha aprendido de qué va la vida. Y los jugadores que, tantas tardes, le han demostrado que no hay partido perdido de antemano. «Once héroes, once chavales que jugaban juntos de críos en el mismo patio, en los mismos campos de tierra y muchos de ellos en la misma playa de La Concha en la que pronto iba a jugar yo.» En la que había disputado sus primeros partidos, muchos años atrás, Elías Querejeta sin quitarse los zapatos, porque odiaba el roce de la arena en los pies. La misma arena donde había hecho sus primeras palomitas el *Gato* Chillida. La misma que Eizaguirre, cuentan, aplanaba antes de los partidos con una pala para evitar los botes falsos de su área.

Con el número trece a la espalda, Ander Izagirre debutó en La Concha con la camiseta naranja del Santo Tomás Lizeoa. Pronto se dio cuenta de que las patadas no eran lo suyo. Se pasaba los partidos tratando de que sus piernecillas de ciclista no se tambaleasen cuando se acercaba el balón. Aunque no durase mucho en el equipo, durante aquellas mareas bajas comenzó a formar parte de algo más especial: la familia *txuri-urdin*. Luego, los Reyes Magos le regalaron la equipación de la Real. Y, unos años después, su abuela le preparó una bandera blanquiazul con un trapo y un palo. El bautismo se completó el día que su tío le llevó por primera vez a Atocha. Ya no hubo marcha atrás posible.

«Pocas personas son tan conscientes de lo caprichoso y frágil que es el curso de la vida como los aficionados al fútbol», escribió Izagirre. Contaba el poeta Gabriel Celaya que, en los entrenamientos de la Real, muchos balones acababan colándose en la fábrica de su padre. El edificio estaba al lado del estadio de Atocha y, como se jugaba al patadón, los balones volaban por encima de la portería y acababan amontonados en la conserjería de la fábrica. Su padre se negaba a devolverlos. Como buen empresario, pedía cinco duros por cada uno. Esa sensación de familiaridad que desprende el relato de Celaya se respira en el libro de Izagirre: la Real Sociedad es más que un simple equipo; es una familia donde todos sus miembros aportan algo a la fiesta del fútbol.

Por sus páginas desfilan, tras su abuela, otros personajes que han forjado la historia de esta sociedad tan real: Comet y la maldición al club por construir el estadio sobre el velódromo; Amadeo Labarta, que inundaba las zonas del campo con maestría para ahogar el fútbol del rival; Karlos Arguiñano pinchando con la punta del paraguas a los linieres que levantaban el banderín más de lo necesario; los cohetes que lanzaba Patxi Alcorta al cielo de Donosti para que los goles *txuri-urdin* retumbasen en todos los rincones de la ciudad. Al fin y al cabo, así son los goles: un estruendo de alegría que se expande y puede poner los pelos de punta a alguien que solo escucha su eco.

Una familia que se reunía en el viejo estadio de Atocha, bajo un tejado que se desprendía como la piel de un leproso, arrapiñados en unas gradas que temblaban con cada gol. Postes de hierro oxidados, olor a fruta y puro. Eso era Atocha para Ander Izagirre. Un estadio que se convertía en olla a presión donde hervía la poción mágica para derrotar a cualquier visitante: «Si los jugadores flojeaban fuera de casa, si perdían por tres goles el partido de ida en una eliminatoria —cuenta Izagirre—, a la vuelta en Atocha estábamos todos nosotros.»

Cuando el 13 de junio de 1993 lo cerraron, se terminó su infancia. Así llega la adolescencia, de golpe, sin avisar de que algunas puertas nunca volverán a abrirse. La pista de atletismo de Anoeta le separó para siempre de sus recuerdos, pero él siguió ahí. Aunque sus amigos dejaron de acudir al estadio, él continuó en sus gradas, pertrechado con pipas para el partido y libros para el descanso.

La magia del fútbol de Izagirre desafía al pensamiento lógico. Durante noventa minutos, el fútbol permite al pequeño presionar al rival más poderoso sin descanso, robarle el balón y contragolpear con todo porque las verdaderas victorias «nos están reservadas a nosotros, y no a ellos, la victoria inconcebible, la euforia del milagro, la posibilidad de lanzar un balonazo que desvíe a los planetas de sus órbitas».

El pensamiento mágico de Martínez de Pisón (2013)

Parecen dos palabras que se repelen: pensamiento y magia. La primera refiere a lo racional, al *pensare* latino; la segunda, al *mageikos* griego, a todo lo que escapa a la razón. Ignacio Martínez de Pisón, sin embargo, las engarza como dos piezas del mismo puzle para hablar de su relación con el fútbol y el Real Zaragoza. En esa nebulosa frontera entre lo racional y lo irracional, el escritor maño encuentra el lugar donde se esconde uno de sus mayores atractivos: «El fútbol abole la lógica que rige en otros ámbitos de la realidad —escribió en *El siglo del pensamiento mágico*—, para instalarnos en el territorio del pensamiento mágico, y en ese territorio no vemos lo que vemos, sino lo que necesitamos ver».

El pensamiento mágico empuja al aficionado a creer en el relato de su equipo, a sentirse parte de su destino. El sino de Pisón quedó ligado al del Zaragoza por dos goles de Felipe Ocampos que no vio. La fe no necesita ojos. Desde aquella tarde, si el Zaragoza descendía a Segunda, él lo acompañaba en su andadura por el infrafútbol. La fe no negocia sus fidelidades. Por suerte, en las cuatro ocasiones que bajó a los infiernos, el Zaragoza y Pisón volvieron a Primera en solo una temporada. Aunque quizá lo que verdaderamente marca la categoría de un equipo no sea la división en la que juega, sino el amor de sus aficionados: «Para mí, el Zaragoza es un equipo de Primera aunque juegue en Segunda», dijo Pisón.

Volver a Primera: el eterno retorno a la máxima categoría, al gol primigenio. La teoría de Mircea Eliade es otra de las ideas que, según Pisón, rigen el fútbol. Todos los clubes aspiran a emular su glorioso pasado, al igual que los jugadores tratan de superar los logros de sus antecesores. Es el destino del héroe moderno: toda acción que realiza solo adquiere sentido en cuanto repite otra llevada a cabo en el comienzo de los tiempos por un antepasado mítico. Así, reflexiona Pisón, los Cinco Magníficos funcionan como mito fundacional del Zaragoza, y todos los éxitos conseguidos desde entonces buscan el reflejo de esa grandeza.

«Yo no sé lo que es ganar una Liga, pero sí sé lo que es salvarse en el último segundo y por los pelos, y puedo asegurar que eso provoca una felicidad desbordada e incomparable, una felicidad cien veces más modesta, pero mil veces más intensa», dice Pisón. Uno de esos momentos lo produjo el gol de Nayim, aquella noche mágica del 10 de mayo de 1995. «Aquello fue milagro», resume Pisón. Esa noche muchos momentos pasaron a formar parte de la memoria colectiva maña; instantes dulces que fraguaron su pensamiento mágico. Sin embargo, no todos han tenido el mismo sabor. Pisón los ha vivido agridulces, y algunos demasiado amargos como el fatídico incendio en el hotel Corona de Aragón, el 12 de julio de 1979, que truncó la carrera del joven Badiola.

El fútbol no es más que una narración que funciona como espejo donde ver reflejada la sociedad. «Si en el Siglo de Oro se hablaba de las armas y las letras, aquí podríamos hablar de los goles y los libros», escribió Pisón. El niño que antes soñaba con cabalgar armado con lanza y yelmo, ahora sueña con marcar un gol en un estadio lleno hasta la bandera. El poeta-soldado que fue Garcilaso en la Edad Media se ha transformado en el poeta-goleador de Pasolini.

Uno de los estandartes maños de esta relación entre literatura y goles es su amigo Miguel Pardeza. Los más de quince mil volúmenes que alicatan las paredes de su casa, junto al centenar de goles que anotó en el Zaragoza, lo atestiguan sobradamente. Aunque la exigente Romareda le reclamase en sus cánticos más goles y menos literatura: «En el espectáculo de masas más popular de la historia de la civilización —dijo Pisón—, Miguel se declara enemigo del populismo.» En el terreno de juego, Pardeza capitaneó un Zaragoza que dio incomparables alegrías y memorables sinsabores; pero que sobre todo «proporcionó una buena dosis de literatura zaragocista».

El Zaragoza de Pisón es eso: la suma de lo imaginado y de lo vivido, de lo mágico y de lo real, de lo bueno y de lo malo, de lo jugado y de lo escrito. Una inolvidable Recopa, cuatro dolorosos descensos. Partidos seguidos por el teletexto, goles celebrados por teléfono. Algunas tardes de alegría en las gradas de La Romareda, y muchas otras de frustración en las de Montjuïc o el Camp Nou. Un himno del que no se sabe la letra. Un chiste de Cedrún que no pierde la gracia. El crujido de las pipas de Félix Romeo. Su eterna sonrisa. Y hasta una taquicardia tras la abultada paliza que les endosó el Barça de Stoichkov.

A pesar de los contratiempos cardiacos, él sigue ahí. El que se enamoró del fútbol en la infancia, ya nunca lo abandona por muchos disgustos que le dé al corazón. A ciertas edades, eso sí, tampoco se trata de hacer locuras. Desde la humillante derrota contra los culés, la relación de Pisón con su equipo se relajó como esos amores de adolescencia cuando pasan los años.

Ahora, acostumbra a hacer coincidir las presentaciones de sus novelas con partidos que el Zaragoza disputa contra rivales asequibles. Nada de locuras. Las taquicardias no son sanas para los amores duraderos. Aunque el realismo mágico del fútbol pueda cambiar la historia en una sola jugada.

La remontada: escritoras con tacones y pelotas (2014)

Eduardo Galeano estaba a favor de la implantación del VAR. Al contrario de los que defendían que el error formaba parte del ser humano y, por tanto, del juego, *errare humanum est*, Galeano sostenía que ser humano y juego debían aprovecharse de las ventajas de las nuevas tecnologías porque en el fútbol, sospechosamente, los que más se oponían a la justicia eran sus dueños. Algo que también sucedía fuera del campo, donde la ceguera de la justicia solía beneficiar a los que menos necesitaban de su beneficio.

La tecnología no acabaría con ella, pero podría paliar la injusticia. El fútbol debía modernizarse. ¿No se había recurrido, en su momento, al reloj para contar el tiempo? ¿No se comunicaban ya los colegiados con pinganillos? Igual que los comentaristas o los telespectadores, el árbitro debía poder consultar la repetición en una pantalla, y así realizar su tarea de la mejor manera. Los parones del partido, con el tiempo, pasarían a formar parte del ritual. Ya era suficientemente injusto el fútbol por naturaleza. Ya hacían demasiado teatro los jugadores.

Galeano también hubiese abogado por implantar el VAR a la hora de tomar ciertas decisiones sociales. Él utilizó la palabra para administrar justicia poética. Sabía que las futbolistas, y las mujeres en general, reclamaban la llegada de este VAR poético para revisar las jugadas más conflictivas del partido que han venido jugando a lo largo de toda esta historia. Pocas veces las había juzgado un árbitro imparcial; pero gracias a la palabra podíamos volver sobre las jugadas polémicas y arbitrarlas con una justicia más poética.

Todavía es habitual encontrar casos de mujeres árbitro que sufren discriminación. Y no solo desde la grada. La alemana Bibiana Steinhaus se convirtió en la primera mujer que arbitró un partido de la Bundesliga en 2017. Había tenido que esperar diez años en Segunda para lograrlo, mucho más que cualquiera de los veintitrés árbitros masculinos. Antes, las mujeres solo habían ejercido de jueces de línea en Francia, Inglaterra, Italia o España. La temporada pasada, en un partido de División de Honor de categoría cadete entre el Hernani y el Eibar, se escucharon en la grada desagradables frases amenazando con cortarle la coleta a la colegiada.

Todavía es habitual que, en algunos países, las mujeres no puedan acudir al estadio. El año pasado, una foto de cinco mujeres disfrazadas de hombres en el estadio Azadí de Teherán se hizo viral en la Red. Las cinco aficionadas del Persépolis se disfrazaron con barbas y bigotes postizos, se camuflaron bajo banderas, bufandas y gorras con los colores de su club, y se colaron en el estadio. Una táctica que ya utilizó, siglos atrás, Calipatira, madre del atleta griego Posidonio, que se disfrazó de maestro para entrar en el estadio. Todavía resuenan las declaraciones de Joseph Blatter diciendo que las futbolistas deberían jugar uniformadas como las jugadoras de voleibol. El machismo del mandatario no se quedó en palabras. La mítica portera Hope Solo denunció que en la gala del Balón de Oro de 2012 le había tocado el culo con total impunidad.

Por suerte, el marcador global refleja, con cada minuto que pasa, la remontada que las mujeres están consiguiendo en el partido contra el machismo que comenzaron a jugar hace ya un siglo. Epifanía Benítez se convirtió en la primera entrenadora que condujo a una selección femenina hasta la final de un Mundial. Y hace apenas unos meses, Toña Is se convirtió en la primera entrenadora que levantó la Copa del Mundo, gracias a la victoria lograda por las futbolistas españolas frente a México en el Mundial sub-17 disputado en Montevideo.

Cada vez es más habitual ver a mujeres al frente de clubes

de Primera División, como Victoria Pavón en el Leganés o Amaia Gorostiza en el Eibar. Cada vez aparecen más nombres femeninos en las antologías de poemas o cuentos futboleros, al igual que más mujeres ocupan puestos de comentaristas, tertulianas o en los periódicos y revistas especializados.

Esta remontada también tiene su reflejo en la literatura. En 2003, se publicó en Argentina *Cuentos de fútbol argentino*. Lo prologó Roberto Fontanarrosa. El escritor argentino se quejó de que en la alineación titular solo figurasen los nombres de tres de mujeres: «Vale consignarlo para evitar sorpresas, queridos aficionados al viril deporte del balompié. Inés Fernández Moreno, Liliana Heker y Luisa Valenzuela han sido aceptadas en el panel siendo, como su nombre lo indica, mujeres».

Siete años después, en 2010, apareció también en Argentina otra colección de cuentos: *Mujeres con pelotas: cuentos inspirados en el fútbol*. En esta ocasión, todos los nombres pertenecían a mujeres. Lo mismo sucedió un año después con la colección *Las dueñas de la pelota. Cuentos de fútbol escritos por mujeres*, antologado por Claudia Piñeiro. En el prólogo, Piñeiro comentaba la larga tradición de literatura futbolística que existía, en su gran mayoría, firmada por hombres: «Si una mujer se atreve a pisar ese territorio, debe soportar la desconfianza, la subestimación y cierta incomodidad por participar de una fiesta a la que no fue invitada», añadió.

Indudablemente, falta un gol: una novela que cuente el partido desde su punto de vista, con sus palabras, con su sentido y sensibilidad. Existen cuentos de escritoras de primera fila sobre fútbol, como los firmados por Ana María Moix, Soledad Puértolas o Almudena Grandes, pero siempre narrados desde el punto de vista masculino. Lo mismo sucede con un puñado de novelas escritas por mujeres. También se han publicado algunas narradas por mujeres, pero firmadas por hombres. Sin embargo, no he dado con ninguna firmada por una escritora que cuente su historia. La de las futbolistas. Su lucha.

Quizá ya esté escrita y yo no he sabido encontrarla. Quizá se esté escribiendo ahora mismo. Por suerte, aún quedan muchos partidos por jugarse. Y ojalá se disputen bajo la atenta supervisión del VAR para quitarle a la estatua de la justicia el pañuelo que cubre sus ojos. Para conseguir la anhelada justicia poética.

El gol más lindo para Montero Glez (2014)

«No hay una manera de jugar, sino tantas como balones», asegura Montero Glez en una de las piezas de *El gol más lindo del mundo*, publicado en 2014. Aplicado a la escritura, vendría a decir que no hay una sola manera de escribir, sino tantas como plumas. La suya es inconfundible: lenguaje callejero, adjetivo castizo, verdades de barra de bar. Con ella dibuja futbolistas que salen de noche, pinta los goles más lindos y clava su punta afilada en el cáncer que corroe el fútbol moderno. Y todo así, sencillo, al primer toque; porque como él dice: «El arte es fácil o no es arte».

Montero Glez afirma que el fútbol y la música van de la mano. También el fútbol y la farra. También el fútbol y las putas: eso ha sido así desde que el balón es redondo. Pero, sobre todo, Montero subraya el tándem que forman fútbol y literatura, pluma y balón: «El fútbol es un juego; la literatura, otro, y, por pelotas, ambos dos están condenados a entenderse», escribió. Más claro, el vodka: «Gracias al milagro del verbo, hay goles que quedan para los restos en la memoria de la afición, aunque la afición ni tan siquiera los haya presenciado», dice.

No solo del recuerdo vive el buen reportero. La pluma de Montero Glez señala lo que está matando la esencia del fútbol... y de todo lo demás: el dinero, el nuevo dios que ha impuesto el capitalismo al mundo del fútbol en particular y a la sociedad, en general. En unos años, hemos pasado de los futbolistas con tripita y pelo en el pecho, a los metrosexuales que anuncian gayumbos; de los mostachos, a las barbas perfectamente perfiladas; de las pelucas de los setenta, a los tatuajes del fútbol moderno. «El tatuaje estuvo fuera de juego hasta el otro día, cuando se convirtió en *fashion* y, de las gradas del patio del trullo saltó a la Primera División», dice.

Como explica Montero Glez: «A falta de goles, lo que se lleva ahora es marcar estilo, calzarse botas de colores, de esas que dejan el césped clavadito de puntos suspensivos, y jugar poco pero lucir mucho». Día sí día también, algún futbolista es portada de una revista rosa. Cuando el buen fútbol escasea, los periodistas necesitan otras historias que contar: que si fulano se ha echado una novia despampanante, que si mengano se ha agenciado un casoplón, que si este otro conduce un flamante deportivo último modelo o veranea en un yate privado en una cala de aguas cristalinas.

En los vestuarios ya no se la miden a ver quién la tiene más larga. Ya no quedan futbolistas peludos que juegan sin espinilleras porque aprender a recibir patadas forma parte de su oficio. Ese fútbol ha pasado a mejor vida. En su opinión, deberían abundar los jugadores como Javi Poves, ex del Sporting, al que solo le hicieron falta diez minutos en Primera División para darse cuenta de que, más que fútbol, aquello era un circo. «*Porca miseria* —se lamenta Montero Glez—, para un deporte donde la habilidad se tiene que demostrar jugando con los pies y no con los bolsillos.»

Habilidad que demostró en incontables ocasiones Mágico González. Aunque nacido en El Salvador, por las venas le corría sangre gitana y «combinaba la velocidad del torero con el típico taconeo de bailador flamenco». De sus botas nació el gol más lindo del mundo, en opinión de Montero Glez. Sucedió en el Mundial de España. Concretamente, el 15 de junio, en el estadio de Elche. En la segunda mitad, la selección de El Salvador saltó al campo con una manita de goles a la espalda. Todavía le caería otra más, pero antes, Mágico González hizo honor a su nombre y se sacó de la chistera una jugada que culminó Pelé Zapata. No fue un gol de una belleza excepcional, pero transcendió las redes de la portería uniendo a un país dividido por una guerra civil. «Fue un único gol que se convirtió en un gol único —escribió Montero Glez—, y aunque no pudo parar la guerra del todo, sí lo hizo por momentos.»

Con *El gol más lindo del mundo,* Montero Glez viene a sumarse a una larga tradición de plumillas que juegan al balón con las palabras. Sin embargo, avisa al lector: «Es hora de dejar el saco y ponerse a separar el grano de la paja editorial que se traen al escaparate con la moda de los títulos futboleros. Hay que advertir que cada vez son más las pajas y menos las chispas que obligan a incendiar nuestro intelecto con el goce de un buen libro, vicio noble donde los haya, aunque deje ciego.» En definitiva, no es orégano todo lo que reluce ni es todo el monte de oro. ¿O era al revés?

El mejor regate de Sergio Rodrigues (2014)

Decía Montero Glez que existían paralelismos entre el estilo narrativo de un escritor y el juego de un futbolista. La manera de saltar al césped podría compararse con la forma de enfrentar la hoja en blanco. El temor a la derrota, con el miedo a borrar lo escrito. Un futbolista, al fin y al cabo, redacta la jugada en el campo como si regatease con palabras. Cada país engendra futbolistas con una marcada manera de jugar: los brasileños y el *jogo* bonito, los grandes defensores italianos, los incansables delanteros africanos, los exquisitos mediocampistas franceses, los excelentes porteros españoles. También las tradiciones literarias de un país marcan el estilo de sus escritores. Dime cómo escribes y te diré cómo juegas.

El escritor brasileño Sergio Rodrigues ejemplificó esta teoría futbolístico-literaria en su novela *El regate*, publicada en 2014: «Había la frase-chanfle, la elipsis cola de vaca, la goliza de locución adverbial, el cerrojo-haiku, el fútbol total posmoderno. Todo al servicio de la demostración ensayística de una tesis sutil, que sería una cosa de genios si no fuera, reconozcamos, completamente estúpida: la del paralelo entre fútbol y prosa de ficción», escribió. En su particular visión del fútbol, Rodrigues comparó a Hammett y Hemingway con dos atacantes de la selección inglesa. A Maradona, lo bautizó como el inventor del realismo mágico. Di Stéfano escribía su fútbol con un monólogo sinuoso, mientras que Puskás y Helenio representaban el expresionismo. A Didí, Falcao y Zidane les reservó el estilismo de Nabokov. Y «eso sin hablar del entretenimiento leve e inteligente de tantos jugadores que fueron olvidados», sentenció.

El regate es una novela de polos opuestos que se atraen o se repelen. Fútbol y literatura son los más importantes, pero también se atraen y se repelen el fútbol y la vida. En la historia de Rodrigues, los noventa minutos del partido simbolizan lo angustioso del paso del tiempo. Así lo siente el experiodista Murilo Filho, el protagonista, que se encuentra en los minutos de descuento del partido de su vida. «El fútbol puede reflejar la vida, pero lo contrario, por razones que ignoramos, no es verdad», afirma Murilo Filho. «Hay entre los dos una asimetría, un descompás, en el cual no me sorprendería que radicara toda la tragedia de la vida.»

Tras este personaje se esconde uno real: el escritor Mário Rodrigues Filho, impulsor del periodismo deportivo en Brasil. Su padre había sido periodista y también lo fue su hermano menor, el famoso dramaturgo Nelson Rodrigues, que bautizó a Pelé como *O'Rei*. Pero fue Mário Filho quien impulsó la crónica deportiva en su país fundando el primer diario deportivo brasileño, *Mundo Esportivo*, en 1931, donde contó el fútbol con una prosa cercana al pueblo para alejarlo de clases poderosas que lo dominaban. Su hermano, por su parte, lo definió como «creador de multitudes». Mário Filho escribió varios libros sobre el Flamengo, Pelé o la historia del fútbol brasileño. Y fue uno de los promotores de la construcción de Maracaná. Cuando falleció, en 1966, se rebautizó el estadio como Jornalista Mário Filho.

Su *alter ego* en *El regate*, después de una vida dedicada al periodismo deportivo, ha aprendido que el fútbol es una planicie infinita que los hinchas atraviesan movidos por la expectativa de vivir el gol que valga el sufrimiento de los noventa minutos. «El fútbol se convirtió en idea pura y, de repente, hombres, pelota, nadie se comportaba como se esperaría que se comportara en este mundo vano», reflexiona Murilo mientras naufraga en la alta mar de la nostalgia futbolística. Lejos han quedado los tiempos en que fue el padre de la crónica deportiva de la *bossa nova*. Lejos ha quedado la samba, el *jogo* bonito de la *canarinha*. La *folha* seca de Didí, las gambetas de Garrincha, la magia de Pelé. Ya no se escuchan las épicas retransmisiones de radio que cincelaban héroes a golpe de adjetivo. Su fútbol agoniza con él. Su mundo se hunde con él.

Su hijo, Neto, un exmúsico punk fracasado, trabaja como corrector de libros de autoayuda. Lleva veintiséis años sin hablarse con su padre. Es incapaz de perdonar, de superar el pasado como promueven los libros que corrige. Tampoco de disfrutar del presente. Vive anclado en la cultura pop de los setenta, en los cuelgues de juventud. Solo vuelve a casa porque su padre le pide que le acompañe en sus últimos momentos. Y los dos polos opuestos chocan y se repelen: el padre, amante incondicional del fútbol, y el hijo, «miembro de esa especie minoritaria y oprimida pero menos rara de lo que se piensa: un brasileño desapasionado por el fútbol».

El tiempo que comparten lo invierten en comer croquetas y pescar —o tratar de pescar— en la represa; pero, sobre todo, hablan de fútbol. Murilo Filho se aferra desesperadamente al balón como tabla de salvación para «hacer el gol de honor en la derrota inevitable por goleada contra el tiempo». Quizás en eso consista la vida: hacer un gol que nos salve de la mediocridad y, al terminar el partido, poder abandonar el estadio derrotados, pero con la cabeza alta y las botas puestas.

Mientras, Murilo Filho ve una y otra vez el vídeo del no gol de Pelé en el Mundial de México de 1970. El último Mundial de *O'Rei*. El tercero que conquistó, el que lo coronó como rey del fútbol con una de sus mejores jugadas que, curiosamente, no terminó en gol. En la semifinal contra Uruguay, Pelé recibió un pase de Tostão que le dejó solo frente a Ladislao Mazurkiewicz. Sin tocar el balón, sentó al portero uruguayo. Cuando solo tenía que empujar el balón para poner el punto final al poema, incomprensiblemente, Pelé lanzó el balón fuera.

Esa es la última lección sobre la vida que Murilo da a su hijo Neto. Su legado futbolístico: «En el fútbol, la diferencia entre la victoria y la derrota siempre ha tenido mucho de fortuito», le dice. Lo mismo sucede en la vida, aunque eso Murilo Filho no se lo dice. Tendrá que aprenderlo solo a lo largo del partido de su vida. Al fin y al cabo, no se ha escrito aún el manual que enseñe a entender las cosas verdaderamente importantes de la vida.

El manual en fuera de juego de Juan Tallón (2014)

En *El fútbol a sol y sombra*, Galeano preguntaba al lector si alguna vez había entrado en un estadio vacío. La pregunta no es baladí: en las entrañas de hormigón de un estadio vacío, en la extraña quietud de su sueño, puede encontrarse —o al menos pensarse— la esencia del fútbol. Es fácil imaginarse a Juan Tallón colándose en un campo de tercera regional. Después de saltar la valla, se sentaría en las gradas. Desde ahí tendría buena perspectiva. Sentiría la respiración del cemento, las palpitaciones del césped en la oscuridad, los bostezos de las porterías. Rebuscaría en el bolsillo. Sacaría una pequeña libreta y un bolígrafo. Y comenzaría a hacer inventario del atrezo que adorna la tragicomedia del fútbol: la portería, el área, el balón. Uno a uno volvería a nombrar cada objeto, a redefinirlos con sus metáforas, a conquistar cada metro de césped con adjetivos. Y anotaría en su cuaderno: «Algunos días la grada es el único refugio del hombre común».

Esa es una de las muchas sentencias que perlan *Manual de fútbol. Un libro en fuera de juego*, que publicó en 2014. Hay un tipo de conocimiento del fútbol que solo tienen los que han clavado los tacos en la tierra, los que han chupado humedad en un vestuario de regional, los que se han rascado los codos intentando detener un gol cantado. De la misma manera, existe un tipo de conocimiento de la vida que solo puede tener un filósofo. La mirada de Tallón mezcla los dos. «Hay dos maneras de ver el deporte, como lo ve la gente y como lo ve Tallón», escribió Manuel Jabois en el prólogo.

Con ocho años, Tallón quería parar como Arconada. Era su ídolo. Le fascinaba verle por la televisión, siempre con las medias de la Real Sociedad incluso cuando se vestía con la zamarra de la selección española. Su padre le hizo del Atlético de Madrid. Y Tallón se lo tomó en serio. En una excursión del colegio, le obligaron a visitar el Santiago Bernabéu. Sus compañeros tuvieron que meterlo en el estadio a empujones. Nada más pisar el césped, Tallón lanzó un escupitajo con saña. Ya tenía claro qué significaba llevar un escudo en el pecho.

También sabía cuál era su sitio en el campo: la portería. Contaba Jabois que Tallón quedaba con su novia en el palo derecho para morrearse mientras el balón andaba lejos de su área. Muchas veces, incluso los delanteros rivales alargaban los ataques porque respetaban aquel amor adolescente que florecía bajo la sombra del larguero. El romanticismo adolescente acabó con el descenso del Atlético a Segunda. En las dos temporadas que deambuló por el infierno, Tallón hizo de los libros peligrosos su nuevo hogar. Y con los años, cambió los guantes por la pluma. Pero nunca olvidó el dorsal que llevó a la espalda: «Cualquier sacrifico te parece poco cuando llevas el número uno en la camiseta», escribió.

Tallón juega con las palabras como si fueran un balón. Sabe que hay palabras y palabras. Las hay, incluso, que cambian su sentido por el rasguño de una tilde. No es el caso de «fútbol». La tilde o su ausencia, dicta la RAE, no la determinan. Tallón deja de acentuarla en algunas páginas, y ahí terminan las coincidencias con la RAE. La academia define «fútbol» como un juego entre dos equipos de once jugadores cuya finalidad es hacer entrar un balón por una portería respetando unas reglas, la más importante: el balón no puede ser tocado con las manos ni con los brazos.

El fútbol de Tallón está muy lejos de lo académico. Por eso lo define como un juego, pero no uno simple: «Si solo tuviera que ver con el juego, seguramente hace tiempo que hubiera desaparecido, o evolucionado hacia la inanidad, como el *gin-tonic* o la democracia de los partidos», dice. El fútbol es un juego tan serio que no solo consiste en marcar más goles que el rival, sino en la manera de lograrlos, porque «la victoria queda en los libros, pero la forma de conseguirlo, en la cabeza de la gente». Muchos factores, sin embargo, condicionan el fútbol moderno. Tantos que es fácil olvidarse del más importante: el balón, que no solo decide el destino de los futbolistas, sino que deja una huella imborrable en la memoria de todo el que lo haya acariciado: «Un balón hace música —escribió Tallón—, y el día que tu madre no esté, ese sonido te recordará las tardes de infancia en las que todavía la besabas a diario».

Cada futbolista lo trata de una manera, pero todos entienden que un solo bote puede convertir la gloria en tragedia. «Es común incurrir en un error de apreciación —reflexiona Tallón—, no advertir que el balón, para que corresponda, merece ser tratado de usted.» Ahí radica la dificultad de este juego que no es solo juego, de este deporte que no es solo deporte, de esta narración que no son solo palabras: «No hay un manual de estilo para tratar al balón», asegura Tallón, como tampoco lo hay para escribir bien o besar con pasión. No hay manual que enseñe a disparar cuando no tienes ángulo ni a pelear por un balón cuando el partido está perdido. No existe manual, en definitiva, para ninguna de las cosas importantes de la vida.

Tallón defiende que el fútbol es una narración porque «la

belleza se escribe». También que cuando se escribe sobre su fútbol, no solo se está hablando de fútbol. Y también que: «El periodismo, cuando es del bueno, del que te hace vibrar con cada elección de los verbos, te redime incluso del mal fútbol».

Dos Sísifos del infrafútbol (2014)

Cuenta el periodista Enrique Ballester en *Infrafútbol* que el término que da título a su libro lo acuñó en realidad el periodista Sergio Cortina en los artículos que publicaba en *Diarios de fútbol*. En los primeros renglones de su texto, Ballester lo define así: «Infrafútbol es el hallazgo de una pasión que te mata lentamente. [...] Es aprender de qué va la vida ahí fuera: de aprovechar con toda la crueldad posible los errores ajenos». En Segunda, residencia habitual de su equipo, el Castellón, el fútbol se transforma en otro deporte que poco o nada tiene que ver con esa liga galáctica con nombre de entidad bancaria. Y ya no digamos más abajo, en Segunda B o en Tercera, submundos por donde también ha pululado Enrique Ballester siguiendo los avatares de su equipo.

Es el otro fútbol, uno que se juega muy lejos del que mercantilizan los medios de comunicación. Un fútbol donde sobran las bicicletas de Cristiano Ronaldo y donde los interminables *dribblings* de Messi se cortan al segundo regate con una guadaña. Un fútbol donde los santos se aparecen en el césped muy de vez en cuando, donde los demonios campan a sus anchas por las gradas. Seguramente en el infrafútbol no se juegue con botas tan caras, pero se echa toda la carne en el asador.

Enrique Ballester sabe que el camino sin baches hubiera sido más cómodo, pero quién quiere transitar por caminos fáciles pudiendo tropezar una y otra vez con la misma piedra. Ya lo avisan los que han estado allí: solo bajando al infierno conocerás realmente tu propio corazón. Los que han mamado el infrafútbol nunca le encontrarán sabor al fútbol edulcorado con el que los medios engordan a sus consumidores. Y merecen su propia literatura: en sus historias todavía se pueden encontrar valores extinguidos hace siglos en los estadios de Primera.

Albert Camus definió a Sísifo como un héroe absurdo que se dejaba dominar por pasiones y tormentos. Sísifo odiaba a los dioses. Y despreciaba tanto a la muerte que encadenó a Tánatos. Durante días, nadie falleció. Su descaro le valió el destierro al inframundo. Y un castigo infrahumano: acarrear eternamente la piedra montaña arriba para que, una vez en la cima, rodase de nuevo hasta abajo.

Algo de Sísifo tiene el aficionado de Segunda que, cada domingo, vuelve a bajar con fe renovada hasta las profundidades del infrafútbol. Se anuda la bufanda ilusionado, observa con optimismo el césped, siente ese cosquilleo cuando el árbitro pita el inicio; pero la mayoría de las tardes los tres pitidos resuenan tristes en sus oídos: otra derrota, una nueva decepción. La roca espera a la salida del estadio. Sin embargo, por muy pesada que sea, este tipo de hincha irremediablemente se preparará para el siguiente partido como si fuera el primero. La misma bufanda, idéntico cosquilleo, ilusión renovada. No hay cima inalcanzable para él. No existe piedra inamovible. Todo es cuestión de fe ahí abajo.

¿Quién puede asegurar que en la victoria se encuentre la verdadera felicidad? ¿Quién puede afirmar que Sísifo, en el mismo instante en que corona la montaña, no sonríe satisfecho por el trabajo bien hecho? ¿Quién sabe si, algunos días, desciende feliz la montaña sabiendo que ha cumplido con su parte y que volverá a hacerlo las veces que sea necesario? En ese momento, decía Albert Camus, Sísifo había engañado a su destino. Durante unos segundos, su fe era más fuerte que la roca más pesada.

Lo mismo le sucede a Sergio Cortina cada temporada con el Real Oviedo, como relató en *Saliendo de la calle Oscura*. Una fe incombustible se apoderó de él la primera vez que pisó el Carlos Tartiere, en 1991. Su padre le llevó a ver un partido contra el Real Madrid, que acabó con victoria de los locales en el descuento. David había vencido a Goliat y aquella fábula le fascinó. Desde entonces, Cortina volvió un domingo tras otro al Tartiere, aunque terminase la mayoría de las temporadas con los bolsillos llenos de derrotas, y apenas unas victorias.

Como Sísifo antes de emprender el camino hacia la cima, Sergio Cortina tiene un ritual los domingos de partido. Los días previos, acostumbra a cantar en la ducha letanías aprendidas en el Tartiere. Horas antes, con la voz perfectamente afinada, se pone la camiseta, una reliquia de la temporada 94. Pulcramente uniformado, coge el autobús. Se apea cuatro paradas antes del estadio: un aficionado que se precie llega a pie a las puertas de su coliseo. De camino, se agencia una bolsa de pipas. Una vez dentro del templo, da el último paso: acercarse a las estatuas de Carlos Tartiere y de Armando, pues un aficionado que se precie muestra respeto a los antepasados. Entonces —solo entonces—, puede sentarse en su butaca, abrir la bolsa de pipas y disfrutar del sufrimiento de una luminosa tarde de infrafútbol.

Los que arden cada domingo en el infrafútbol han aprendido una valiosa lección: no es lo mismo ser que estar. Como escribe Cortina, no tiene nada que ver «estar de aficionado que ser aficionado». Y añade: «Serlo de corazón». Para ser primero hay que estar, y convivir con la muerte acechando en cada córner. Ser aficionado de corazón es paladear un grasiento bocadillo como si de una *delicatessen* se tratase. Es aprender que los santos no están en el césped, sino sentados a tu lado, ondeando tu misma bufanda. Es recorrer sin brújula el mapa del infrafútbol, un territorio donde solo sobreviven los que mantienen la llama del amor toda la vida.

De nada vale ser hincha de uno de los grandes y, después, del equipo de tu ciudad. No hay psicólogos para lidiar con las dudas identitarias ahí abajo. El que sufre una crisis de fe puede darse por muerto.

Una cuestión de fe para Enric González (2015)

La fe no solo mueve montañas, también mares de hinchas. En el fútbol, como en cualquier otra religión, la fe obra remontadas milagrosas. Una grada con fe se enfunda la camiseta número doce y empuja a los futbolistas, sin necesidad de tocarlos, hasta la victoria. Puntualiza Enric González en su libro *Una cuestión de fe* que existen diferentes tipos de fe. No tiene nada que ver la que profesan los hinchas de un club grande que la que alienta a los de uno de segunda fila. Sabe de lo que habla: hay que tener una fe muy enraizada para ser del Espanyol habiendo nacido en la Ciudad Condal.

En Barcelona, Sevilla, Madrid o Valencia saben lo que significa vivir en una ciudad dividida por el fútbol. Han aprendido a convivir con el enemigo. Han comprendido que su zapato tiene una horma idéntica en la acera de enfrente. Saben que necesitan del otro para ser. Sin el rival, no se paladearían con el mismo placer los carajillos del lunes por la mañana. Ni las risas en el descanso de la fábrica. Sin el otro, no tendrían gracia los chistes ni saludar con la mano abierta para celebrar una «manita». Sin derbis, sin esos odios ancestrales, el fútbol sería como una tortilla sin cebolla.

Pero hay derbis que no son tan equilibrados. Los seguidores del Barça, afirma Enric González, «jamás han experimentado el auténtico vacío existencial de quienes sospechan, con bastante fundamento, que su dios se ha largado para siempre». Él conoce ese vacío, pero nunca le ha hecho desistir. Su identidad *espanyolista* se ha construido sobre una fe ciega que no entiende de fronteras, forjada sobre los sólidos pilares de la derrota. «La devoción por unos colores u otros nacen, creo, de una forma natural a partir de hechos cotidianos», dice.

Su padre era periquito; su madre, culé. Su padre le llevó al viejo Sarrià, y ese día selló su destino. Allí se dio cuenta de que eran distintos a los barcelonistas. Nada tenía que ver pasar unas temporadas sin ganar títulos, con arriesgar el pellejo descendiendo al infrafútbol. Él bajó cuatro veces. La peor de todas, la de 1970. «Por edad y porque yo estaba enamorado de aquel equipo», confesó. Consolidó su amor casándose el día del partido de vuelta de semifinales de la UEFA de 1988. Marido y mujer habían planeado disfrutar de la luna de miel en la final. Lo acordaron antes de que se jugase la ida. El Espanyol venció por 3-0. Olía a fiesta, a celebración. El trofeo podría haberse convertido en la guinda perfecta del pastel; pero, en la vuelta, el Bayer Leverkusen dejó a Enric González compuesto, con novia y sin copa.

Ninguna derrota provocó que se arrepintiese de la elección de sus colores. Nunca hubiera dejado a su equipo esperando en el altar: «El amor solo se puede medir por el grado de dolor que es capaz de infligirnos aquello que amamos —afirmó—. Y a mí ninguna institución futbolística puede dolerme tanto como el Espanyol.» Esa historia no podría contarse sin la del viejo Sarrià. Enric González llegó a conocer sus rincones de memoria. «La muerte de Sarrià fue precedida de una larga agonía que comenzó, creo, con la terrible final de Leverkusen», escribió. Sarrià fue demolido el 20 de septiembre de 1997. Y Enric González, casi una década después, solo pudo escribir: «Todavía duele». Eso es el fútbol para él: no una de las bellas artes, como muchos lo han definido, sino un deporte donde cada aficionado vuelca sus pasiones.

La historia de un hincha tampoco podría contarse sin la de su ciudad. Barcelona quedó dividida por el *football* cuando, en 1900, en las aulas de la universidad, Ángel Rodríguez fundó el Reial Club Esportiu Espanyol. Pero por diferentes factores no en dos porciones iguales: «Si el Barça simbolizaba el antifranquismo y el catalanismo, el Espanyol, su vecino y rival, debía simbolizar lo contrario», reflexiona Enric González. Voces como la de Josep Maria de Sagarra perfilaron el simbolismo azulgrana, que Vázquez Montalbán o Sergi Pàmies reescribieron más tarde. La voz del Espanyol, mientras, no se hizo escuchar entre el creciente *sentiment blaugrana* que acaparaba los focos y estampaba su escudo en las postales turísticas. Las camisetas de sus estrellas llenaban los escaparates de las Ramblas. El Camp Nou y la Sagrada Familia se convirtieron en las únicas catedrales de la ciudad. Messi, en el último mesías.

El periquito quedaba olvidado en su jaula. Solo le quedaba resistir con fe en la periferia mientras el vecino se adueñaba de las calles del centro. Resistir aunque se disputen pocas finales y se visiten infinidad de infiernos. Pero a los hinchas del Espanyol les mueve una fe inquebrantable más poderosa que cualquier pasión. Más fuerte que la corriente azulgrana. Más grande que el miedo al destino más incierto. Como dice Enric González: «Un periquito es alguien que opta por pertenecer a la minoría». Alguien que decide encomendarse a la fe.

Mahi Binebine y Las Estrellas de Sidi Moumen (2015)

La fe, sin embargo, puede volverse en contra del fútbol como sucedió aquel fatídico 13 de noviembre de 2015. Aquella noche de viernes, Francia y Alemania empataban a cero en el Stade de France mediada la primera mitad cuando, cerca de las nueve y media, dos explosiones sacudieron el estadio. El pulso del partido se ralentizó. Los futbolistas se miraron unos a otros, pero continuaron al ver que Mateu Lahoz no pitaba nada. En las gradas, las explosiones se confundieron con potentes petardos. Solo el presidente Hollande fue informado de lo que sucedía. Y minutos después, evacuado del palco. El resto de los aficionados celebró el gol de Giroud en la primera parte, y el de Gignac en la segunda. Todavía no sabían que dos terroristas se habían inmolado en las inmediaciones del estadio, en nombre de la fe.

Los futbolistas se enteraron de la tragedia una vez terminado el partido. Los alemanes decidieron que, si la situación afuera no mejoraba, pasarían la noche en los vestuarios. Los galos se solidarizaron con sus visitantes. Siguiendo el protocolo, se reagrupó al público en el césped. Las fotos del campo lleno de gente se viralizaron en segundos a través de las redes sociales. Una hora después, se llevó a cabo la evacuación. Mientras los aficionados abandonaban el Stade de France en un orden y un silencio poco habituales, de repente, alguien entonó *La marsellesa*. Se le unió otra voz y luego otra hasta que el himno resonó en los intestinos de hormigón del estadio. No había colores, razas ni escudos que diferenciasen a alemanes de galos. No existían rivalidades en el partido contra el terror.

Los conocidos como «caballos de Dios» habían planeado sembrar el pánico atacando uno de los pilares de la sociedad occidental: el fútbol. Aquel atentado puso en duda que se pudiese volver a jugar un encuentro amistoso en Europa. Días después, llegó a las librerías la novela *Los caballos de Dios*, del escritor marroquí Mahi Binebine. La narración ahondaba en las raíces del terrorismo a través de la historia de unos niños de Sidi Moumen y de su pasión por el fútbol. Binebine mostraba que los terroristas no siempre habían sido fanáticos adiestrados para inmolarse. Antes de que la maquinaria propagandística les lavase el cerebro, muchos habían sido niños que soñaban, como cualquier occidental, con convertirse en uno de esos héroes que disputaba el partido en el Stade de France.

A los protagonistas de *Los caballos de Dios*, un infranqueable muro social los separa de la próspera medina. Las montañas de basura son su único horizonte. «Hacía la tira de tiempo que Dios había apartado la augusta mirada de Sidi

Moumen», dice el narrador. Juega de portero. Asegura que para igual o mejor que Yashin. La Araña Negra es su ídolo, su referente. «Con mis proezas al parar balones imposibles me ganaba torrentes de aplausos», dice con orgullo. Su hermano mayor, Hamid, juega rudo, igual que vive la vida. Lleva una cadena de bicicleta en el bolsillo y no duda en desenfundarla cuando el partido de la vida se complica.

No hay futuro para ellos sin educación. Nadie les ofrece un trabajo. Palizas, amenazas, robos y trapicheos conforman su día a día. Rebuscando en la basura, a veces sacan algo de valor. Vendiéndolo, a veces consiguen un poco de tabaco amarillo, una china de hachís o unos tiros de pegamento. Cuando fuman, consiguen reírse. Cuando esnifan pegamento, olvidan que su única herencia será un techo de uralita y unas babuchas desastradas.

El fútbol es su droga más sana. Su equipo, Las Estrellas de Sidi Moumen, es el orgullo de la barriada. Los días de partido son sagrados. Ninguno se droga. En el vertedero donde juegan, los compañeros se convierten en la verdadera familia. Con el balón, se dan cuenta de las diferencias que hay en el mundo: «En el fútbol, los defensas tienen menos prestigio que los delanteros. Y, sin embargo, el combate de verdad se riñe en la retaguardia y en el centro del campo». Ellos saben que sus goles no son decisivos. Que el vertedero no tiene *glamour*. Tampoco su equipo. Los turistas que pasean por la medina no se acercan a verlos. La vida se juega en otros campos.

Dar patadas al balón es su único desahogo; pero, a medida que crecen, cada vez juegan menos al fútbol. Las Estrellas de Sidi Moumen dejan el balón olvidado. El narrador se olvida incluso de Yashin; solo tiene ojos para el imán que le promete el paraíso. Lo mismo le sucede a su hermano cuando le ofrece un trabajo, tres comidas al día y cobijo. Han caído en la trampa de la araña. Están enredados en su tela.

Comienzan a estudiar el libro sagrado. Se dejan barba, se alejan de sus familias. En vez de drogarse, recitan los versos del Corán. En vez de jugar al balón, rezan y rezan. Han cambiado de religión. De fe. La semilla de la venganza ha germinado. La promesa de la luz los ciega. «No había más salvación que la yihad —asegura el narrador—. Estaba escrito, y muy claro, en el libro de los libros.» Las Estrellas de Sidi Moumen están listas. Les espera el paraíso con solo tirar de un cordel del cinturón: «La hora del yihad había sonado». Ya no queda rastro de aquel balón que botaba en la infancia ni de los niños que corrían tras él entre la basura. Ya no hay goles que celebrar.

Once goles para toda una vida (2016)

Los goles tienen un significado diferente para cada aficionado. Si alguien supo del tema, fue Di Stéfano. El delantero hispano-argentino confesó que marcar goles era como hacer el amor: todo el mundo sabía cómo hacerlo, pero él lo hacía mejor que nadie. Para Galeano, el gol también tenía mucho que ver con el orgasmo, algo cada vez menos frecuente en el fútbol moderno. Bernardo Canal Feijoo lo describió en un poema como «—¡UN GRITO!— / Y el desmoronamiento lapidario de la multitud». Ángel Cappa afirmaba que los goles te dan de comer y la tranquilidad necesaria para escribir poesía, mientras que Menotti, despoetizándolos, dijo que un gol no era más que un pase a la red. Nadie, sin embargo, lo definió con más claridad y exactitud que Vujadin Boskov: «Gol es gol».

Afirmaba Villoro que hay algunos tan importantes que se repiten durante toda la vida. Montero Glez añadía que gracias al milagro del verbo se hacía posible esa repetición. En su opinión, el más lindo de la historia lo había marcado Pelé Zapata tras una jugada de Mágico González. El Salvador perdió aquel partido por 10-1 contra Hungría, pero aquel tanto de la honra pasó a la historia por ser el primero de los salvadoreños en una cita mundialista. Y por unir a un país dividido por una guerra civil, al menos durante noventa minutos. Kapuściński contó la intrahistoria de otro gol de El Salvador que provocó un conflicto armado con sus vecinos de Honduras. Mientras que Bolaño, por su parte, le quitaba importancia a eso de marcar. «Salvo si uno se llama Pelé o Didí o Garrincha, es algo eminentemente vulgar y muy descortés con el arquero contrario», dijo.

Pasolini dijo que cada gol tenía un carácter «ineludible, es fulguración, estupor, irreversibilidad». Galeano afirmaba que el gol, por muy golito que fuese, se convertía en *gooooooool* en la garganta de los relatores. Si alguien narró la intrahistoria de un gol con todo lujo de detalles fue Hernán Casciari en su cuento «10,6 segundos». Eligió el más plástico de la historia: el que Maradona les hizo a los ingleses en el Mundial de México. La cita de Mario Benedetti que abre *Once goles y la vida mientras*, colección de relatos que Pablo Santiago Chiquero publicó en 2016, se refiere al otro tanto que Diego hizo en ese mismo partido. Aquel gol con la mano es, por el momento, la única certeza de la existencia de Dios, dijo Benedetti. Aunque Chiquero tituló el cuento que abre la colección «Un buen gol no se puede contar», son once los que eligió para vertebrar sus relatos. El recuerdo de esos goles, de una forma u otra, pasa a formar parte de la vida de sus protagonistas. Y del lector.

Así sucede en el primer relato, «Un buen gol no se puede contar». Todo el pueblo habla sobre el golazo de Butragueño que José, el protagonista, no ha visto. Mientras intenta volver a casa para verlo, todos le desvelan algún detalle. Y al final se mosquea porque «nadie tenía derecho a contarle un gol que él quería ver con sus propios ojos». Chiquero pone en duda que el relato de un gol pueda igualar la intensidad del original. Y con una cita de la apasionada narración radiofónica de Víctor Hugo Morales del Gol del Siglo, abre el segundo relato: «El Dios de las Malvinas». Aquel gol de Maradona —y todos los demás— se convirtió en un «momento mágico en el que a los hombres les está permitido saltar, gritar y llorar de felicidad, matar por un instante la conciencia y convertirse en un ser transfigurado que celebra la rara ordenación planetaria del gol».

En «Un cañonero en prisión», el narrador reflexiona sobre la esencia del fútbol: «Es como la pintura o la escritura —se dice a sí mismo—, todo es entrenamiento hasta que se convierte en arte.» Sobre todo cuando se juega con la complicada simpleza de Andrés Iniesta, protagonista del gol en la final del Mundial de Sudáfrica que vertebra «Treinta vacas, un gol, noventa años». Todos recordaremos siempre qué estábamos haciendo cuando Iniesta dejó que el balón botase durante un eterno segundo. Sin embargo, tras el momento inolvidable se produjo «la rara desarmonía con la que discurren historia y vida privada». Así son los goles importantes: lo cambian todo, pero al mismo tiempo no cambian nada.

Ramírez entiende que cada gol es irrepetible cuando intenta imitar el vuelo de Torres y acaba por los suelos. También único fue el duodécimo gol de la selección contra Malta. Aquel partido marcó la vida de muchos aficionados, como la de Diego, el protagonista de «¡Gol de Señor, gol de Señor!» Chiquero escribió: «De alguna manera, un partido inolvidable se parece a un buen libro. Con los años se acaba olvidando casi por completo lo que pasó en él, y los personajes y la trama o el estilo se van emborronando en la memoria hasta casi desaparecer, pero nunca se olvidan las circunstancias en las que se leyó y la dulce felicidad que entregó».

Ese es sin duda «El justo valor de un *gol*», título del siguiente cuento. Porque en el fútbol no todo es cuestión de goles y, muchas veces, «son como el amor y el dinero, mejor olvidarse de ellos». Pero ¿cómo olvidar «Un gol para la eternidad» como el que anotó Zidane en la final de Champions de 2002? ¿Y la chilena de Ibrahimović con Suecia? «Goles como ese se ven una vez cada dos siglos, así que de momento es el único de la historia», afirma el narrador de «El jugador». Por esa razón, como le dice su padre a Dany en «Los ídolos nunca mueren», ese gol que ha marcado tu vida siempre irá contigo y te hará feliz una y otra vez.

El torneo vital de Miguel Pardeza (2016)

El exfutbolista Miguel Pardeza ha celebrado cientos de goles. Pero, seguramente, ha leído muchos más libros. Y ha aprendido que cada libro leído marca. Cada vez que cerraba uno, horas, días o semanas después del lejano inicio, ya no era el mismo. Nunca lo volvería a ser. Los días deambulando perdido entre renglones, las horas naufragando sobre párrafos o los segundos que había vivido prendido de un adjetivo lo habían cambiado para siempre. Cada página pasada nunca volvería, pero se había ido con la promesa de un futuro lleno de historias. Tras el punto final, esa lectura le llevó a otra. Y esta, a otra. Para Pardeza, lo más importante era leer sin prejuicios: solo así el libro le contaría su historia con la franqueza de un amigo.

Con los años, acumuló más de quince mil volúmenes. Y en 2016 añadió su primera novela a su descomunal biblioteca: *Tor-*

neo. En sus páginas, el *Ratoncito* Pardeza demostró que se manejaba tan bien con la pluma como con el balón. «El fútbol ha dejado de ser para muchos esa especie de aberración que ofende los instintos más refinados», aseguró en el prólogo. «Por fortuna, fútbol y literatura no son enemigos tan abiertos como parece que han venido siendo tanto tiempo». En *Torneo*, esos dos mundos enfrentados durante décadas, al fin, afianzan su unión.

Además de esa reconciliación entre poesía y patadas, Pardeza buscaba sobre todo reconciliarse con el niño que fue. No quería escribir simplemente un libro de fútbol. Tampoco ceñirse solo a sus recuerdos. Quería escribir sobre la cara B del sueño de ser futbolista. En «Juego, luego existo», artículo que publicó en *El País* en 1989, afirmaba que un futbolista inactivo se convierte en un comentario al margen, en dato estadístico, en añoranza de algunos hinchas. «El jugador que no juega, no existe», sentenció. Pero, en algunos casos, ni siquiera llega a ser. Son muchos los que no alcanzan el éxito. Y Pardeza ha conocido a algunos. Es la cara B del sueño, la única que merece ser contada; la otra, la oficial, dice Pardeza, puede rastrearse en hemerotecas.

En *Torneo* aparecen los monstruos con los que tuvo que lidiar con solo catorce años. Tras un campeonato organizado por TVE donde fue nombrado mejor jugador, se formó una selección. Él fue nombrado capitán. Días más tarde, un ojeador del Real Madrid apareció en el taller de su padre. Quería ficharlo. A pesar de las reticencias de su padre, Pardeza hizo la maleta: «Hay cordones umbilicales que, una vez rotos, son imposibles de restaurar», escribió. Él rompió el que le unía a su infancia por perseguir un sueño. Aunque tuvo que alejarse de familia y amigos, nunca se sintió completamente solo. Tenía la maleta llena de libros: «La literatura ha sido el mejor compañero de viaje —escribió—. He tenido la suerte de entenderme con ella y obtener recompensas que no he tenido de otras maneras».

La lectura se convirtió en la mejor amiga de un joven que, en la inmensidad de la ciudad, buscaba aplacar su gran miedo de no llegar a profesional. «Por más que sintiera una enorme dicha, algo en mí me decía que acababa de cruzar una línea de sombra», confesó. Pardeza inició una carrera feroz en la que competían muchos y en la que muy pocos cruzaban la meta. En la pensión Ideal, conoció a otros jóvenes que ansiaban su sueño.

Pardeza era un niño solitario, acomplejado por su corta estatura. Y, sobre todo, con una carga de responsabilidad excesiva para su edad. Leer le había hecho madurar antes de tiempo.

«Mientras los sábados intentaba golear al Villaverde, al Carabanchel o al Rayo Vallecano, los domingos bajaba por la calle Atocha, me paraba en las bateas de la cuesta Moyano, compraba un par de libros y me iba a los campos de la Chopera», relató. Poco a poco encontró sus voces. Pasó de los cómics al esoterismo para luego saltar a los ensayos filosóficos, las novelas, la poesía. No salía de fiesta. No se relacionaba con chicas. Tampoco con los compañeros. Individualista y un tanto pedante, tenía miedo a disfrutar de la vida, de arriesgar y equivocarse; pavor de salirse del camino que desde niño se había marcado. Para paliarlo, escribía engorrosos poemas. Emborronaba páginas de su diario. Devoraba un libro tras otro mientras los entrenamientos se endurecían.

«Intuí que el fútbol nunca se acaba con el último silbido y que este seguía jugándose en distintos planos que nada tenían que ver con el real», contó. En un año, pasó al juvenil; al siguiente, al juvenil A. Míchel, Sanchis y Martín Vázquez le esperaban. Un año después, hizo la pretemporada con el Castilla. Tuvo suerte. Y trabajó buscándola. Debutó con el primer equipo en diciembre de 1983. Fueron solo siete minutos contra el Espanyol. Tenía dieciocho años y, al fin, supo a qué sabían los sueños. Y cuál era su verdadero precio.

El infierno del jugador, como demuestra el libro de Pardeza, no necesariamente se encuentra al final de su carrera. Hasta ahora, la mayoría de escritores se han centrado en el momento en que el héroe deja de serlo, se descorda las botas y pone los pies en la dura realidad; pero hay algunos infiernos intermedios que queman con la misma intensidad: «Jugar al fútbol, como escribir o amar, siempre resultaba más sencillo dentro de las fronteras de lo teórico que en los predios de la realidad».

Las jóvenes promesas de Juan Díaz Polo (2016)

La novela de Juanjo Díaz Polo, *Jóvenes promesas*, publicada en 2016, retrocede casi un siglo en el tiempo para narrar la expedición a tierras belgas en la que se embarcó la selección española. Corría el año 1920 cuando la selección disputó por primera vez en su historia una competición internacional. La narradora, Elena Díaz, es la hija del famoso cronista deportivo Rampoleón, vieja gloria de *La tribuna, Madrid sport* o *Vida sana*, que había sido testigo de los Juegos Olímpicos de 1900 en París. Ferviente defensor del olimpismo, Rampoleón fue uno de los soñadores que siguieron a Pierre de Coubertin en su sueño olímpico. El deporte, en aquel entonces, todavía simbolizaba «la gran revolución humana, una religión de hombres civilizados que prometía acabar con las guerras y mejorar la raza».

Elena acompaña a su padre en el viaje a Amberes, el más importante de su vida, porque Rampoleón ya sufre los primeros embates de una enfermedad que le arrebata la herramienta fundamental del cronista: la memoria. Rampoleón sabe que aquellos Juegos Olímpicos son una oportunidad hasta entonces inédita para el fútbol español, pero no puede imaginar que aquel viaje terminará convirtiéndose en una odisea minada de retos.

Díaz Polo recrea al detalle cómo los problemas comenzaron antes de partir. Y cómo, en medio de la vorágine olímpica, la figura de Paco Bru se convirtió en el soporte sobre el que se cimentó el sueño deportivo de todo un país. Había sido designado el primer seleccionador de la historia, un papel que entrañaba una gran responsabilidad. En un principio, se había decidido que compartirían la responsabilidad entre tres: José A. Berraondo, Julián Ruete y Paco Bru. Pero, a las primeras de cambio, Bru se quedó solo al frente, acompañado por sus dos fieles escuderos, Lemmel e Isidro.

Antes de partir hacia Bélgica, encontró infinidad de trabas. A la negativa del gobierno para financiar económicamente el viaje, se sumaron rencillas entre jugadores, como la que enfrentaba a Belauste con Arrate después de un derbi vasco que habían terminado a trompazos. Pero Paco Bru no iba a dejarse intimidar por minucias. Desde su etapa de jugador, tenía maneras de entrenador. Cuando era capitán del F. C. Barcelona, había prohibido a sus compañeros las salidas nocturnas y el alcohol. «El fútbol era (y es) la síntesis de todos los deportes», afirmó en una entrevista para la revista *Estampa* en 1929. «Desde las seis de la mañana ya echábamos al campo a correr a pie, a lanzar peso y disco, hacer ciclismo y pruebas de salto. Así podíamos luego realizar alardes de resistencia, como jugar, por ejemplo, en un mes, quince y más partidos.»

Aquel espíritu convenció al presidente del Comité Olímpico Español, el marqués de Villamejor, para avalar el proyecto con ciento veinticinco mil pesetas. Creía en Bru, a pesar de las críticas que arreciaron cuando hizo pública la lista de convocados: según la opinión pública, había demasiados vascos. «Sin vascos no hay selección española», le espetó a Ruete. En Bélgica se jugaba en hierba y los del norte estaban acostumbrados a bregar, a los pases bombeados y el derroche físico. Había confeccionado un equipo potente, luchador, sólido. No caerían por falta de físico. Entre aquellas jóvenes promesas destacaba el jovencísimo Ricardo Zamora. Sobre todo, a ojos de Elena Díaz. La joven había quedado prendada del portero desde la primera vez que lo vio, durante la final del Campeonato de España entre el Barça y el Athletic en El Molinón.

Elena Díaz no podía evitar mirarlo, en el tren, camino de Bélgica, aquel 7 de agosto en que «Amberes dejaba de ser un sueño lejano y empezaba a tomar aspecto de emocionante realidad». Pero el romanticismo se acabó nada más llegar a Bélgica, y comenzaron a sucederse los problemas internos. Los jugadores organizaron un motín contra el COE. Habían recorrido media Europa en tercera clase. Les habían instalado en un orfanato y debían dormir en camas de niños. Solo disponían de dos duchas para veinte. Ni siquiera tenían un campo de entrenamiento cerca. A todo esto había que sumarle la vergüenza en la ceremonia inaugural. Ante todo el mundo, tendrían que desfilar vestidos con sus camisetas rojas —el león de Brabante dorado bordado en el pecho— a falta de *chandails*.

Las dificultades, sin embargo, limaron las asperezas entre catalanes, vascos y gallegos, esa «salmódica nacional de siempre, el duelo de paisanos a garrotazos de Goya». El equipo se unió. En gran parte, en las fiestas que organizaban el Zjderoute, cabaret regentado por Carmencita de España. Unos tragos, unas risas y unos bailables siempre alivian tensiones dentro de un equipo.

Paco Bru sufrió en la banda haciendo de *linesman* mientras sus futbolistas se enfrentaban a Dinamarca en el debut oficial de la selección. Al tiempo que arbitraba, no paraba de gritarles: «¡Rigorismo, señores, rigorismo!». Y Belauste resumió su filosofía en una sola frase: «A mí el pelotón, que los arrollo». Había nacido la temida furia española. El primer capítulo importante de esta historia había empezado a escribirse allí, en Amberes, en 1920, con una medalla de plata.

Ante el objetivo de la cámara de Passavolant, «se inmortalizaban los héroes y heroínas modernos, como en la antigua Grecia se les perpetuaba en mármol». Con su medalla de plata, aquel grupo de futbolistas colocó la primera piedra de un panteón de héroes que han ido embelleciendo cientos de futbolistas con cabriolas, goles y paredes hasta que, un siglo después, Andrés Iniesta escribió su nombre en letras doradas con un gol memorable, pero sobre todo con un gesto que trascendió ese gol.

Tres poemas para despedir a tres poetas del fútbol (2016)

Si Pasolini hubiera visto a Andrés Iniesta trenzando versos con el balón, se hubiera atragantado con sus palabras. Su famosa frase de que el mejor poeta del año es el máximo goleador pierde su significado cuando la pelota llega a las botas del manchego. El último minuto de un partido parece eternizarse. El balón se amansa. Hasta los rivales dudan si entrarle o solo rodearle. En el fondo, poco importa. Iniesta ya ha visto cómo terminará la jugada siglos antes de que ninguno pueda ni tan siquiera imaginar el hueco por dónde colará el pase de gol.

Es un poeta del balón. Dicen que, de pequeño, se puso el disfraz de Oliver Atom, agarró la pelota y ya nunca más la soltó. Sin embargo, su historia y su manera de jugar se parecen más a la de Tom Baker. Para los dos, un pase al primer toque es infinitamente más bello que un gol. Son la eterna pared, un escudero fiel, el «yo» que entiende la importancia del «nosotros». Y ambos tuvieron que arrancarse las raíces muy pronto, y lo hicieron con humildad.

En el campo, Iniesta regala la gloria del gol a los demás: ellos son gracias a él. En la vida, lo contrario: sin ellos, él no es. En *La jugada de mi vida,* sus memorias publicadas en 2016, dejó que los demás contasen su vida por él. Aunque, en realidad, el fútbol ya le había puesto en su lugar: un altar. No buscaba el gol, pero marcó el más importante de la historia del fútbol español. Y corrió hacia el córner, se quitó la camiseta azul y abrió los brazos para que el mundo leyese: «DANI JARQUE, SIEMPRE CON NOSOTROS». Ese gesto resumió cómo es. Ese gesto transcendió el gol.

Después vinieron más. Y los seguirá marcando lejos del Camp Nou. Aunque poco importa: como afirmó el poeta Benjamín Prado en «Iniesta y diez más», su obra ya es eterna: «Iniesta es Cervantes y en España lo es más: / el Quijote y su gol contra Holanda en Sudáfrica / son las mejores obras que ha dado este país». Antes de irse a Japón con Oliver y Benji, Iniesta marcó otro gol. En Fuentealbilla inauguró la Cruyff Court, un *campus* para promover el deporte entre los más jóvenes. Y así recordó al genial holandés, fallecido dos años antes: «Era una persona que transmitía muchísimo. Fue un adelantado a su tiempo», dijo.

Cruyff siempre defendió que la experiencia era uno de los factores que diferenciaban a los hombres. Jugando al fútbol había aprendido que una victoria podía encerrar un fracaso, y tropezar dos veces con la misma piedra, en ocasiones, un triunfo. «Todo lo que sé lo he aprendido por experiencia, y todo lo que he hecho lo he hecho mirando al futuro», escribió en sus memorias, *14. La autobiografía*, publicadas también en 2016. Alumno de la escuela de la experiencia, vivió una carrera deportiva total: futbolista de máximo nivel, excelente entrenador y directivo sin pelos en la lengua. Y, sobre todo, un hombre que supo aplicar su experiencia allá donde fue.

Con cinco años, ya ayudaba al utillero del Ajax, el tío Henk, que le enseñó los secretos de un estadio vacío. Aprendió a limpiar el barro de las botas, a recoger los balones, a cuidar de todos los detalles. «Si eres tú quien limpia tus propias botas, sabes qué tacos llevas debajo», afirmó. El estadio del Ajax se convirtió en su segundo hogar. En la calle, el bordillo fue su mejor aliado: siempre le devolvía la pared al pie. Con ocho años, saltó al césped del De Meer Stadion por primera vez. No fue para marcar un gol, sino para rastrillar el área pequeña. Con solo diez años, pasó a formar parte de las categorías inferiores del club. Pronto aprendió una lección que marcó su destino y el del fútbol moderno: no le gustaban los entrenamientos sin balón. Y pronto llegó el debut con el primer equipo. «Fui el segundo jugador que firmó a tiempo completo con el Ajax», recordó. Tras estampar la firma en el contrato, lo primero que hizo fue despedir a su madre: ya nunca más tendría que limpiar el sudor de las camisetas del Ajax.

Cruyff ascendió al olimpo futbolístico gracias a una mezcla perfecta de talento, disciplina y técnica. Y el ingrediente esencial: jugar disfrutando. «El fútbol es un proceso que consiste en cometer errores, analizarlos para aprender la lección y no frustrarse», dijo. Fuera del campo, fue de los primeros en acudir a las oficinas del club con un intermediario. Plantó cara a las poderosas marcas deportivas. Los jóvenes imitaban su peinado. Los niños copiaban sus regates en la calle. Las niñas suspiraban por sus huesos. Los *provos* le cantaban en las gradas. Y los intelectuales, con poemas: «Vicent vio el maíz, / y Einstein los números, / y Zeppelín el zepelín, / y Johan vio el balón».

Cruyff se convirtió en el director de orquesta más famoso de todo el continente. Un ídolo en su país y en el mundo. Su partitura se titulaba *Fútbol total*, y todos los clubes trataron de plagiar aquel canto a la alegría de jugar con un balón. Solo los alemanes del bigote y la palabrota consiguieron desengrasar a la naranja más mecánica de la historia. Aquella derrota, sin embargo, no silenció su música. Dijo un poeta que podrán arrancar todas las flores, pero no parar la primavera. Y otro, que hay maneras y maneras de vencer. Que venceréis, pero no convenceréis. El ejército alemán se llevó aquel trofeo, pero para el mundo entero había vencido el fútbol de la imaginación al del orden. El de la magia al del músculo. La música coral de la orquesta de Cruyff al ritmo marcial del ejército del káiser Beckenbauer.

Tras aquella final, al profeta le esperaba su destino: tuvo que abandonar su tierra. Y Luis Carandell resumió su viaje en su «Romance del fichaje de Cruyff»: «Es secreto de sumario / cuánto ha podido pagar. / De ciento veinte millones / la cosa no bajará, / cincuenta para el muchacho / y para el club los demás».

Cruyff no pudo ganar un Mundial. Maradona sí. «Les habla Diego Armando Maradona, el hombre que hizo dos goles a Inglaterra y uno de los pocos argentinos que saben lo que pesa la Copa del Mundo»: de este modo arrancaba el libro *México' 86. Así ganamos la Copa*, donde rememoró su coronación como dios del balón. Desde su mansión de Abu Dabi, analizó lo que pudo ser y no fue, y lo que fue y nunca pudo ser otra cosa. «¿Sabés qué jugador habría sido yo si no hubiera tomado drogas?», se preguntó. Pero el futbolista solo tiene una oportunidad para redactar la jugada. Y él las tomó. Sabía cuánto pesaba la copa más preciada, y vivir con aquel peso se convirtió en una carga demasiado pesada incluso para un dios.

El capítulo más glorioso lo había escrito en aquel partido contra Inglaterra. Nunca los cronistas han derrochado tanta tinta. Nunca los poetas han dedicado tantos adjetivos ni los novelistas tantos párrafos. Afirmaba Juan Villoro que los goles decisivos vuelven a suceder. El de Maradona contra Inglaterra ha sido el que más veces ha vuelto a repetirse. Aquel gol no significó simplemente el tanto que daba el pase a las semifinales. No solamente fue uno de bellísima factura. Fue, ante todo, el que cientos de jóvenes argentinos no habían podido celebrar por una absurda guerra. Maradona se lo recordó a sus compañeros mientras se ajustaba la cinta de capitán, en el largo pasillo abierto que los conducía al césped: «Aquí hay que dejar la vida por los que la dejaron allá, ya saben dónde, somos once contra once y les vamos a pasar por arriba».

Maradona dijo que sí a las cosas que debió decir no, y dijo no a muchas otras que todos decían sí. Escribió Albert Camus que el hombre rebelde era el que poseía el valor de decir no. Y Maradona nunca se mordió la lengua, para bien y para mal. Criticó a la FIFA por obligarles a jugar bajo el ardiente sol de mediodía, por la ausencia del tan alabado *fair play* o por los arbitrajes sospechosos: «En México —dijo— empecé a ser un tipo incómodo para la FIFA». Allí nació la leyenda. Y empezó el tortuoso camino hacia su crucifixión: el dios había nacido hombre y así debería morir, como explicó Mario Benedetti en el poema «Hoy es tu tiempo real»: «Tu edad de otras edades se alimenta. / No importa lo que digan los espejos. / Tus ojos todavía no están viejos».

Fútbol, el rey de la favela (2016)

Los niños de las favelas sueñan con marcar un gol para escapar de sus claustrofóbicas callejas. Detrás de ese gol se esconde una promesa de dinero, fama, chicas despampanantes, relucientes coches, los mejores hoteles y restaurantes. Los niños de la favela persiguen ese sueño descalzos. Ríen desdentados, gambetean, chutan, celebran. Solo dejan de jugar cuando escuchan las botas militares pisando los charcos de agua putrefacta. Los militares pasean por las favelas con sus metralletas por delante. Sobre sus cascos, miles de cables cruzan de una fachada a otra o se enredan como telarañas en las farolas. Al acallarse las risas de los niños, se percibe el murmullo de una excavadora a lo lejos. En 2015, barrios enteros de favelas fueron borrados del mapa de Río de Janeiro. Se construían estadios, carreteras o sedes para los Juegos Olímpicos del año siguiente. Aquel lejano sueño del barón Pierre de Coubertin sigue vivo, pero convertido en algo muy diferente: un negocio rentabilísimo para sus organizadores, y no tanto para el país que los alberga.

En alguna de estas favelas borradas de mapa, quizás hubiera emergido una nueva estrella del fútbol que, años después, debutaría en uno de los modernos estadios recién construidos. Un Romário, un Ronaldinho, un Ronaldo. O un Bebeto. Este último vivió en la favela Os Alagados, en Salvador de Bahía, una de las trece sedes olímpicas. También es la favela donde haraganea el narrador de la novela *Ascenso y caída de Humberto Da Silva*, que José Luis Muñoz publicó en 2016. Lo más complicado, reveló en una entrevista, fue dar voz al narrador, un joven que malvive a espaldas de la resplandeciente y turística Salvador de Bahía. Quería que sonase como un birimbao, instrumento que espanta la melancolía por las noches en las favelas. El escritor salmantino también contó que había visto al *alter ego* de su protagonista jugando en una playa con otros muchachos mientras subía la marea, y se quedó hipnotizado viendo cómo trenzaban las jugadas en la arena.

Aquellos chicos no tenían nada, pero llevaban el fútbol en su ADN. Soñaban con recorrer el camino que lleva de la miseria a la gloria. De los pies descalzos a las mejores botas. De los campos de tierra a los de estadios de césped. De la chabola al hotel de lujo. Y solo el fútbol, el rey de las favelas, puede llevarles a ese destino. Humberto es uno de ellos. Su padre es un borracho que viola a su hermana y maltrata a su madre. Para no estar en casa, Humberto prefiere quemar los días en la playa jugando al fútbol hasta que el mar se traga el campo. «Yo había nacido con el balón entre las piernas —dice—, desde chico, jugaba con los muchachos mayores, entre los que me escurría gracias a mi delgadez innata y mi baja estatura».

Precisamente en la playa, lo ven dos ojeadores del Vitória de Bahía y lo fichan para el juvenil. Allí conoce al Bebito, un utillero negro y cojo que se jacta de ser el maestro de Bebeto. Humberto tiene un único objetivo desde el primer entrenamiento: ser una estrella. Y solo dos años después, ya lo ha conseguido: «Estaba en las bocas de esas miles de personas que no me conocían y me adoraban. Yo era su dios, el salvador, el Salvador de Bahía», dice. El club le saca de la favela. Lo instala en una lujosa habitación de hotel. Le pone al volante de un fastuoso Mercedes. Le coloca un Rolex deslumbrante en la muñeca. Las jovencitas le suplican un hijo suyo. Fiestas, orgías, dinero, drogas, *glamour*. Humberto ha tocado el cielo a pesar de haber nacido en el infierno.

Incluso Pelé acude a su boda. El día más feliz de su vida, sin embargo, comienza su más amarga caída. En la lista de invitados, también está el escritor Jorge Amado. Humberto no ha leído un solo libro en su vida pero conoce de oídas las novelas de Amado sobre niños que malviven en favelas como la que él logró abandonar. Para Amado, Humberto es un ídolo. En el banquete, le regala un cuento protagonizado por un futbolista que es «como el dios del fútbol, joven, bello y afortunado, un negro peleón rubio y de ojos azules que sintetizaba lo que era esta querida ciudad, amada por todos: el sincretismo de razas y religiones».

El cuento, no obstante, tiene su oscura moraleja: la fama esconde peligros tras el brillo irreal de la gloria. Como les ha venido sucediendo a todos los futbolistas literarios durante casi un siglo, a Humberto le espera el mismo final: la irremediable transformación del héroe en hombre corriente. Pero él no vive esa caída como sus antecesores. No se retira al final de una larga carrera como Jaime Montalbán o Granell. No se lesiona como Chiripi o Souto Menaya. No hace crac como Arturito antes de convertirse en un verdadero crac. Humberto se precipita en el abismo del siglo XXI: su propia fama lo aplasta, su desmedido ego termina engullendo al futbolista y al hombre.

Otro importante artista brasileño al que se hace referencia en la novela es Vinícius de Moraes, poeta que compuso *El ángel de las piernas torcidas* para alabar a uno de sus ídolos, Manuel Francisco dos Santos, *Garrincha*: «A un pase de Didí, Garrincha avanza / con el cuero a los pies, el ojo atento, / dribla una vez, y dos, luego descansa / cual si midiera el riesgo del momento». Garrincha, como Humberto, tocó el cielo del futbolista. Humberto, como Garrincha, tocó fondo sin nada a lo que agarrarse, a excepción de una botella vacía.

También nos roban el fútbol (2016)

A lo largo de esta historia, muchos han afirmado que el opio del fútbol narcotiza la capacidad crítica del ciudadano. Pero no siempre ha ocurrido así. El 22 de marzo de 1979, Holanda y Argentina jugaban un amistoso en el Wankdorf de Berna, conmemorando el septuagésimo quinto aniversario de la FIFA. De repente, una pancarta apareció detrás de la portería defendida por Doesburg. Cada vez que las cámaras enfocaban aquella grada, asomaba sobre el público un escueto mensaje: VIDELA ASESINO. Ante la imposibilidad de interrumpir la transmisión en directo, el operador argentino encargado de la realización superpuso un cartel publicitario que anunciaba: HOY 22 H. LES LUTHIERS. El cartel, en muchos planos, no consiguió esconder el mensaje político. Entre los responsables de aquel escrache, se encontraba el exfutbolista Ángel Cappa. Había acudido al estadio para ver en directo al joven Maradona, pero no dudó en sumarse a la acción reivindicativa de sus colegas exiliados.

Cuarenta años después, Cappa mantiene intactas esas convicciones, que han germinado en su hija, María, periodista de oficio. Entre los dos publicaron en 2017 *También nos roban el fútbol*: «El hecho de que haya sido un libro escrito con mi hija puede inducir a la equivocación de que yo la incorporé para que me ayude, y es exactamente al contrario, el grueso del libro lo ha escrito ella», aclaró Ángel. Entre padre e hija analizaron los poderes económicos y políticos que han comprado el fútbol. Denunciaron los sueldos desproporcionados de los mandatarios de la FIFA, los millonarios contratos televisivos, los abultados porcentajes de los representantes, las cifras que ganan las marcas comerciales o los desorbitados sueldos de los jugadores. Cantidades mareantes que hacen incomprensible el sangrado económico que sufre el aficionado.

En el capitalismo voraz, el fútbol se ha convertido en el pastel más apetecible. Que el mismísimo Donald Trump, en 2015, intentase comprar el Atlético Nacional habla por sí solo. Trump ofreció cien millones de dólares, pero el club pidió cincuenta más. «Esta gente se piensa que somos estúpidos», dijo al retirarse de la puja. No fue el único que olió el pastel. Los rusos ya se habían lanzado a comprar clubes ingleses, mientras los asiáticos se decantaron por el mercado español. Todos quieren su porción: los políticos, para tapar malas gestiones; las televisiones, para aumentar audiencias; los representantes, para sacar más tajada del tráfico con niños; las marcas, para engordar su lista de clientes. En este opulento banquete, el único que se queda con hambre es el aficionado.

Este tipo de historias no suelen leerse en los periódicos porque el periodismo deportivo no se quita la bufanda. En su lugar, sale infinitamente más rentable hablar del nuevo coche de CR7 o del *look* de Neymar. Se engorda al aficionado con un fútbol edulcorado que lo fanatiza. Esa es la tragedia del hincha: ha perdido su condición como tal para convertirse en cliente.

En opinión de los Cappa, junto con la prensa, la televisión ha sido fundamental para esta conversión. La LFP obliga a los clubs, bajo sanción, a posicionar aficionados en las zonas más enfocadas por las cámaras y así evitar que se vean las gradas vacías. Al mismo tiempo, las marcas se cuelan, con la sutileza del anuncio, en los salones de las casas. Galeano se lamentaba de la venta «en cuerpo, alma y ropa» del fútbol a las pantallas chinas. Y lo resumía así: «Es más importante la publicidad en el pecho que el número en la espalda». Han comprado el fútbol y lo han transformado en un deporte con un dos por ciento de ganadores y un noventa y ocho por ciento de perdedores. Ganadores que, a pesar de que sus sueldos se multiplican año tras año, defraudan fuera del campo.

A lo largo de toda esta historia, el fútbol ha sido un fiel reflejo de la sociedad. También ahora. Económicamente, el fútbol femenino continúa a años luz del masculino. Los niños futbolistas son explotados como en novelas de Dickens. Se trafica con apuestas ilegales. En la cumbre de la pirámide, los mandatarios de la FIFA reciben acusaciones por corrupción, mientras los platos rotos los pagan los aficionados.

«Soy un vendedor de un producto llamado fútbol», dijo el expresidente John Havelange. Pero el fútbol no es un producto. Sostienen los Cappa que el fútbol nació sin padre ni madre, y que sus hijos se han ido multiplicando por los suburbios de todas las ciudades. Hijos que encuentran en el balón una forma de orgullo, diversión, desahogo y expresión. También quieren robar esos sentimientos al aficionado. El deporte de las masas, ahora, pertenece a una élite. En poco más de cien años, se ha entregado su alma a unos tipos sin escrúpulos que poco tienen que ver con los once caballeros que brindaron en la Freemason's Tavern.

Para recuperarlo, los Cappa proponen que los jugadores rescaten la alegría del *homo ludens* y se olviden de las presiones a que es sometido el *homo economicus*. Que aprendan a dejar a un lado los resultados y disfrutar de la manera en que se logran. Deben aparecer más futbolistas que, como Sócrates, entiendan que son artistas, «y los artistas son los únicos trabajadores que tienen más poder que sus jefes». Y no hay dinero que pueda pagar el disfrute de ejercer ese poder: el de jugar.

Los irreductibles piratas del fútbol (2017)

El fútbol del siglo XXI necesita más equipos como el Sankt Pauli, el más parecido a los Missionaries of Empire, un grupo de futbolistas *amateurs* que, hace un siglo, decidió mantener su condición como tal mientras el resto se dejaba seducir por las mieles del profesionalismo. El Corinthians jugaba a la contra: todos los beneficios que obtenían de los partidos de *football* y rugby los invertían en fines sociales. Jugaban por el simple gusto de competir y disfrutar. Y demostraron hacerlo con más calidad que los supuestos profesionales cuando, en 1894, la selección inglesa se enfrentó a la de Gales, y todos los futbolistas ingleses pertenecían al Corinthians. El arte por el arte, el fútbol por el fútbol. Romanticismo a patadas, sí. Pero también convicción, valores, respeto. Una filosofía de juego y de vida.

Más de un siglo después, cuando otro movimiento más agresivo que el profesionalismo transforma el fútbol mundial a golpe de talonario, otro equipo ha decidido plantar cara. El Sankt Pauli no es un grande con un laureado historial, sino un pequeño rebelde que, en vez de la honda de David, enarbola una bandera pirata contra el Goliat financiero. Los piratas del fútbol surcan el río Elba, y es habitual verlos naufragar en el infrafútbol alemán. Los días de partido, sus bucaneros incendian el estadio con cánticos reivindicativos contra el político de turno o contra el patrón de su propio barco cuando toma el rumbo equivocado.

En Millerntor, retruenan acordes de AC/DC. Se ha prohibido la agresiva publicidad que reina en la mayoría de los estadios. Y también, como contaron en 2017 Carles Viñas y Natxo Parra en el libro *St. Pauli. Otro fútbol es posible,* «se convirtió el primer equipo alemán en prohibir oficialmente los cánticos racistas y las banderas neonazis en su estadio». Excepto fascistas y racistas, todo el mundo es bienvenido en Millerntor: punkis, okupas, anarcos, aficionados venidos desde todos los confines del mapa, hinchas de cualquier raza o religión. Y mujeres, sobre todo mujeres. El Sankt Pauli es «el equipo europeo que cuenta con mayor presencia femenina en su estadio». Este mestizaje hace que un partido de los *sanktpaulianers* no sea simplemente fútbol. Por eso se han convertido, para más de veinte millones de aficionados de todo el mundo, en el buque insignia con el que amotinarse contra el odioso negocio en que pretenden convertir el fútbol de todos.

Sus futbolistas tienen alma de piratas, pero no ansían el

cofre del tesoro como simples mercenarios: el club ha vetado los nombres en las camisetas y los sueldos astronómicos. Tampoco anhelan llenar las vitrinas con relucientes trofeos. El verdadero premio es lograr una «simbiosis, comunión, unidad de acción en todos los ámbitos y en todos los frentes, el deportivo y el social». Futbolistas, cuerpo técnico, directivos y aficionados reman en una misma dirección. No se dejan embaucar por cantos de sirena. A través de Fanclubs, se invierte parte de los ingresos en programas para mejorar la convivencia y la educación en el barrio o en rescatar a minorías desfavorecidas.

Unión y cooperación, lo colectivo frente al individualismo feroz del siglo XXI. «No se puede entender el equipo sin el barrio, de la misma manera que no se puede entender el barrio sin equipo», escriben Viñas y Parra. Como dicen, atrae «por lo que representa, por su lejanía respecto al resto de los clubes profesionalizados, por los mensajes claros y nítidos que ofrece ante cualquier problema social».

El club ha heredado el corazón rojo, combativo e idealista del barrio. Y los piratas no parecen dispuestos a rendirse mientras el barco siga a flote: «Es un posicionamiento político y una apuesta por un modelo diferente del deporte, por la concepción de los clubes como algo más que la organización profesionalizada de una actividad deportiva». A lo largo de su historia han demostrado en muchas ocasiones esa singularidad. Paro, precariedad y miseria han azotado al barrio; pero, al mismo tiempo, han transformado el fútbol en una forma de afrontar la vida desde lo colectivo.

En los años ochenta, ante la avalancha de *hooliganismo*, el club se transformó definitivamente: «El club de fútbol de barrio hasta entonces despolitizado acabó convirtiéndose en un referente del fútbol rebelde internacionalmente», explican Viñas y Parra. Desde entonces, su fama no ha parado de crecer. La televisión se encargó de llevar la calavera a todos los rincones del mundo. Pero es precisamente esta comercialización la que ha provocado que la calavera pueda convertirse en otro símbolo fagocitado por las modas capitalistas. «Es esta la disyuntiva a la que se enfrenta el club —escriben Viñas y Parra—. La lucha entre los que creen en la profesionalización para alcanzar el ascenso a la Bundesliga sin perder el carácter rebelde, y aquellos que perciben esta inversión como un paso más hacia la mayor comercialización».

¿Es posible otro fútbol en este siglo? ¿Se puede navegar eternamente contracorriente? ¿Se puede cambiar pero seguir siendo fiel a uno mismo? La centenaria historia del Sankt Pauli demuestra que no ha habido marea ni viento que haya cambiado el rumbo de estos irreductibles piratas del fútbol. Al fin y al cabo, aunque ha transcurrido más de un siglo desde que comenzó esta historia, el tesoro más valioso sigue siendo el mismo: no olvidar el placer de jugar.

Entre los hooligans con Philipp Winkler (2017)

No solo el dinero ha corroído la esencia del fútbol a lo largo de esta historia. Desde los años setenta, la pandemia del *hooliganismo* ha venido amenazando la salud del deporte rey. Bill Buford, Nick Hornby, Laurent Mauvignier y muchos otros escritores se han acercado a esta enfermedad, cuyos síntomas no han logrado paliar ni decretos ni leyes. Aunque parecían haber remitido en su virulencia durante las últimas décadas, la crisis económica ha provocado un agudo y violento rebrote acentuado por las facilidades que ofrecen las redes sociales para organizarse de manera clandestina y rápida. Los *hooligans* han vuelto con más fuerza, pero ya no la utilizan de la misma manera.

En 1919, el poeta ruso Serguéi Yesenin escribió el poema «Confesiones de un hooligan». La última estrofa decía así: «Pero no te asustes, mi enfermizo viento, / repleto de hojas, soplando calmadamente entre los prados. / La firma del poeta no podrá destruirme. / Estoy en los versos, como tú, un *hooligan*». Casi un siglo después, en 2017, el joven escritor alemán Philipp Winkler publicó la novela *Hooligan*. La historia de Winkler, sin embargo, poco tenía de poética. Mas bien, actualizaba aquel vandalismo que, tres décadas antes, había fascinado al periodista norteamericano Bill Buford.

En *Hooligan* se ve nítidamente cómo ha evolucionado aquel rancio *hooliganismo* de jarras de cerveza, tatuajes y cargas contra la policía que copó los informativos durante los ochenta y los noventa. En el siglo XXI, para los *hooligans* el fútbol es algo secundario. Los personajes de Winkler ya no se dedican a destrozar vagones de tren o el mobiliario urbano. Tampoco atemorizan a todo el que pasa por su lado como una manada de lobos. Ahora se benefician de las nuevas tecnologías para organizar peleas clandestinas en lugares retirados, lejos del estadio y del público. Peleas brutales, pero, de alguna manera, más limpias. Con reglas. El renovado *hooliganismo* se ha profesionalizado.

El protagonista, Heiko, es un joven de veintiún años que vive en Hannover. Su padre se dio a la bebida cuando su madre los abandonó. Su hermana mayor, casada y con hijos, trata de mantener a flote lo poco que queda de la familia. Heiko dejó su casa siendo un crío. Su fuente de ingresos es el trabajo que desempeña en el gimnasio de su tío Axel. Allí entrenan los miembros de su verdadera familia: los Hanoi. Todos son seguidores del Hannover 96. Se reúnen cada día en el Timpen, su santuario: «Aquí me siento parte de una historia. Ya sea de la de nuestra "empresa" o de la del club. O hasta de la ciudad. Simplemente, uno se siente bien aquí sentado, en medio de todos estos locos, levantando una copa tras otra», dice Heiko.

Además de pertenencia, el fútbol para Heiko es memoria. Entre los pocos recuerdos que despiertan su ternura, destaca el primer partido del Hannover 96, contra el Bremen, al que su padre lo llevó siendo niño. O los goles que le hacía a su abuelo en el jardín antes de que muriera. También el día en que su amigo Joel fichó por las categorías inferiores del Hannover: al fin uno de ellos había alcanzado el sueño de vestir la camiseta roja de su equipo. Solo el fútbol consigue que se ablande su corazón. Tras la muerte de Robert Enke, Heiko y sus amigos compran velas y se unen a la multitud que homenajeó al portero, desde la plaza Kröpcke hasta el estadio Baja Sajonia. Después del acto oficial, van hasta la estación de tren donde el portero del Hannover había terminado con su vida y se despiden a su manera.

Sin embargo, el fútbol, a medida que ha ido creciendo, ha perdido su sitio privilegiado frente a los *matches*. «Creo que de alguna manera ese sentimiento de mi infancia se ha apagado. Ese respeto al estadio y a la barra», dice. Los partidos de niños han dejado paso a las peleas de hombres. El encuentro del fin de semana se ha convertido en una excusa para tener un rival con el que pelear. Los *matches* son sus partidos. Y se los toma como tales: se enfunda la camiseta de Los Hanoi con solemnidad, se coloca el protector dental, las botas para los días de lluvia. Él no se droga como sus compañeros. No necesita la cocaína para sentir la adrenalina. Las peleas se convierten en la única manera de devolver los golpes a la vida, de formar parte de algo cuando todo lo demás se desmorona, de sentirse vivo.

El día de partido, los dos grupos de *hooligans* quedan en un descampado o en un aparcamiento apartado del estadio. Lejos de la policía, pelean once contra once. Sin armas. Sin juego sucio. No se patea al que está en el suelo. No se propinan golpes bajos. Está en juego el escudo del club, el honor de toda una ciudad. Los dos grupos se colocan unos frente a otros. Cantan como guerreros antes de la brutal embestida: «Me sentía como el líder de una puta manada de rinocerontes o algo así», dice Heiko. Luego se produce el choque, la adrenalina, los golpes, la rabia, toda la mierda.

Los *hooligans* han evolucionado al mismo tiempo que lo ha hecho el fútbol. La primera generación la componían hinchas que bebían más de la cuenta y peleaban de forma caótica. La segunda, grupos de hombres más organizados que peleaban por un cambio más social que deportivo. Esta tercera es totalmente diferente. Saben artes marciales, entrenan, llevan una vida saludable. Graban las peleas. Tienen plataformas en la web donde compartirlas con los millones de *hooligans* en todo el mundo. Ya no solo puedes encontrarlos en las gradas de un estadio. Vivimos entre ellos.

Hijos del fútbol*: el fuego atávico del fútbol (2017)*

El fútbol es una enfermedad que se transmite de padres a hijos. Una pasión que incuba en el padre hasta que la hereda el hijo. Y, por suerte, cada vez se contagia más a las mujeres. Es el atávico fuego del fútbol, como lo bautizó Ramiro Pinilla. Una llama que arde en todos los estadios con la misma intensidad. Un calor que arropa. Un resplandor que ilumina el sombrío día a día. Un fuego que nunca se consume; su llama se aviva partido tras partido, domingo tras domingo, en una hoguera que no cesa. Un fuego que la literatura, durante todo un siglo, ha consagrado en miles de páginas.

El relato del padre llevando al hijo al estadio por primera vez se ha convertido en uno de los más repetidos. Un relato que puede parecer el final de esta historia, pero que, en realidad, no es más que el principio, como demuestra el libro de Galder Reguera *Hijos del fútbol*. El aficionado es un hijo del fútbol que lo mama desde la tierna infancia en el regazo familiar. Crece dándole patadas al balón o vibrando cuando las dan otros. Deja atrás la adolescencia cuando entiende que las derrotas más dolorosas solo acaban de empezar. Y entrega su amor incondicional a unos colores hasta que la muerte los separe. Pero la historia no termina ahí. En este proceso, el hincha quizá se convierta en padre y tenga que reflexionar sobre la transmisión de ese fuego a sus hijos, como le sucede a Galder Reguera.

Hijos del fútbol le da una vuelta de tuerca a la manida historia del hincha. Empieza en el final para contar el principio. Galder Reguera comienza a narrar el momento en que debe decidir si entregar o no el fuego a su hijo Oihan, de solo cinco años. No puede quitarle ojo a la llama porque intuye que su hijo se quemará, quizás incluso más que él mismo. Y esa es la historia que importa: ya no es el hijo quien cuenta cómo su padre lo lleva orgulloso al estadio para su bautizo futbolístico; ahora, al padre le asaltan las dudas al entrar en el estadio acompañado de su hijo.

Cuenta Galder Reguera que, cuando era un crío, Piru Gaínza le daba un poco de miedo. El extremo vasco aparece en varias fotos de la boda de sus *aitites*, con un rostro tan serio que no casa con la felicidad que desprendían sus abuelos. Concretamente, hay una foto que inmortalizó al futbolista agarrado de un brazo de la novia mientras Pablo Olabarri, el marido, se cogía sonriente del otro brazo. Él y Gaínza eran primos y el escurridizo extremo rojiblanco ofició como padrino en su enlace. De esta manera, el *aitite* de Galder se aseguró que los dos grandes amores de su vida estuvieran presentes el día de su boda: su esposa y el Athletic.

A Galder Reguera no fue su padre quien le traspasó el fuego del fútbol, sino su *aitite*. Desde pequeño lo llevaba a la Catedral, junto a su primo Unai. Pero no solamente para que vieran un simple partido. «Para mí, San Mamés y el Athletic Club siempre significarán un modo de comportarse, unos valores, una ética», confesó. Su *aitite* había vivido mucho en aquel templo y quiso que sus nietos aprendieran una lección fundamental: «En el rectángulo de juego (y en la grada) caben todas las historias. El balón contiene potencialmente todas las historias», escribió Reguera.

También la suya. La del niño que creció soñando debutar allí con la camiseta rojiblanca, a pesar de que nunca terminó de destacar en el campo. La del adolescente que aprendió que «la del fútbol es la primera gran pirámide en la que los niños se verán ubicados, arriba o abajo». Y la del hombre al que ese sueño frustrado le desvela como una pesadilla cuando ve su brillo en los ojos de Oihan. Y lo que es peor: la enfermedad también empieza a manifestarse en su segundo hijo, el pequeño Danel. Pero es inevitable. «A todo padre le sucede en algún momento, que mira a su hijo y se ve a sí mismo», escribe Reguera.

Hijos del fútbol tiene mucho de eso, y contado con sinceridad. Tiene el recuerdo ardiente del cuero impoluto del primer balón. Las inolvidables tardes de partidos en el descampado. Los multitudinarios encuentros en el patio. Esa sensación de grandeza y de insignificancia cuando se entra por primera vez a un estadio que todos comparan con una catedral. Un balón que se cuelga tras ese muro que nos separa de la felicidad, y te enseña que tras la nostalgia de la infancia siempre viene lo jodido de la adolescencia. La amargura de crecer sentado en el banquillo. La incomprensión del primer entrenador. Un vestuario que, en vez de refugio, es cárcel. Compañeros con cara de enemigos. La quemazón del balón en los pies, sentir que vives en perpetuo fuera de juego.

Reguera los revive a través de las vivencias de Oihan, un niño que ama el fútbol por encima de todo…, menos de su padre; ese héroe a sus ojos que, cada noche, le lee unas páginas de *Loco por el fútbol*. «Los buenos libros de fútbol son aquellos que en realidad hablan de quienes juegan al balón, de quienes tratan de jugarlo, de quienes sueñan con hacerlo», asegura Galder Reguera. «Los buenos libros de fútbol tienen por tema la cuestión más importante de toda creación: el hombre, el ser humano.» Y quedan muchos por escribirse en los siglos que vendrán, porque las historias del ser humano son inagotables como las jugadas de un partido de fútbol.

SILBATAZO FINAL

Pri, priii, priiiii

Cerrado por fútbol: *el primer Mundial sin Galeano (2018)*

El pasado Mundial de Rusia fue el primero que nunca más podremos revivir en las palabras de Eduardo Galeano. Y el primero en el que su cartel de «Cerrado por fútbol» no avisó al mundo de que se avecinaban días sagrados. Contaba el escritor uruguayo que lo había recubierto de plástico a mano para que la tinta no se corriera con la lluvia. El aviso debía aguantar sesenta y cuatro partidos. Treinta días que Galeano pasaba sentado en su sillón preferido disfrutando de una de sus mayores pasiones: ver fútbol, leer las jugadas, deleitarse con esos regates que suenan melódicos, como el adjetivo preciso. Solía sonreír cuando recordaba la primera vez que completó tan homérica hazaña. Le dolían músculos que no sabía ni que tenía, como si él mismo hubiese jugado los partidos. Irremediablemente dijo que, mientras descolgaba el cartel, siempre le abatía una terrible nostalgia.

No era para menos. Su vida siempre había consistido en eso: poesía y patadas. Ya con nueve años, era «muy religioso, devoto del fútbol y de Dios, en ese orden». Y con diez, vio cómo se obraba un milagro cuando aquel disparo lejano de Alcides Ghiggia se alejase de los guantes de Barbosa y entrase a escasos centímetros del poste. Tras el silbatazo final, no hubo himno para los vencedores. Un sepulcral silencio se adueñó del estadio Maracaná y de todo Brasil, mientras la narración radiofónica de Carlos Soler esparcía una alegría descontrolada por todas las calles de Uruguay. Aquella tarde, el fútbol le enseñó a Galeano que el país más chiquito podía vencer al más grande. Pero aquella noche, Obdulio Varela le dio una lección más importante cuando dejó de lado a los directivos uruguayos y se fue a beber con el derrotado pueblo brasileño. Lo que engrandecía al vencedor no era la victoria, sino saber ganar.

Desde chiquito, Galeano deseó jugar como aquellos futbolistas charrúas que se habían proclamado campeones del mundo contra todo pronóstico. Soñaba que agarraba la pelota en media cancha y salía disparado hacia el arco rival regateando a todos los contrarios para, una vez dentro del área, driblar al portero y alojar el balón en las mallas. Luego se despertaba. Y volvía a convertirse en aquel patoso entreala derecho al que sus compañeros recriminaban los cientos de balones que perdía absurdamente en jugadas imposibles. «Estaba visto. Yo no tenía más remedio que probar algún otro oficio. Intenté varios, sin suerte, hasta que por fin empecé a escribir», dijo.

En una hoja en blanco, Galeano usaba los adjetivos con la misma clase que Garrincha sus caracoleos. Frente al papel, Galeano trenzaba frases al primer toque con la facilidad de Obdulio Varela. Con las palabras, Galeano tenía la misma poesía que Pelé. Su partido empezó cuando entendió que jugaba mejor con las palabras que con el balón, y que escribir el fútbol era la mejor manera de continuar jugándolo. De sus historias, explicó, «brotaban goles perdidos, penales errados, equipos derrotados, y los goles perdidos entraban al arco, la pelota desviada corregía su rumbo y los perdedores festejaban su victoria».

Nunca dejo de practicarlo, como tampoco jamás olvidó las pachangas que jugaba con los colegas del diario *Crisis* al salir del trabajo. O los emocionantes partidos que disputaban con pelotas de papel en la redacción del diario *Época*, mientras esperaban el parto del nuevo número. Aquel era el fútbol que amaba, el que «se jugaba a cambio del vino y la comida y la alegría». Ese que, en el pasado Mundial de Rusia, sus paisanos reivindicaron con la pancarta de «ASADO Y VINO» que, en cuestión de minutos, se viralizó en las redes sociales.

Con toda seguridad, Eduardo Galeano habría celebrado el lema con un artículo que recordase la esencia de su fútbol, ese que «era una fiesta, no un empleo ni un negocio». Como el que había hecho Garrincha. Como el que defendían aquellos futbolistas que, como el Che, jugaban aun a riesgo de quedarse sin aire en los pulmones. Aquel que tantas veces reivindicó Sócrates con el puño en alto. Un fútbol que lentamente se había ido extinguiendo: «La pasión de jugar por jugar, la libertad de divertirse y divertir, la diablura inútil y genial se van convirtiendo en temas de evocación nostálgica», escribió.

Lo mismo sucedía en otros ámbitos fuera del estadio. Galeano siempre defendió que el fútbol desempeñaba un papel fundamental en la cultura de un pueblo. Se había convertido en una herencia con más de un siglo de vida, una identidad plural que tenía unas profundas raíces colectivas. Un espejo del mundo. Al mismo tiempo que había cambiado el juego, lo había hecho la mentalidad de toda una época. Las austeras tácticas modernas reflejaban lo utilitario de nuestra sociedad de consumo. El final de aquellos dieces que jugaban andando era como la muerte del orfebre. La escasez de goles simbolizaba la falta de imaginación provocada por una educación enfocada a la rentabilidad y la producción.

Galeano fue un hincha del buen fútbol, más allá de colores y escudos. Un mendigo, como él mismo se definió. Su primer recuerdo se remontaba a las incontenibles ganas de mear que le entraban cuando su padre lo llevaba a ver a Nacional. Pero también recordaba las incontenibles ganas de aplaudir las bellas jugadas que trenzaban los delanteros de Peñarol. Lo mismo vibró en el viejo Gasómetro con su colega Osvaldo Soriano que disfrutó del vértigo de las gradas de la Bombonera. Con Roucco, se divirtió en su vuelta al estadio Centenario rodeado de *manyas*. También lo hizo en el Calderón, con la bufanda del Athletic al cuello, a pesar de que los leones sucumbieron ante el mejor F.C. Barcelona de la historia en la final de Copa. Galeano hinchaba el buen fútbol, naciera de la bota que naciera. Solo así se conseguía la mejor lectura. Solo así pudo exprimirle toda su literatura.

Mendigar una linda jugada le enseñó a ponerse del lado del que no tiene nada. A escuchar con atención la historia del vencido. A reescribirla iluminándola con la gloria de la derrota. Siempre defendió la imaginación de Maradona, a pesar de sus pecados terrenales, frente a la rigidez del fútbol del nuevo siglo. Se le escapaba una sonrisa cada vez que el jugador más famoso del mundo lanzaba patadas verbales a los mandamases del fútbol. Él acostumbraba a hacerlo con sus historias: los niños pobres zurcían las pelotas Nike para que jugasen con ellas los niños ricos. Así era su visión del fútbol... y del mundo: un balón dividido en dos mitades; un injusto partido que siempre terminaban ganando los mismos por una contundente y vergonzosa goleada: «La opulencia y la pobreza, el norte y el sur, jamás se miden en igualdad de condiciones ni en el fútbol ni en nada, por muy democrático que el mundo diga ser», dijo.

Galeano no escribía sobre fútbol porque un domingo sin partido se convirtiese en un insoportable bostezo. Escribía de fútbol porque le sorprendía el increíble vacío que la historia oficial había reservado al balón, uno de los símbolos de identidad colectiva más significativos. Lo escribió a sol y sombra para hacer creer a los ateos. Para salvar a Barbosa de una maldición eterna. Para recordar que Obdulio Varela capitaneó una selección, pero también una huelga de trabajadores. Para denunciar a todas las dictaduras que se habían adueñado de unas victorias que solo pertenecían a los futbolistas. Para poner voz a esas mujeres a las que no las habían dejado jugarlo en Europa, lo mismo que a los negros en Brasil. Él lo entendía resumido en las dos palabras de un poema de Mohamed Alí: «*Me, we*».

«El arte del pie capaz de hacer reír o llorar a la pelota habla de un lenguaje común a los países más diversos y a las más diversas culturas, al norte y al sur, al este y al oeste», escribió. Por ese «nosotros» Galeano se arriesgó a escribir un libro de fútbol en un país lleno de doctores en la materia. Tras la publicación de *El fútbol a sol y a sombra*, temblaba cada vez que respondía al teléfono. Contaba que, en una ocasión, recibió la llamada de un lector para decirle que, en un partido del Mundial de 1930, los hinchas llevaban gorros de fieltro. Galeano no lo entendió. ¿Gorros de fieltro?, preguntó extrañado. Entonces el lector le respondió que, en su libro, los hinchas llevaban sombreros de paja y eso no era así.

El Mundial de Rusia pasará a la historia por ser el primero

sin las crónicas de Galeano. Pero también por no tener la cobertura de la casi centenaria revista *El Gráfico*. Constancio C. Vigil la fundó un lejano 1919. Hasta ese año, había ejercido como editor de la revista *Atlántida*, aquella donde Horacio Quiroga publicó el cuento sobre la trágica muerte de Abdón Porte que, muchos años después, Eduardo Galeano recogería para su recopilación *Su majestad el fútbol*. Con el relato de la trágica muerte de Abdón Porte comenzó este largo siglo de relación entre literatura y fútbol, una narración infinita que continúa ampliándose, porque el fútbol nace en las patadas, pero la jugada solo se culmina en las palabras.

Y ya extrañamos las tuyas, Galeano: «La emoción de los goles no aptos para cardiacos, la belleza de las mejores jugadas repetidas a cámara lenta» que tantas veces escribiste. «Y también la fiesta y el luto, porque a veces el fútbol es una alegría que duele, y la música que celebra alguna victoria de esas que hacen bailar a los muertos suena muy cerca del clamoroso silencio del estadio vacío, donde algún vencido, solo, incapaz de moverse, espera sentado en medio de las inmensas gradas sin nadie».

EPÍLOGO

Un partido de fútbol no dura noventa minutos, aunque el cronómetro del árbitro se empeñe en marcar lo contrario. Un partido de fútbol no termina con sus tres pitidos, por muy tristes que suenen. Sucede lo mismo con la literatura. Un libro no termina en el punto final. Su historia no se acaba al cerrar las tapas. Los libros dialogan unos con otros de la misma manera que los partidos se juegan unos con otros. Hay escritores que escriben con otros *in mente,* igual que los futbolistas juegan con todos los partidos anteriores en sus piernas. La jugada continua, eterna. Y con ella, su relato. Muchos grandes futbolistas, en este primer siglo de fútbol, se han ganado un sitio privilegiado gracias a su juego exquisito en el panteón de héroes del balón. Un lugar legendario que cientos de escritores, con su literatura, han convertido en una infinita alfombra de césped verde. Muchos goles, sin embargo, pasarán al recuerdo. Miles de futbolistas engordarán el olvido, junto con entrenadores y presidentes. Se disputarán sin pena ni gloria millones de partidos. Se borrará la tinta que intentó inmortalizarlos en una crónica. Amarillearán periódicos y revistas en polvorientas hemerotecas. Desaparecerán equipos. Se clausurarán algunas competiciones. Envejeceremos mientras el fútbol siempre rejuvenece sus piernas. El partido continuará al mismo ritmo que lo hace la vida. Su narración se extenderá como una prórroga sin punto final. Todos los libros escritos hasta entonces conformarán los minutos de un partido interminable donde nunca cesarán de cantarse goles, por los siglos de los siglos, amén. Y este relato se perpetuará mientras en algún rincón bote una pelota y alguien pregunte: «¿Jugamos?».

AGRADECIMIENTOS

Un partido se juega en equipo. Y yo no hubiera podido jugar este hasta el final sin varias personas que me han ayudado, a veces con pases cortos y al pie, otras con balones largos para que corriera al espacio, pasándome el botellín de agua o dándome la mano cuando había caído al césped. Quiero dar las gracias a mi editor, Carlos Ramos, por darme la oportunidad de debutar y sobre todo por la confianza mostrada desde el primer minuto. A Rubén A. Arribas, mi entrenador. Al periodista Marcel Beltrán, compañero con el que he compartido vestuario, charlas y alguna que otra cerveza. A Manuel Abacá y Alfonso Morillas, lectores incansables y futboleros irredentos. Al profesor Francisco Cuesta, por sus correos electrónicos, recomendaciones y su incansable trabajo para seguir desenterrando libros de fútbol. Al periodista David García Cames, con el que comparto las dos pasiones que vertebran este libro, y el suyo: *La jugada de todos los tiempos*. También a todos los que me prestaron un libro de fútbol. A todos los que me hablaron de un escritor futbolero. Y a todos los que me dijeron estás loco, pero escribe ese libro.

BIBLIOGRAFÍA

Artículos

Abc, Redacción (2011). «Platko, el Oso Rubio de Hungría», *Abc,* 28 de noviembre <https://www.abc.es/20111128/deportes/abcp-platko-rubio-hungria-20111128.html>

ALFEIRÁN, Xosé (2018). «Irene González, la primera guardameta». *La voz de Galicia,* 5 de marzo https://www.lavozdegalicia.es/noticia/coruna/betanzos/2018/03/05/irene-gonzalez-primera-guardameta/0003_201803H5C5994.htm

APUNTES DE RABONA, Redacción (2016). «El fútbol una pasión para Ernesto Sabato». *Apuntes de Rabona,* 12 de agosto <http://apuntesderabona.com/2016/08/12/el-futbol-una-pasion-para-ernesto-sabato/>

ARRECHENA, Fernando; SCHEINHERR, Eugen (2015). «El Spanish Girls Club de Barcelona. Las pioneras del fútbol femenino español». CIHEFE, 1 de junio <http://www.cihefe.es/cuadernosdefutbol/2015/06/el-spanish-girls-club-de-barcelona-las-pioneras-del-futbol-femenino-espanol/>

AVILÉS, Javier (2016). *Los desafortunados de B. S. Johnson.* Blog *El lamento de Portnoy,* 8 de enero <http://ellamentodeportnoy.blogspot.com/2016/01/los-desafortunados-de-b-s-johnson.html>

BAÑERES, Enric (2010). «Eduardo Manchón, futbolista. El quinto jinete». *La Vanguardia,* 3 de octubre <http://www.fundaciocandel.org/doc/101003_lv_obituari_eduard_manchon.pdf>

BARICCO, Alessandro (2016). «Todos necesitamos intensidad», entrevista de Carolina Robino, BBC, 19 de diciembre. <https://www.bbc.com/mundo/noticias-38360192>

BAUSO, Matías (2017). «Un ciego y el Mundial. Borges mirando al sol». *Medium,* 24 de julio <https://medium.com/@matiasbauso/un-ciego-mirando-al-sol-borges-y-el-mundial-78-6d8627d0464b>

BELTRÁN, Marcel (2016). «Los versos que apartaron a Kapuscinski del fútbol». Revista *Panenka,* 29 de junio. <http://www.panenka.org/euro-2016/polonia/el-poema-que-aparto-a-kapuscinski-del-futbol/>

BOSCH, Xavier (2018). «Los raptores de Quini y Vázquez Montalbán», *El*

Mundo Deportivo, 1 de marzo <https://www.mundodeportivo.com/futbol/fc-barcelona/20180301/441147494159/quini-secuestro-vazquez-montalban.html>

BRAVO MAYOR, Luis Javier; MARTÍNEZ PATÓN, Víctor (2013). «La aguja del pajar: el origen del fútbol en Madrid». *CIHEFE,* 4 de septiembre <http://www.cihefe.es/cuadernosdefutbol/2013/10/la-aguja-del-pajar-el-origen-del-futbol-en-madrid/>

BRENNAN, Patrick (2006-2014). «The Bristish Ladies' Football Club». *UK, Donmouth.* <http://donmouth.co.uk/womens_football/blfc.html>

BUGALLAL, Isabel (2017). «Irene, la jugadora de fútbol más extraordinaria». *La Opinión A Coruña,* 16 de abril. <https://www.laopinioncoruna.es/contraportada/2017/04/16/irene-jugadora-futbol-extraordinaria/1171720.html>

CASALE, Torito (2015). «Ernesto Sabato y el fóbal grande». *Blog Medium,* 24 de febrero <https://medium.com/@viejocasale/ernesto-s%C3%A1bato-y-el-f%C3%B3bal-grande-94859b35b8cb>

CHAUDHARY, Vivek (2004). «Who's the fatbloke un the number eightshirt?». *The Guardian,* 18 de febrero. <https://www.theguardian.com/uk/2004/feb/18/britishidentity.arts>

CHEN, Xiao (2004). «FIFA boss hails China as football birthplace». *China Daily.* 16 de julio. <http://www.chinadaily.com.cn/english/doc/2004-07/16/content_348993.htm>

CINEMANÍA (2012). «Pep Guardiola, guionista de la nueva película de David Trueba». *El Mundo,* Cinemanía, 28 de diciembre <http://cinemania.elmundo.es/noticias/pep-guardiola-guionista-de-la-proxima-pelicula-de-david-trueba/>

COMISIÓN de Historia y Estadística Club Nacional de Football (2012). «El primer hincha de la historia: Patrimonio Nacional». *Montevideo,* 27 de abril. <https://www.nacional.uy/institucion/noticias/item/el-primer-hincha-de-la-historia-patrimonio-nacional.html>

COROMINAS, Jordi (2015). «Más fútbol, buenísima literatura». *El Mundo,* 29 de junio <http://www.elmundo.es/cultura/2015/06/29/5590394f268e3ede1e8b457d.html>

CRUZ, Juan (2006). «Günter Grass sirvió en las SS.». *El País,* 12 de agosto. <https://elpais.com/diario/2006/08/12/revistaverano/1155333601_850215.html>

CUESTA, Romero (1929). «Los abuelos del fútbol. Los barbas del F. C. Barcelona». Revista *Estampa,* 19 de noviembre.

DANRUO, Wang (2014). «Cuju: el origen chino del fútbol». Revista *Estilo de Vida,* julio, n.º 25, vol. 4, Barcelona, Fundació Institut Confuci.<http://confuciomag.com/cuju-el-origen-chino-del-futbol>

DE LA CALLE, Fermín. «El día de ¡El puto amo! Pepe me llamó y me dijo que al día siguiente la iba a armar». Revista *Libero#13,* Madrid <https://revistalibero.com/blogs/contenidos/el-dia-del-puto-amo-pep-me-llamo-y-me-dijo-que-al-dia-siguiente-la-iba-a-armar>

DÍAZ-AGERO, Alejandro (2017). «Mario Benedetti: cuando literatura y fútbol sí pueden ir de la mano». *Abc* 17 de mayo <https://www.abc.es/cultura/libros/abci-mario-benedetti-cuando-literatura-y-fútbol-si-pueden-mano-201705170101_noticia.html>

ECO, Umberto (1990). «Odio a los hinchas, no al fútbol». *El País,* 15 de junio <https://elpais.com/diario/1990/06/15/deportes/64540 0817_85 0215.html>

EL GRÁFICO, Redacción (2016). «Juan Villoro, Dios es redondo». *El Gráfico,* 6 de febrero <http://www.elgrafico.com.ar/2016/02/06/C-8977-juan-villoro-dios-es-redondo.php>

EL NORTE DE CASTILLA, Redacción (2010). «Fútbol en la pradera». *El Norte de Castilla,* 13 de marzo <https://www.elnortedecastilla.es/20100313/local/valladolid/futbol-pradera-201003130254.html>

ESCALERA, Ángel (2014). «El malagueño que salvó la vida a Ricardo Zamora». *Málaga, Sur,* 30 de junio. <https://www.diariosur.es/deportes/futbol/201406/30/malagueno-salvo-vida-ricardo-20140630004617.html>

EZKERRA, Iñaki (2007). «Hernán Rivera Letelier o el fútbol en la pampa». *El Norte de Castilla,* 14 de abril <https://www.elnortedecastilla.es/prensa/20070414/cultura/hernan-rivera-letelier-futbol_20070414.html>

FRAGUAS, Rafael (2010). «Pupitres con cuarto siglos de historia». *El País,* 12 de junio <https://elpais.com/diario/2010/06/12/madrid/1276341854_850215.html>

GARCÍA CAMES, David (2016). «El fútbol como memoria sentimental del extrarradio». Ponencia en la Universidad de Salamanca.

GARCÍA ROMERO, Fernando (2010). «Deportes y juegos de pelota en la antigua Grecia», en web del Seminario de Iconografía Griega de la Facultad de Geografía e Historia de la Universidad Complutense.<http://webs.ucm.es/centros/cont/descargas/documento17574.pdf >

HERNÁNDEZ, Miguel FUNDACIÓN. Revista *El Eco Hernandiano.* <http://www.miguelhernandezvirtual.es/new/index.php?option=com_content&view=category&id=46:eco&Itemid=90&layout=default>

HUNT, Chris (2016). «Las primeras damas del balón». *Panenka,* 31 de marzo. <http://www.panenka.org/miradas/las-primeras-damas-del-balon/>

INTERINO (1962). «Ha muerto en París Jacinto Miquelarena». *Abc,* 11 de agosto.

JUÁREZ ALDAZÁBAL, Carlos (2005). «Bernardo Canal Feijoo y su penúltimo poema del fútbol». Madrid, Revista *Teína,* n.º 10, noviembre-diciembre-enero. <http://www.revistateina.es/teina/web/teina10/lit5.htm>

LA NACIÓN, Redacción (2006). «Fútbol y sexo confluyen en la novela de Hernán Rivera Letelier». *Diario La Nación,* 1 de agosto <https://www.nacion.com/ciencia/futbol-y-sexo-confluyen-en-novela-de-rivera-letelier/3GW6KCIW5ZA5NHW2ZQKROHQT4Q/story/>

LA RAZÓN, Redacción (2018). «Sabato y el fútbol». *La Razón,* 12 de septiembre <https://www.larazon.es/historico/3284-sabato-y-el-futbol-RLLA_RAZON_374355>

LORIGA, Ray (2017). «Café, copa y fútbol», entrevista a Ray Loriga de A. Mérida y G. Pose en el diario *As,* 17 de abril. <https://as.com/futbol/2017/04/17/primera/1492394066_415043.html>

MAJADAS, Miguel Ángel (2011). «Valeriano Ruiz». 18 relatos en *El Mundo*, 18 de julio <http://www.elmundo.es/especiales/espana/guerra-civil/relatos/08_valeriano_ruiz.html>

MARCA, Redacción (1962). «Paco Bru. El hombre que lo fue todo». Especial *Cuarenta ases, cuarenta biografías*, diario *Marca*, 10 de junio.

MARTÍNEZ, Marcelo (2011). «La canción del Barça». *GARDEL.ES.* 4 de enero <http://gardel-es.blogspot.com/2011/01/la-cancion-del-barca-patadura.html>

MELÁS, Pachín de, (1910). «Mal de Cañaos. Xuegos del dia» o «Los mozacos d'agora», fragmento extraído de la revista *La Voz de la Cantina*, agosto de 2017.

MEYANO, David (2011). «Serial de fútbol femenino». *Marca.* <http://www.marca.com/reportajes/2013/04/serial_futbol_femenino/seccion_00.html>

MORILLAS, Alfonso (2017). «*Más sobre Eduardo Manchón*». Blog *F. C de Lectura,* 27 de agosto <https://futbolclubdelectura.com/2017/08/04/mas-sobre-eduardo-manchon-y-la-literatura/>

PADILLA, Toni (2015). «David Peace: "Al nord d'Anglaterra, als 70, tot era ple de violència, crims i futbol"». *Ara.cat*, 22 de junio <https://www.ara.cat/societat/DAVIDPEACE-Al-dAnglaterra-violencia-futbol_0_1380461971.html>

PANENKA, Redacción (2017). «El editorial del Panenka#60 Días de cuju, Panenka». Barcelona, 20 de febrero. <http://www.panenka.org/miradas/intrahistorias/el-editorial-del-panenka60-dias-de-cuju/>

PARDEZA, Miguel (1989). «Juego, luego existo». *El País* edición impresa del 31 de diciembre. <https://elpais.com/diario/1989/12/31/deportes/631062021_850215.html>

PASIÓN TRICOLOR (2014). «Se homenajeó al primer hincha, Prudencio Reyes». Montevideo, 14 de abril. <https://www.pasiontricolor.com.uy/noticias/el-primer-hincha-fue-de-nacional/>

PERROTTET, Tony (2012). «Juegos Olímpicos: la cultura también gana». *El Cultural*, 27 de julio. <https://www.elcultural.com/revista/especial/Juegos-Olimpicos-la-cultura-tambien-gana/31414>

PONTE, Fernando (2015). «El discreto doctor D. Ricardo Varela y Varela». *El Correo Gallego*, 29 de marzo <https://www.elcorreogallego.es/tendencias/el-correo2/ecg/discreto-dr-d-ricardo-varela-varela/idEdicion-2015-03-29/idNoticia-923911>

RELAÑO, Alfredo (2016). «¡Han secuestrado a Di Stéfano!». *As*, 27 de agosto <https://as.com/futbol/2016/08/26/mas_futbol/1472193439_610722.html>

RIBALTA Alcalde, Dolors (2011). «Mujeres y fútbol. La génesis y evolución del fútbol femenino en España». Revista *D Mujer*, n.º 2.

RIVAS, Manuel (1983). «Karbor, las futbolistas que ganaron a los hombres». *El País*, 3 de junio. <https://elpais.com/diario/1984/06/03/deportes/455061613_850215.html>

RODRIGO, Carlos (2015). «*Miguel Hernández: la pureza del fútbol*. Notas de sport, 30 de octubre. <https://notasdesport.wordpress.com/2015/10/30/miguel-hernandez-la-pureza-del-futbol/>

SAINZ DE BARANDA, Clara (2013). «Orígenes de la prensa deportiva: *El Mundo Deportivo*». *Materiales para la Historia del Deporte*, n.º 11. <https://www.upo.es/revistas/index.php/materiales_historia_deporte/article/viewFile/788/648>

SCHANFERBERG, Edwald (2015). «El guerrillero que secuestró a Di Stéfano en 1963». *El País*, 7 de abril <https://elpais.com/deportes/2015/04/06/actualidad/1428353256_877048.html>

SIMONETI, Marcelo (2017). «Fontanarrosa». *Culto*, 2 de agosto <http://culto.latercera.com/2017/08/02/fontanarrosa/>

TORRES, M. Carmen (2018). «El fútbol ya no fue lo mismo desde la tragedia de Heysel». *Marca*, 7 de mayo <http://www.marca.com/80 aniversario/eventos/2018/05/07/5af08ceee5fdeac36b8b45e9.html>

TRENAS, Julio (1971). «Ramón Solís y su Premio Nacional de Literatura», entrevista en la sección «Mirador Literario», *Abc*, 7 de enero.

VICENT, Manuel (1981). «Gabriel Celaya como ingeniero sentimental». *El País*, 21 de noviembre. <https://elpais.com/diario/1981/11/21/sociedad/375145202_850215.html>

VIDALES, Raquel (2017). «Jardiel, la vida inverosímil». *El País*, 19 de diciembre. <https://elpais.com/cultura/2017/12/18/actualidad/1513617527_761738.html>

VILA-MATAS, Enrique (2008). «Corazón tan tricolor». *El País*, «Babelia: la cultura del fútbol», 31 de mayo.

WEB F. C. Barcelona. «Edelmira Clavetó, la pionera que va trencar barreres». <https://www.fcbarcelona.cat/club/fitxa/edelmira-calveto-la-pionera-que-va-trencar-barreres>

Libros

ACEVEDO, Evaristo (1975). *Carta abierta a un hincha*. Madrid: Ediciones 99.

ALBALATE, Andrés (2017). *De Aquiles a Zidane. Ensayos sobre fútbol y literatura clásica*. Madrid: Nuevos Textos.

ALBERTI, Rafael (1959). *La arboleda perdida: Libros I y II de memorias*. Buenos Aires: Compañía General Fabril Editora.

ALBERTI, Rafael (1959). *Poesía (1924-1944)*. Buenos Aires: Losada.

ÁLVAREZ, Lilí (1946). *Plenitud. Estudio-preliminar a las máximas sobre* «El deporte» *de Jean Giraudoux*. Madrid: Espasa.

APO, Alejandro (2007). *Y el fútbol contó un cuento*. Buenos Aires: Alfaguara.
ARLT, Roberto (1958). *Aguafuertes porteñas*. Buenos Aires: Losada.
ARLT, Roberto (1994). «Ayer vi ganar a los argentinos», en Poli Délano (ed.), *Hinchas y goles*. Santiago de Chile: Mosquito Editores.
ARMAS MARCELO, Juan J. (1997). *Cuando éramos los mejores*. Madrid: Temas de Hoy.
ARNAUT, Alberto (ed.) (2012). *Eñe 30. Fútbol el deporte reina*. Madrid: La Fábrica.
ATXAGA, Bernardo (2006). *El hombre solo*. Madrid: Alfaguara.
AUB, Max (1998). *Campo abierto*. Madrid: Alfaguara.
BARICCO, Alessandro (2008). *Los bárbaros. Ensayo sobre la mutación*. Barcelona: Anagrama.
BECERRA MAYOR, David (2013). *Miguel Hernández, a pierna cambiada. Panenka*#18, abril.
BELLI, Gioconda (2012). «Fútbol» en Luis García Montero y Jesús García Sánchez (eds.), *Un balón envenenado. Poesía y fútbol*. Madrid: Visor.
BENEDETTI, Mario (1993). *El césped y otros relatos*. Barcelona: Primera Plana.
BENEDETTI, Mario (2012). «Maradona» en Luis García Montero y Jesús García Sánchez (eds.), *Un balón envenenado. Poesía y fútbol*. Madrid: Visor.
BENEDETTI, Mario (1998). «Puntero izquierdo», en *Cuentos completos*. Madrid: Alianza.
BOLAÑO, Roberto (2001). «Buba», en *Putas asesinas*. Barcelona: Anagrama.
BORGES, Jorge Luis; BIOY CASARES, Adolfo (1985). «*Esse est percipi*», en *Cuentos de H. Bustos Domecq*. Barcelona: Seix Barral.
BRACELI, Rodolfo (2009). *Perfume de gol*. Buenos Aires: Planeta.
BROWN, Paul (2013). *The Victorian Football Miscelany*: UK, Goal Post.
BUFORD, Bill (1992). *Entre los vándalos*. Barcelona: Anagrama.
BUGALLAL, José Luis (1927). *El coloso de Rande*. Madrid: Espasa-Calpe.
CAMUS, Albert (2003). *El primer hombre*. Barcelona: Tusquets.
CAMUS, Albert (2010): «Le football», *France Football*, 17 de diciembre de 1957.
CAMUS, Albert (2002). *La peste*. Barcelona: Edhasa.
CAMUS, Albert (2012). *La caída*. Madrid: Alianza.
CANAL FEIJÓO, Bernardo (2007). *Penúltimo poema del futbol*. Buenos Aires: Suri Porfiado Ediciones.
CAPARRÓS, Martín (2014). *Boquita*. Buenos Aires: Booket.
CAPPA, Ángel; CAPPA, María (2016). *También nos roban el fútbol*. Madrid: Akal.
CARABIAS, Josefina (1950). *La mujer en el fútbol*. Barcelona: Juventud.
CARR, Joseph Lloyd (2018). *Cómo llegamos a la final de Wembley*. Barcelona: Tusquets.

CASTAÑÓN, Luciano (1962). *Los días como pájaros*. Santander: Caralt.
CASTRESANA, Luis de (1992). *El otro árbol de Guernica*. Barcelona: Ediciones Internacionales Universitarias.
CELA, Camilo José (1963). *Once cuentos de fútbol*. Madrid: Editora Nacional.
CELAYA, Gabriel (2010). «Contraoda del poeta de la Real Sociedad», en *Revista Litoral. Deporte, arte y literatura*. Málaga: Consejo Superior de Deportes.
CELAYA, Gabriel (1996). «Real Sociedad-Real Unión de Irún», en Julián García Candau (ed.). *Épica y Lírica del fútbol*. Madrid: Alianza.
CONSTAÍN, Juan Esteban (2012). *¡Calcio!* Barcelona: Seix Barral.
COSSÍO, José María de (1955). «Prólogo», en *Las cosas del fútbol*. Madrid: Plenitud.
CRUYFF, Johan (2016). *14.La autobiografía*. Barcelona: Planeta.
CRYTCHLEY, Simon (2018). *En qué pensamos cuando pensamos en fútbol*. Barcelona: Sexto Piso.
CUESTA, Luis Francisco (2013). *El estadio y la palabra: deporte y literatura en la Edad de Plata*. Tesis doctoral dirigida por María T. Zubiarre y Roberta L. Johson. University of California.
CURLETTO, Mario Alessandro (2018). *Fútbol y poder en la URSS de Stalin*. Madrid: Altamarea.
DELIBES, Miguel (1982). *El otro fútbol*. Barcelona: Destino.
DELIBES, Miguel (1995). «Una larga carrera como futbolista», en *Mi vida al aire libre. Memorias deportivas de un hombre sedentario*. Barcelona: Destino.
DHOLDAN, Joaquín (2018). *Genios del fútbol*. Sevilla: El Paseo Editorial.
DIEGO, Gerardo (1961). «El balón de fútbol», en *Mi Santander, mi cuna, mi palabra*. Santander: Diputación Provincial.
DIMITRIJEVIC, Vladimir (2010). *La vida es un balón redondo*. Madrid: Sexto Piso.
D'ORS, Ángel; García-Navarro, Alicia (eds.) (2006). *Eugenio d'Ors. Teatro, títeres y toros. Exégesis lúdica con una prórroga deportiva*. Barcelona: Renacimiento.
D'ORS, Eugeni (1907). «Imatgeria d'estiu: la pilota de *foot-ball*». *La Veu de Catalunya*, 21 de septiembre.
ECO, Umberto (1996). «La cháchara deportiva», en *La estrategia de la ilusión*. Barcelona: Lumen.
FASCE, María (2008). «Hombres que no aman el fútbol», en Diego Grillo Trubba (ed.). *De puntín. Los mejores narradores de la nueva generación escriben sobre fútbol*. Buenos Aires: Mondadori.
FERNÁNDEZ DEL GANSO, Carlos (2009). *Poetas del fútbol*. Buenos Aires: Grupo Cero.
FERNÁNDEZ FLÓREZ, Wenceslao (1957). *De portería a portería. Impresiones de un hombre de buena fe*. El Club de la Sonrisa Editorial: Madrid.

FERNÁNDEZ FLÓREZ, Wenceslao (1998). *El ladrón de glándulas*. Ediciones Península (Vidas Imaginarias): Barcelona.
FERNÁNDEZ FLÓREZ, Wenceslao (1949). *El sistema Pelegrín*. Librería General de Zaragoza: Zaragoza.
FERNÁNDEZ SANTADER, Carlos (1990). *El fútbol durante la guerra civil y el franquismo*. Madrid: San Martín.
FERNÁNDEZ SHAW, Rafael (1954). «Fútbol». *Versos*. Madrid.
FERRIS, José Luis (2016). *Miguel Hernández. Pasiones, cárcel y muerte de un poeta*. Madrid: Fundación José Manuel Lara.
FILICAIA, Vicenzo da (1837). *Poesie toscane*. Firenze: Stamperia Cardinali.
FONTANARROSA, Roberto (2003). *Cuentos reunidos I*. Madrid: Alfaguara.
FONTANARROSA, Roberto (2003). *El área 18*. Buenos Aires: Ediciones de la Flor.
FONTANARROSA, Roberto (1990). *El fútbol es sagrado*. Buenos Aires: Ediciones de la Flor.
FRESÁN, Rodrigo (2017). *Historia argentina*. Barcelona: Literatura Random House.
GALEANO, Eduardo (2017). *Cerrado por fútbol*. Madrid: Siglo XXI.
GALEANO, Eduardo (1995). *El fútbol a sol y sombra*. Madrid: Siglo XXI.
GALLEGO MORELL, Antonio (1969). *Literatura de tema deportivo*. Madrid: Editorial de Prensa Española.
GARCÍA CAMES, David (2018). *La jugada de todos los tiempos. Fútbol, mito y literatura*. Prensas de la Universidad de Zaragoza: Zaragoza.
GARCÍA CANDAU, Julián (1980). *El fútbol sin ley*. Madrid: Ediciones Penthalón.
GARCÍA CANDAU, Julián (1996). *Épica y lírica del fútbol*. Madrid: Alianza.
GARCÍA HORTELANO, Juan (1975). *Apólogos y milesios*. Barcelona: Lumen.
GARCÍA HORTELANO, Juan (1980). «Prólogo», en Julán García Candau. *El fútbol sin ley*. Madrid: Ediciones Penthalón.
GARCÍA HORTELANO, Juan (2007). *Cuentos completos*. Barcelona: Lumen.
GARCÍA MÁRQUEZ, Gabriel (1950). «El juramento», en *El Heraldo*, 5 de junio.
GARCÍA MÁRQUEZ, Gabriel (2002). *Vivir para contarla*. Barcelona: Mondadori.
GARCÍA MONTERO, Luis (2008). «Domingos por la tarde», en *Vista cansada*. Madrid: Visor.
GARCÍA MONTERO, Luis; GARCÍA SÁNCHEZ, Jesús (eds.) (2012). *Un balón envenenado. Poesía y fútbol*. Madrid: Visor.
GARCÍA NIETO, José (1943). «Segunda oda a Jacinto Quincoces». *Garcilaso*, n.º 8, diciembre.

GARCÍA SERRANO, Rafael (1962). *El domingo por la tarde*. Madrid: Taurus.

GARFÍAS, Pedro (1996). «Domingo», en *Poesías completas*. Madrid: Editorial Alpuerto.

GIMÉNEZ CABALLERO, Ernesto (2000). *Hércules jugando a los dados*. Zaragoza: Libros del Innombrable.

GIMÉNEZ CABALLERO, Ernesto (2005). «Los toros, las castañuelas y la Virgen». En *Casticismo, nacionalismo y vanguardia (antología, 1927-1935)*. Madrid: Fundación Santander Central Hispano.

GLEZ, Montero (2014). *El gol más lindo del mundo y otras piezas futboleras*. Salamanca: El Gallo de Oro Ediciones.

GONZÁLEZ, Enric (2011). *Una cuestión de fe*. Madrid: Libros del KO.

GONZÁLEZ DE LEDESMA, Francisco (1978). *Zamora. Mito y realidad del mejor guardameta del mundo*. Barcelona: Bruguera.

GRASS, Günter (2009). «Estadio nocturno», en Francisco J. Uriz (ed.), *Poesía a patadas*. Córdoba: Ayuntamiento de Córdoba.

GRASS, Günter (2015). *Mi siglo*. Barcelona: Debolsillo.

HANDKE, Peter (1979). *El miedo del portero ante el penalty*. Madrid: Alfaguara.

HERNÁNDEZ, Antonio (2010). *El Betis: La marcha verde y otros cuentos de fútbol*. Sevilla: Algaida Editores.

HERNÁNDEZ, Miguel (1992). «Elegía al guardameta», en *Obra completa I. Poesía*. Madrid: Espasa-Calpe.

HERNÁNDEZ CORONADO, Pablo (1955). *Las cosas del fútbol*. Madrid: Plenitud.

HOMERO (1993). *Odisea*. Madrid: Gredos.

HOMERO (2006). *Ilíada*. Madrid: Gredos.

HORNBY, Nick (2008). *Fiebre en las gradas*. Barcelona: Anagrama.

INIESTA, Andrés (2016). *La jugada de mi vida*. Barcelona: Malpaso.

JANÉS, Clara (2010). «Oración menor», en Francisco J. Uriz (ed.). *El gol nuestro de cada día*. Madrid: Vaso Roto.

JARDIEL PONCELA, Enrique (1955). *Exceso de equipaje*. Madrid: Biblioteca Nueva.

JOHNSON, Brian S. (2015). *Los desafortunados*. Barcelona: Rayo Verde.

KAPUSCINSKI, RYSZARD (2004). *El mundo de hoy*. Barcelona: Anagrama.

KAPUSCINSKI, RYSZARD (2006). *La guerra del fútbol y otros reportajes*. Barcelona: Anagrama.

KINGS, Abel (1927). *La novela de un guardameta*. Barcelona: Editorial Luz.

KUPER, Simon (2012). *Fútbol contra el enemigo*. Barcelona: Contra.

LANGENUS, John (1947). *Recuerdos e impresiones de viajes de un árbitro silbando por el mundo*. Madrid: Ediciones Verdad.

LONGARES, Manuel (1995). *No puedo vivir sin ti*. Barcelona: Planeta.

LÓPEZ DE HARO, Rafael (1924). *Fútbol... Jazz band*. Madrid: La Novela de Hoy.

LORIGA, Ray (1993). *Lo peor de todo*. Madrid: Debate.
MARADONA, Diego Armando (2016). *México'86. Así ganamos la copa*. Barcelona: Destino.
MARAÑÓN, Gregorio (1926). *Sexo, deporte y trabajo*. Madrid: Biblioteca Nueva.
MARCA (1964). «Paco Bru: el hombre que lo fue todo», en Suplemento *40 días, 40 ases, 40 biografías*, 19 de agosto.
MARCIAL (1991). *Epigramas completos*. Madrid: Cátedra.
MARÍAS, Javier (2000). *Salvajes y sentimentales. Letras de fútbol*. Madrid: Aguilar.
MARICHALAR, Antonio (1926). «Prólogo», en *Olímpicas*. Madrid: Biblioteca Nueva.
MARTÍN OTÍN, José Antonio (2012). *El fútbol tiene música*. Barcelona: Córner.
MARTÍN VIVALDI, Gonzalo; SÁNCHEZ PÉREZ, Arsenio (eds.) (2000). *Curso de redacción. Teoría y práctica de la composición y del estilo*. Barcelona: Paraninfo.
MARTÍNEZ, Guillem (2006). *Once contra once. Cuentos de fútbol para los que detestan el fútbol*. Barcelona: Debolsillo.
MARTÍNEZ DE PISÓN, Ignacio (1994). «El fin de los buenos tiempos», en *El fin de los buenos tiempos*. Barcelona: Anagrama.
MARTÍNEZ DE PISÓN, Ignacio (2013). *El siglo del pensamiento mágico*. Madrid: Libros del KO.
MATÉ, Luis (1955). *Los maridos engañan después del fútbol*. Madrid: Colección Teatro n.º 137.
MAUVIGNIER, Laurent (2017). *En la turba*. Madrid: Nocturna.
MENESES, Juan Pablo (2013). *Niños futbolistas*. Barcelona: Blackie Books.
MIQUELARENA, Jacinto (1934). *Stadium. Notas de sport*. Madrid: Plinto.
MOIX, Ana María (2012). *Un poco de pasión y otros cuentos de fútbol*. RHM Flash: Ebook.
MONTHERLANT, Henry de (1924). *Olímpicas. El paraíso a la sombra de las espadas. Los once ante la puerta dorada*. Madrid: Biblioteca Nueva.
MORALES, Franklin (1969). *La historia de la literatura uruguaya. Fútbol y literatura*. Buenos Aires: Capítulo Oriental n.º 42.
MUELAS, Federico (1943). «Oda a Jacinto Quincoces». *Garcilaso*, n.º 7, noviembre.
NUÑOZ, José Luis (2016). *Ascenso y caída de Humberto Da Silva*. Barcelona: Carena.
NABOKOV, Vladimir (2000). *Habla, memoria*. Barcelona: Anagrama.
NEUMÁN, Andrés (1999). *Una pelota enamorada*. Revista *Líbero*.
NIELSEN, Hans Jorgen (1987). *El ángel del fútbol*. Barcelona: Salvat.
ORWELL, George (1945). «The Sporting Spirit». *Tribune*, n.º 468, 14 de diciembre.
PADILLA, Toni (2017). «Una pistola de madera», en *Atlas de una pasión esférica*. Barcelona: Planeta.

PÁMIES, Sergi (2016). *Confesiones de un culé defectuoso*. Barcelona: Destino.
PÀMIES, Sergi (1990). *La primera piedra*. Barcelona: Anagrama.
PANZERI, Dante (1967). *Fútbol: dinámica de lo inesperado*. Buenos Aires: Paidós.
PARDEZA, Miguel (2010). «Esplendor en la hierba», en Francisco J. Uriz (ed.), *El gol nuestro de cada día*. Madrid: Vaso Roto.
PARDEZA, Miguel (2016). *Torneo*. Barcelona: Malpaso.
PARRA, Nicanor (2006). *Obras completas I (1935-1972)*. Barcelona: Galaxia Gutenberg.
PARRA DEL RIEGO, Juan (1943). *Poesía*. Montevideo: Biblioteca de Cultura Uruguaya.
PASO, Antonio (1935). *El mago del balón. Juguete cómico-deportivo en tres actos*. Madrid: La Farsa.
PASOLINI, Pier Paolo (2008). *Chavales del arroyo*. Palencia: Nórdica.
PASOLINI, Pier Paolo (2015). *Sobre el deporte*. Barcelona: Contra.
PASOLINI, Pier Paolo (1997). *Una vida violenta*. Barcelona: Planeta.
PEACE, David (2015). *Maldito United*. Barcelona: Contra.
PÉREZ, Jorge Omar (2006). *Los Nobel del fútbol*. Madrid: Meteora.
PERICLES TRIFONAS, Peter (2004). *Umberto Eco y el fútbol*. Barcelona: Gedisa.
PÍNDARO (2000). *Obra completa*. Madrid: Cátedra.
PINILLA, Ramiro (2012). *Aquella edad inolvidable*. Barcelona: Tusquets.
POLLAROLO, Giovanna (2013). «El sueño del domingo (por la tarde)», en *Entre mujeres solas. Poesía reunida*. Lima: Punto de Lectura.
QUIROGA, Horacio (2009). «Juan Polti, half-back», en *Morir de fútbol*. Madrid: Consejo Superior de Deportes.
REGUERA, Galder (2017). *Hijos del fútbol*. Barcelona: Libros del Lince.
RELAÑO, Alfredo (2014). *Memorias en blanco y negro. Historias del deporte en tiempos del No-Do*. Barcelona: Córner.
RELAÑO, Alfredo (2010). *365 Historias de fútbol mundial que deberías conocer*. Madrid: Martínez Roca.
RENG, Roland (2012). *Una vida demasiado corta*. Barcelona: Contra.
RESTREPO, Laura (2011). *Todo está perdonado*. Barcelona: Tusquets.
RIVAS, Manuel (2000). *Ella, maldita alma*. Madrid: Suma de Letras.
RIVAS, Manuel (2002). *Las llamadas perdidas*. Madrid: Alfaguara.
RIVAS, Manuel (1996). *¿Que me quieres, amor?* Madrid: Alfaguara.
RIVERA LETELIER, Hernán (2010). *El Fantasista*. Madrid: Punto de Lectura.
RODRIGUES, Sérgio (2014). *El regate*. Barcelona: Alfaguara.
ROJANO, Antonio (2012). *Fair Play*. Madrid: Anagnoris.
ROMEO, Félix (2001). *Dibujos animados*. Barcelona: Anagrama.
ROMEO, Félix (2001). *Discothèque*. Barcelona: Anagrama.
ROMEO, Félix (2013). *Por qué escribo*. Zaragoza: Xordica.
ROMEO, Félix (2012). *Todos los besos del mundo*. Zaragoza: Xordica.

ROSELL, Francesc; PINCH, Rossend (1928). *Judas futbolista*. Barcelona: Librería Catalonia.
SÁBATO, Ernesto (1981). *Sobre héroes y tumbas*. Barcelona: Seix Barral.
SACHERI, Eduardo (2005). *Esperándolo a Tito y otros cuentos de fútbol*. Buenos Aires: Galerna.
SALVADOR, Tomás (2014). *Los atracadores*. Madrid: Salto de Página.
SAN AGUSTÍN (1990). *Confesiones*. Libro I. Madrid: Alianza.
SAN ISIDORO DE SEVILLA (1994). *Etimologías*. Vol. II. Madrid: Biblioteca de Autores Cristianos.
SANTILLANA, Alonso de (1999). *El delantero centro de Pili*. Sevilla: Editorial Renacimiento, La Novela Pasional.
SANTORO, Roberto Jorge (ed.) (2007). *Literatura de la pelota*. Buenos Aires: Ediciones Lea.
SCHUMACHER, Toni (2015). *Tarjeta roja. Los escándalos del fútbol al descubierto*. Madrid: Torres de Papel.
SHAKESPEARE, William (2003). *El rey Lear,* en Obras completas. Tragedias. Madrid: Aguilar.
SHAKESPEARE, William (2003). *La comedia de las equivocaciones,* en Obras completas. Comedias y poesías. Madrid: Aguilar.
SILVA ROMERO, Ricardo (2009). *Autogol*. Bogotá: Alfaguara.
SKÁRMETA, Antonio (1985). *Soñé que la nieve ardía*. Barcelona: Plaza & Janés.
SKÁRMETA, Antonio (2011). *La composición*. Caracas: Ediciones Ekaré.
SORIANO, Osvaldo (2010). *Fútbol. Relatos épicos sobre un deporte que despierta pasiones*. Barcelona: Seix Barral.
SORO, M. (1984). «Multitudinaria asistencia a un entrañabale inicio del 75 cumpleaños realista». *El Diario Vasco,* 25 de agosto.
SUÁREZ, Gonzalo (2006). *La suela de mis zapatos. Pasos y andanzas de Martín Girard*. Barcelona: Seix Barral.
SUÁREZ, Gonzalo (1997). *Los once y uno*. Barcelona: Plaza & Janés.
TALLÓN, Juan (2014). *Manual de fútbol. Un libro en fuera de juego*. Barcelona: Edhasa.
TRUEBA, David (2008). *Saber perder*. Barcelona: Anagrama.
UMBRAL, Francisco (1998). «El saque de Cela» en Jorge Valdano (ed.), *Cuentos de fútbol* 2. Madrid: Alfaguara.
UNAMUNO, Miguel de (1967). «Deporte y literatura», *Nuevo Mundo,* 1 de febrero de 1915. Reproducido en *Obras completas*. Tomo VII. Madrid: Escelicer.
UNAMUNO, Miguel de (1971). «¡Pasto y deportes!». *La Nación,* 30 de junio de 1924. Reproducido en *Obras completas*. Tomo IX. Madrid: Escelicer.
UNZUETA, Patxo (2011). *A mí el pelotón y otros escritos de fútbol*. Barcelona: Córner.
URIZ, Francisco J. (ed.) (2010). *El gol nuestro de cada día*. Madrid: Vaso Roto.

URIZ, Francisco J. (ed.) (2009). *Poesía a patadas*. Córdoba: Ayuntamiento de Córdoba.

VALDANO, Jorge (ed.) (1995). *Cuentos de fútbol*. Madrid: Alfaguara.

VALDANO, Jorge (ed.) (1995). *Cuentos de fútbol 2*. Madrid: Alfaguara.

VARELA, Blanca (2007). «Fútbol», en *Aunque cueste la noche*. Salamanca: Ediciones Universidad de Salamanca.

VÁZQUEZ MONTALBÁN, Manuel (1998). *Crónica sentimental de España*. Barcelona: Grijalbo.

VÁZQUEZ MONTALBÁN, Manuel (1988). *El delantero centro fue asesinado al atardecer*. Barcelona: Planeta.

VÁZQUEZ MONTALBÁN, Manuel (2005). *Fútbol. Una religión en busca de un dios*. Barcelona: Debate.

VEGA, Coradino (2010). *El hijo del futbolista*. Madrid: Caballo de Troya.

VIDAURRE, Miguel (1984). «Reencuentro con viejos realistas». *El Diario Vasco*, 26 de agosto.

VILLALÓN, Fernando (1998). «Foot-booll», en *Poesías completas*. Madrid: Cátedra.

VILLORO, Juan (2006). *Dios es redondo*. Barcelona: Anagrama.

WOOD, David (2017). *Football and Literature in South America*. Nueva York: Routledge.

YUNQUE, Álvaro (1957). *Muchachos del sur*. Buenos Aires: Ediciones Eurindia.

ZUNZUNEGUI, Juan Antonio de (1931). *Chiripi. Historia bufo-sentimental de un jugador de foot-ball*. Madrid: Compañía General de Artes Gráficas.

ZÚÑIGA, Ángel (1983). *Mi futuro es ayer*. Barcelona: Planeta.

ZÚÑIGA, Ángel (1961). *Pan y fútbol*. Barcelona: Editorial Barna SA.